Zapalniczka

JOANNA

CHMIELEWSKA

Zapalniczka

WARSZAWA

Redakcja: **Anna Pawłowicz**

Korekta: **Julita Jaske**

Projekt okładki: **Maciej Sadowski**

ISBN 978-83-88791-83-3

Wydawca:
Kobra Media Sp. z o.o.
skr. poczt. 33, 00-712 Warszawa 88
www.chmielewska.pl

Dystrybucja:
L&L Firma Wydawniczo-Dystrybucyjna Sp. z o.o.
80-298 Gdańsk, ul. Budowlanych 64 F

Dział handlowy:
tel. (0-58) 340 55 29, fax (0-58) 344 13 38
e-mail: hurtownia@ll.com.pl
infolinia: 0 801 00 31 10
www.ll.com.pl <http://www.ll.com.pl>
www.ksiegarnia-ll.pl <http://www.ksiegarnia-ll.pl>

Przygotowanie do druku: *Page Graph*

Druk i oprawa: OPOLgraf SA

Zapalniczka stołowa była duża prawie jak pół kartonu mleka, z pięknego, ciemnego drewna, ozdobiona czarną emalią i paseczkiem srebra, owalna, prawdopodobnie przeciętnie droga. Zawierała w sobie zdumiewająco dużo gazu i wystarczała na nieskończoność, ponadto stanowiła wzruszającą pamiątkę.

No i ktoś mi ją podwędził.

Nie było mnie w domu, tkwiłam gdzieś w Europie, pozostawionego dobytku zaś pilnowało kilka osób, wymieniających się wedle jakiegoś harmonogramu, ułożonego między sobą. Każdy wtedy, kiedy mógł, co nie było łatwe i proste, bo wszyscy albo pracowali, albo studiowali. W dodatku dom był w trakcie urządzania i plątał się po nim cały tłum rzemieślników, fachowców, dostawców i w ogóle obcych ludzi, a jedyną rozumną istotą, która zapisywała kto, kiedy i co robił, była moja siostrzenica, Małgosia. W każdym razie starała się zapisywać.

Krótko przed moim powrotem zadzwoniła do mnie na komórkę.

– Słuchaj, tu się pcha ogrodnik. Niejaki pan Mirek. Co mam z nim zrobić?

– Wygoń go! – odparłam ostro, bez sekundy namysłu.

– Ja mogę. Ale trafił na Julitę, a ona delikatna. I umówiła się z nim na jutro, a mnie akurat wtedy nie będzie.

– To niech go Julita wygoni. Niech się z nim umówi, gdzie chce, byle nie u mnie. I niech się nie narwie przypadkiem na te jego demoniczne uroki, bo wyjdzie na tym jak Zabłocki na mydle. Ostrzeż ją.

– Zdaje się, że już się narwała – westchnęła smętnie Małgosia. – Ale dobrze, zrobię, co mogę. Naprawdę go nie chcesz?

– Za nic w świecie! Czarujący łajdak! Już nie ze mną te numery, mam to odpracowane w młodości. Za furtkę go nie wpuszczać!

Odłożyłam słuchawkę, rozzłoszczona porządnie, ale złość mi szybko przeszła, bo znajdowałam się nad morzem, przez całe życie łagodzącym moje uczucia. W dwa dni później ruszyłam w drogę powrotną, pozwalając sobie na kilka przerw w podróży.

Do domu dotarłam późnym popołudniem w niedzielę, wybrawszy chwilę bardzo starannie i rozsądnie. Nikt w dzień świąteczny nie pracował ani nie studiował, z wyjątkiem Tadzia, który, niestety, miał dyżur na lotnisku. Reszta, czyli Małgosia, jej mąż Witek, Julita i pan Ryszard, czekali na mnie, nie zdradzając żadnych przejawów zniecierpliwienia.

Skład ekipy miał swój głęboki sens. Pan Ryszard pilnował kwestii budowlanych, Tadzio telewizyjnych i telefonicznych, Witek alarmowych, elektrycznych i klimatyzacyjnych, Julita ogrodniczo-służbowych, a Małgosia sprawowała nadzór ogólny. Wszelkie decyzje podjęłam wprawdzie przed wyjazdem, pozostawiając tylko szczegóły do wykończenia, ale te szczegóły były nieopisanie uciążliwe i wściekle nieznośne. Miałam cichą nadzieję, że ich uniknę.

Wjechałam za bramę, bagażami zajęła się część męska. Część żeńska usiadła przy stole, z przyjemnością próbując przywiezionego z Francji wina. Także serów, camemberta i brie, które niestety należało wyjadać łyżką bezpośrednio z opakowań, ponieważ w czasie podróży rozmazały się doszczętnie.

Sięgnęłam po papierosy i w poszukiwaniu zapalniczki na oślep poklepałam stół. Nie doklepałam się, obrzuciłam zatem stół wzrokiem.

– Gdzie zapalniczka? – spytałam bez żadnych złych przeczuć.

Małgosia i Julita popatrzyły również.

– Nie ma? – zdziwiła się Julita. – Przecież była?

– Ale nie ma. Chyba że ja źle widzę.

– Tu stała – powiedziała Małgosia, wskazując palcem puste miejsce. – Dopiero co.

Wszystkie trzy zajrzałyśmy pod stół, obmacując zawaloną czasopismami półeczkę. Podniosłam się i obejrzałam bufet, stół jadalny i regał przy ścianie. Zapalniczki nigdzie nie było.

– Witek, brałeś stąd zapalniczkę? – wrzasnęła Małgosia w kierunku pracowni.

– Panie Ryszardzie, nie widział pan gdzieś tej stołowej zapalniczki? – zawołałam równocześnie w kierunku przedpokoju.

Witek i pan Ryszard pozbyli się już ciężarów i z różnych stron weszli do salonu. Żaden z nich nie palił.

– Jaką zapalniczkę? – spytał Witek.

– Widziałem ją na stole – odparł pan Ryszard. – Zdaje mi się, że zawsze tu stała?

– Stała, zgadza się. Ale nie stoi.

– Może w kuchni...?

Julita zerwała się z fotela i ruszyła w obchód mieszkania. Małgosia popędziła na górę. Znalazłam komórkę i zadzwoniłam do pani Heni, która od lat pracowicie likwidowała produkowany przeze mnie śmietnik.

– Pani Heniu, czy pani przestawiała gdzieś tę ciemną, stołową zapalniczkę...

– Już w piątek jej nie było – powiedziała pani Henia stanowczo. – Wiem, bo sprzątałam na stole. Ale ja jej nie ruszałam. I w ogóle nie widziałam jej nigdzie, miałam pani o tym pojutrze powiedzieć.

Zadzwoniłam do Tadzia.

– Tadziu, widziałeś gdzieś tę dużą, stołową zapalniczkę...?

– A, to już pani jest... Widziałem ją milion razy. Zawsze stała na stole. A co...?

– Nie stoi. Nie ma jej. Wiesz coś o tym?

– Nic. Zaraz, chyba wiem. W czwartek nie stała. Akurat nad programem tam siedziałem i chciałem sobie przypalić, a tu chała. Nie wiem, gdzie się mogła podziać.

Pięć osób przystąpiło do gruntownego przeszukiwania całego domu, bo wszyscy wiedzieli, jak mi na tej zapalniczce zależy. Pochodziła z Danii, z czasów, kiedy palenie było bardziej rozpowszechnione i stanowiła pierwszy prezent, jaki dostałam w życiu nie od najbliższej rodziny, tylko od osób obcych. Takiej samej, a nawet podobnej nie można już było później nigdzie kupić, co stwierdziłam osobiście w różnych krajach Europy, chociaż w tamtych nagannych czasach ozdobnych przyrządów do zapalania istniało zatrzęsienie. Lubiłam ją. Wolałabym, żeby mi zginął telewizor. Albo, na przykład, sedes.

– Czy to możliwe, żeby ją ktoś ukradł? – spytała Julita niedowierzająco, kiedy już sprawdziliśmy wszystkie miejsca, większe od paczki papierosów. – Albo schował złośliwie?

– Gdyby schował złośliwie, należałoby rozebrać dom na kawałki – zaopiniował Witek złowieszczo.

– To wolałbym nie teraz, bo zacząłem właśnie nową budowę – poprosił zmartwiony pan Ryszard.

– A gdyby ukradł, to kto? – zainteresowałam się na wszelki wypadek.

– Zaraz – powiedziała z energią Małgosia, sięgając na półkę pod stołem. – Ja tu mam listę obecności, zastanowimy się. Kiedy jej już nie było?

– Tadzio mówi, że w czwartek...

– W czwartek, w czwartek... A w środę?

– W środę była – powiedziała stanowczo Julita. – Tu siedziałam i zapalałam nią papierosa. Nie patrzcie tak na mnie, wiem, że kradnę zapalniczki, ale małe. Ta stołowa nie zmieściłaby mi się do torebki.

Kiwnęłam głową, rozumiałam ją, tak samo kradłam długopisy. Julita, stwierdziwszy kradzież, cudze zapalniczki zazwyczaj oddawała, ja długopisów nie. Chyba że ktoś się upomniał.

– O jakiej porze? – spytała surowo Małgosia.

– Byłam tu od dziewiątej do drugiej. O drugiej przyszedł pan Ryszard...

– Nie pali. Mógł nie zwrócić uwagi. Panie Ryszardzie, kto tu był, jak pan był?

Pan Ryszard już gmerał w kalendarzyku.

– Dwóch moich ludzi, za jakieś pół godziny przyszli, ale robiliśmy wodę na zewnątrz. Te krany i węże do podlewania. Nawet tu nie wchodzili, tylko do garażu, do kotłowni i do kuchni. Zapalniczek nie kradną. W ogóle niczego nie kradną, a potem był hydraulik do pieca, wchodził tylko do kotłowni. A potem pan przyjechał – wskazał brodą Witka.

– Zgadza się – przyświadczył Witek. – Spokojnie sobie mecz oglądałem, nikt mi nie truł. Z ochroniarzem wieczorkiem pogadałem przy furtce.

– W czwartek był stolarz?

– Był. Półki przywiózł, zanieśliśmy na górę, trochę coś tam dopasowywał. On siedział na górze, a ja na dole, przyjechał Tadzio i zwolnił mnie z posterunku.

– I razem ze stolarzem ustawiali tam telewizor – uzupełniła Małgosia, wpatrzona w swoje zapiski. – Potem ja, jak przyjechałam, to już nikogo nie było, dom zamknięty i zaalarmowany, zaraz objawili się ci od telefonów i zatkali te dziury na zewnątrz, a przed wieczorem pan Ryszard przywiózł końcówkę do węża... Zaraz, to nie ma znaczenia, skoro Tadzio mówi, że w czwartek już zapalniczki nie było...

Z wielką satysfakcją słuchałam, jakie rozrywki zdołały mnie ominąć i nawet nie zwróciłam uwagi, że pan Ryszard jakoś się zmieszał, otworzył usta, jakby chciał coś powiedzieć i zamknął je bez słowa. Zajęta byłam zapalniczką.

– W grę wchodzi tylko środa od południa i czwartek do przyjazdu Tadzia – poparłam spostrzeżenie Małgosi. – Czyli pan Ryszard z ludźmi, Witek z ochroniarzem i ewentualnie stolarz.

– Kto tu był, jak ty byłaś? – zwróciła się gwałtownie Małgosia do Julity.

Julita się niemal przestraszyła.

– Nikogo nie było, dopiero później przyszedł pan Mirek...

Miotnęło mną.

– Ogrodnik...!!!

– No właśnie, ogrodnik...

– Przecież ci mówiłam, że ona mówiła, że masz go wyrzucić! – krzyknęła z oburzeniem Małgosia.

– Ale żebym go mogła wyrzucić, musiał najpierw przyjść, nie? – zauważyła Julita rozsądnie. – No i potem go wyrzuciłam. Od razu wam powiem, że okropnie mi było nieprzyjemnie, akurat na mnie spadło najgorsze...

– Nie wiem, na kogo – rozzłościłam się. – Niech on się cieszy, że mnie tu nie było, bo zrobiłabym mu coś złego! Oszust cholerny i padalec, wykorzystał zaufanie i wszystkie swoje buble mi wtrynił! Co ja mam teraz zrobić, obrócić cały ogród w perzynę i zacząć na nowo?!

– Może jeszcze się przyjmie... – zaczął Witek niepewnie.

– Co się przyjmie?! To, czego nie chcę?! Co on mi z żywopłotem zrobił, z każdej strony co innego, na cholerę mi cztery choinki, las zakładam czy jak?! Dwa czerwone klony koło siebie, park miejski to ma być czy mały ogródek?! Co za orzech mi wetknął, co za ostrokrzew, jaką lipę?! Płaciłam za duże drzewo, a nie za patyczki, co on myśli, że będę żyła dwieście lat?! Cebulki tulipanów po dwadzieścia złotych...?! Z platyny je robił?! Dzwonek górski zamiast naparstnicy...?! I w co to wtykał, w grunt budowlany pierwszej kategorii...!

– Drugiej – poprawił delikatnie pan Ryszard. – Pierwsza, to lita skała.

– Skamieniała glina!!! Miał wyrzucić!!! Płaciłam bez słowa i wcale tego nie chcę!!!

– Trzeba było nie płacić – skarciła mnie zimno Małgosia.

– Gąszcz jaśminu, a gdzie bez?! Tyle, co kot napłakał!!!

– Niech się pani nie martwi, choinki już usychają, a bez miał przesuszone korzenie – pocieszył mnie pan Ryszard. – I tak trzeba będzie dosadzić na nowo.

– Głupiej maliny, głupiej jeżyny, głupiej porzeczki nie potrafił posadzić! Od tej brzozy jestem chora, nie taką chciałam!!! Wiśnię mi wpychał, nie cierpię wiśni! Rachunki wystawiał jak za ogrody Semiramidy...!

Małgosia miała już dosyć mojej awantury.

– Toteż ostatniego mu nie zapłaciłaś i słusznie. Dziwię się tylko, że w tej sytuacji w ogóle ośmielił się przyjść. Po co przyszedł?

– Po pieniądze! – warknęłam. – Miał nadzieję, że moje zidiocenie jest trwałe.

– Albo nie wiedział, że sprawdziłaś ceny...?

– Proponował iglaczki i czerwony dąbek – wtrąciła się z westchnieniem Julita. – Nie wiedział, że cię nie ma, a o pieniądzach nie mówił ani słowa.

Popatrzyłyśmy z Małgosią na nią i na siebie wzajemnie.

– Zaskoczyła – orzekła Małgosia ze zgorszeniem i odrobiną współczucia. – Widać jej z twarzy. Podrywał ją, jak paw w czasie rui.

– O Boże...! – jęknął Witek.

Też mi jakoś paw do rui nie pasował, dzięki czemu ochłonęłam. Ogrodnik Mirek był z pewnością bezczelnym naciągaczem, ale nie kretynem, moją ufną głupotę wywęszył w mgnieniu oka i bezbłędnie. Zważywszy jednak, iż nie żywiłam się zupką dla bezrobotnych i nie sypiałam pod mostem, powinien był dopuszczać istnienie jakichś granic matołectwa klientki, zatem na co liczył? Zaryzykował po prostu?

– Co mu powiedziałaś? – nacisnęłam Julitę.

– Że nie. Że dziękujesz bardzo, ale nic więcej nie będziesz sadzić. Nie zamierzasz. I ja to wiem.

– I po takich prostych słowach od razu poszedł? – zdziwiła się Małgosia.

– A, nie. W tym rzecz właśnie. Dlatego było nieprzyjemnie. Upierał się i namawiał, roztaczał takie wizje... roślinne... Proponował, że jutro to coś tam przywiezie i czy ja będę... Wiem doskonale, że uważacie mnie za idiotkę uczuciową i ja może jestem, ale w ograniczonym zakresie. Podrywał i czarował, a ja znam takich jak on, w dodatku, skoro Joanna kazała go wyrzucić, coś w tym musiało być, nie wchodziłam w szczegóły, ale postawiłam się twardo i poradziłam mu dać sobie z tym spokój...

Prywatnie subtelna, delikatna, uczuciowa, wrażliwa Julita, jako bizneswoman przerastała skałę i wszyscy wiedzieliśmy o tym doskonale. Musiało w niej przeskoczyć na inne tory.

– ...i wtedy zrobił się jakiś zły. W środku, po wierzchu ciągle był uwodzicielski. Snuł się ze mną po ogrodzie, przez te wizje roślinne, kawkę wypiliśmy...

– W ogrodzie? – spytał cierpko Witek.

– Nie, w domu. W salonie. I tak mu się jakoś trudno wychodziło, wychodził, jeszcze wracał, coś w ogrodzie pokazywał, że tu byłoby ładnie, a tam się powinno, no, wiecie, takie ple ple. I wreszcie poszedł.

– A ty co wtedy zrobiłaś? – spytała szybko Małgosia. – Sprzątnęłaś ze stołu?

– Nie, już wcześniej sprzątnęłam.

– To co zrobiłaś?

– Patrzyłam, czy zatrzasnął furtkę, niepotrzebnie, bo tu ludzie coś robili. A potem zamknęłam drzwi. Zdenerwowałam się, zrobiłam sobie jeszcze jedną kawę i rozłożyłam na stole korektę, żeby się uspokoić, tam, na tym stole jadalnym. Nic nie zdążyłam zrobić, bo zaraz przyszedł pan Ryszard.

– Zatem nie wiesz, czy zapalniczka jeszcze stała?

Julita popatrzyła na nas wzrokiem zranionej sarny.

– Nie wiem. Nie spojrzałam. Zapaliłam papierosa czymś, co leżało pod ręką. I prawie od razu wyszłam...

– Panie Ryszardzie...?

– Kręcili się ludzie, ale ja ich przecież wszystkich znam! Nawet do kuchni nie wchodzili, dookoła domu mieli robotę, nie w środku. Z kierowcą płytki przenosili, te do chodniczka, tu się tylko kręcili, w bramie i na dziedzińcu...

☆ ☆ ☆

Omówiwszy z detalami wszystkie inne osoby, pracowników pana Ryszarda, stolarza, Tadzia i Witka, nie mając pojęcia, że jedną osobę udało się wszystkim całkowicie pominąć, na przestępcę wytypowaliśmy ogrodnika. Zły, że już więcej ze mnie nie wydoi, zrekompensował sobie rozczarowanie.

Uparłam się odzyskać przedmiot.

– Masz dwie możliwości – powiadomił mnie bezlitośnie Witek. – Jechać do niego i dać mu po mordzie albo zawiadomić policję.

– Akurat, policję! – prychnęła wzgardliwie Małgosia. – Palcem o palec nie stukną ze względu na znikomą szkodliwość społeczną czynu. Ile ona była warta, ta zapalniczka?

– A bo ja wiem? Sto złotych? Dwieście? Może więcej, bo to Ronson.

– Nawet gdyby była warta dwieście tysięcy, też nic ci z tego nie przyjdzie. On się w ogóle wyprze, a nakazu rewizji żaden prokurator im nie da.

– Przeszukania – poprawiłam, kiwając zarazem głową, bo byłam takiego samego zdania. – To się nazywa przeszukanie. Po mordzie...? Też się wyprze. Chyba żeby mu zagrozić uszkodzeniem urody.

– O, to jest myśl! – pochwaliła Małgosia.

Julita westchnęła ciężko i zajrzała do pustego kieliszka, czym prędzej poleciłam zatem Witkowi otworzyć następny napój, polecenie spełnił pan Ryszard, bo był bliżej stołu. Brzęknął gong u furtki, pojawił się Tadzio, który zaniepokojony pytaniami o zapalniczkę, zahaczył o mnie w drodze z pracy do domu. Na wstępie spróbował camemberta i trochę płynnej już masy serowej zrzucił sobie na spodnie, co go nieco zdenerwowało.

– O kant tyłka potłuc te wasze praworządne metody – oznajmił z goryczą. – Po jakiej tam mordzie, drutem kolczastym związać i nad mrowiskiem zawiesić, to by może coś dało. Bo tak zwyczajnie, to jeszcze nie było wypadku, żeby okradziony zwrot swojego mienia od złodzieja dostał. Co wy wszyscy, dzieci?

– To co proponujesz? – zaciekawił się żywo Witek.

– Przecież mówię! Macie tu gdzieś drut kolczasty?

– Znalazłoby się trochę – zapewnił ochoczo pan Ryszard. – I nawet mrówek dosyć dużo.

– Przede wszystkim należy sprawdzić, czy to na pewno on – wtrąciła się Julita z lekkim protestem w głosie. – Bo jeśli nie on, z mrówek nic nam nie przyjdzie. Powinno się jakoś... podstępnie...

Wyrobiłam sobie własne zdanie, które chyba kołatało mi się pod ciemieniem od samego początku.

– Podstępnie, tak! Żeby się nie połapał, bo ukryje albo do Wisły wrzuci. Sprzedać chyba nie sprzedał, dwieście złotych to dosyć nędzna rekompensata w obliczu dwudziestu tysięcy, których już ode mnie nie dostał i na pewno nie dostanie. Sprawdzić, wedrzeć się jakoś do niego i zabrać ją. Odkraść albo nawet wziąć jawnie, chwycić do ręki i chodu. I niech on sobie zawiadamia gliny, a nie ja!

Wszyscy radośnie pochwalili pomysł, bo też istotnie żadna zgodna z prawem metoda nie dawała szans na odzyskanie utraconego dobra. Włamywaczy i złodziei niekiedy nawet łapano, skazywano, wsadzano za kratki, a pokrzywdzony co stracił, to stracił, i nikt mu tego nie próbował oddawać. Przeciwnie, musiał jeszcze żywić bandziora. Płacić za jego utrzymanie. Może chociaż takiej okradzionej ofierze powino się w jakimś stopniu zmniejszyć podatki...?

Pełna zgodność zapanowała wśród uczestników obrad i jedyny szkopuł stanowił brak odpowiednich doświadczeń. Jakim do licha sposobem mieliśmy sprawdzić jego stan posiadania? Ma tę cholerną zapalniczkę w domu czy nie? Trzyma na wierzchu czy gdzieś ukrył? Bo może, zabrawszy ją przez zemstę i złośliwość, najzwyczajniej w świecie wyrzucił do pierwszego śmietnika...?

– Śmieci! – poderwała się Małgosia. – W środę, u ciebie rano wywożą, w południe jeszcze była! Nie wywieźli...!

Czarowna wizja worków śmieciowych, na których dnie mogła spoczywać zapalniczka, poderwała wszystkich. Nie wiem, co sobie mogli pomyśleć sąsiedzi na widok sześciu osób, z obłędem w oczach grzebiących w śmietniku i z tysiącznymi ostrożnościami przesypujących zawartość jednych worków w drugie. Tak nam jakoś wypadło, że poprzednie worki były niebieskie, a teraz chwyciliśmy czarne, więc może poszło to na karb upodobań kolorystycznych zamieszkałej tu osoby. Każdy ma prawo do własnego szmergla.

W śmieciach zapalniczki nie było.

– No to nie ma siły, ten hreczkosiej podwędził – zawyrokował Witek i zamknął klapę śmieciowego kubła. – On mi się od początku nie podobał.

– Prawdę mówiąc, mnie też nie – poparł go pan Ryszard. – Nic nie chciałem mówić, bo może ja się nie znam, ale jakoś mi się tak wydawało, że dostaje pani całkiem nie to, co pani chciała...

– A było mówić! – warknęłam z furią i ruszyłam z powrotem do domu, starannie omijając wzrokiem nieodpowiednią roślinność, co mi przyszło o tyle łatwo, że już nastał wieczór i zrobiło się ciemno.

– Jeśli idzie o włamanie – rzekł Tadzio, wchodząc do przedpokoju – popytam kumpli, ostatecznie to wszystko mechanicy, zamki, klucze, takie rzeczy mamy w małym palcu, załatwi się. Tylko nie wiem, jak tam się rozejrzeć u niego.

Julita stanowczym krokiem weszła do salonu, napiła się wina, przez pomyłkę z kieliszka Małgosi, i mężnie oznajmiła, że czuje się winna. Przy niej Mirek-ogrodnik rąbnął moją własność, na niej spoczywa obowiązek dokonania wysiłków i odzyskania pamiątki. I zrobi to!

– To znaczy, pójdziesz do niego, dasz mu po mordzie i obwiążesz go drutem kolczastym? – uściśliła Małgosia. – To było moje wino, ale nie szkodzi, mogę wypić twoje. I weźmiesz od mojej ciotki mrówki? Nałapać ci do słoiczka?

Wytrącona z równowagi Julita obejrzała wszystkie kieliszki, rozpoczęła przeprosiny, ucięła je na samym wstępie, machnęła ręką, wypiła jeszcze trochę wina i ujawniła dalszy ciąg zamiarów. Owszem, pójdzie, bez mrówek i drutu, ale za to z czymkolwiek, zełże, że to coś jest jego, ostatnim razem zostawił, więc mu odnosi. Może udawać, że zakochała się w nim i odnoszenie stanowi pretekst, co przynajmniej będzie jakimś cieniem prawdy. Rzeczywiście stanowi pretekst, a jej dostarczy pociechy i oparcia, bo cholernie nie lubi łgać i łgarstwa zawsze jej źle wychodzą. Ale teraz się spręży w sobie...

– Szczególnie, że zakochanie powinno ci wyjść nieźle – zauważyła Małgosia niemiłosiernie. – I nikomu nie zaszkodzi, jak on uwierzy. Na szczęście nie masz ogrodu, który mógłby ci urządzać podeschniętymi choinkami.

– Ale on może mieć żonę – zauważył ostrzegawczo Witek. – Ktoś coś o tym wie?

Niestety, stan cywilny ogrodnika hochsztaplera nikomu z nas nie był znany. Byłam pewna, że ma żonę, tacy jak on miewają żony i lekceważą je skandalicznie, rozwodzą się i żenią ponownie pod naciskiem bozauroczonych bab, z których każda tego adonisa botanicznego chce mieć dla siebie. Żona nie miała znaczenia, mógł się akurat rozwodzić.

– Co do żony, nic nie wiem, ale to drobiazg, najwyżej baba uwierzy Julicie i później zrobi mu piekło. Za to mam adres, zostawił mi wizytówkę z telefonami, służbowy i prywatny, poczekajcie, zaraz znajdę...

Ku własnemu zdumieniu znalazłam wizytówkę w notesie pod właściwą literą, O jak ogrodnik. Był na niej nawet adres. Przez ten czas pozostałe osoby uzgodniły między sobą, jaki przedmiot Julita powinna uznać za jego własność i koniecznie mu zwrócić.

– Macie źle w głowie? – spytałam z oburzeniem, wróciwszy z pracowni. – Mało że mnie wydoił, mam mu jeszcze poświęcać takie doskonałe okulary od słońca? Dla siebie kupiłam!

– Nie martw się, powie, że nie jego i nie weźmie – uspokoiła mnie Małgosia.

– Akurat, nie weźmie! Wszystko weźmie!

– To niech ona nie daje mu do ręki, tylko pokaże z daleka – poradził Witek. – Niech udaje, że ich szuka w torbie i przez ten czas niech się rozgląda...

Julita wyglądała na osobę, która przeceniła własne siły. Byłabym ją wspomogła prezentacją ogrodniczych sukcesów pięknego oszusta, ale w ciemnościach niewiele już było widać, pokazałam jej zatem tylko rachunki, które wzburzyły ją do głębi. Zmobilizowała się na nowo.

– Idę! Od razu jutro! A może jeszcze dzisiaj...?

– Dzisiaj byłoby nawet dość uzasadnione – zauważył Tadzio. – Julita czekała, bo myślała, że te okulary są pani, a pani właśnie przyjechała i powiedziała, że nie. No to zgadła, że jego i zaraz oddaje.

– Bardzo dobry pomysł – pochwaliła Małgosia.

– Pojadę z panią – zadecydował pan Ryszard, nie budząc niczyjego sprzeciwu. – Potem przywiozę tu panią, a tam zaczekam przed domem na włączonym silniku, bo nie wiadomo, co się stanie. Może będzie pani musiała uciekać razem z tą zapalniczką?

Wszyscy później uznali, że miał jasnowidzenie.

A jeszcze później zwątpili, czy przydatne...

☆ ☆ ☆

Ogrodnik mieszkał elegancko, w szeregowcu, domki jednorodzinne przystawione do siebie, każdy z malutkim ogródkiem od frontu i od tyłu. Ciasno tam było jak piorun i pan Ryszard zaparkował przed wejściem z niejakim wysiłkiem.

Dziko zdenerwowana, ale zacięta Julita zadzwoniła do furteczki, pchnęła ją i weszła. Podobno, zdaniem pana Ryszarda, wyglądała w tym momencie jak anioł, któremu siłą przydzielono pod opiekę psychopatę-zboczeńca. Weszła dalej po schodkach, zadzwoniła do drzwi, nad którymi paliła się lampa, po chwili zadzwoniła ponownie, wreszcie otworzyła je i znikła we wnętrzu budynku.

Pan Ryszard siedział z włączonym silnikiem, na luzie, i pilnie patrzył.

Nadeszła jakaś baba z wypchaną torbą foliową w ręku, przyjrzała się furtce, podejrzliwie obejrzała się na stojący za nią samochód i też weszła do domu ogrodnika. Drzwi za sobą zamknęła, a mimo to przeraźliwy krzyk dobiegł uszu pana Ryszarda.

Brzmiał zupełnie upiornie, stłumiony nieco, ale wyraźny, wrzeszczała jedna osoba, tymczasem wiadomo było, że w środku znajdują się co najmniej dwie, a możliwe, że trzy. Pan Ryszard, daleki od histerycznych wybryków, błyskawicznie zgasił silnik, wrzucił jedynkę, wysiadł i pośpieszył w kierunku źródła dźwięku. Zdążył się oczywiście zastanowić nad zjawiskiem, ale przez głowę przeleciało mu tyle przypuszczeń, że nie wybrał z nich żadnego.

W domu ujrzał krew w żyłach mrożącą scenę.

Rzeźnia miejska to może przesada, ale niewielka. Część dość dużego pokoju kolorystycznie upiększona, jakieś brązowe skorupy i kawałki szkła na podłodze, wśród nich zaś leżący ogrodnik, pan Mirek, też w żywych barwach, zaledwie dający się rozpoznać pod płynną dekoracją, ponadto dość mocno przysypany ziemią, co nasuwało natrętną myśl o błyskawicznym pochówku. Tuż za drzwiami Julita, w pozycji na szczęście pionowej, znieruchomiała na kamień, w swoim czerwonym żakieciku idealnie dopasowana do scenerii, z oczami jak spodki i dłońmi na twarzy, ze zgrozą wpatrzona w pobojowisko.

I baba, stanowiąca jedyny element ruchomy, który, wnioskując ze śladów, przed sekundą zerwał się z podłogi i usiłował właśnie walnąć Julitę czajnikiem elektrycznym.

Że Julitę, to pewne, bo nieartykułowany krzyk zdążył nabrać treści. Wynikało z niej, iż Julita, osoba na wyjątkowo niskim poziomie moralnym, zabiła Mireczka, perłę ludzkości, a teraz zostanie jej pokazane. Nie ucieknie, zajmie się nią policja, niech będzie przeklęta i zgnije w ciupie. Kolejność słów wskazywała, że przeklęta będzie i w ciupie zgnije policja, ale to już była drobnostka.

Czajnik elektryczny stawiał opór, oplątany był bowiem nietypowo długim przewodem, dzięki czemu początek zemsty bardzo się opóźnił. Pan Ryszard zdołał oderwać wzrok od zbrodniczej abstrakcji, spojrzał pod nogi, ujrzał dodatkowe zniszczenia, pochodzące niewątpliwie z wypchanej, foliowej torby, rozbity słoik z flakami... na flaki go nieco otrząsnęło... rozrzucone obok kawałki pieczonych kurzych udek, pękniętą salaterkę z czymś białym i różne inne produkty, których opakowania jeszcze się trzymały, rozejrzał się dookoła i wzrok jego padł na znaną mu doskonale stołową zapalniczkę. Stała sobie na regale pod ścianą, w niezrozumiały sposób kataklizmem nietknięta, w pełni dostępna.

Gdyby nie ta cholerna zapalniczka, pan Ryszard zachowałby się racjonalnie. Zadzwoniłby do pogotowia i policji, razem z Julitą zaczekałby na przyjazd czynników oficjalnych, złożyłby zeznania... Uruchomiłby Julitę, która też powinna złożyć zeznania... Nikt rozumny, a niechby i bezrozumny, nie zdołałby uwierzyć, że całą tę scenerię, z panem Mirkiem włącznie, zdołała stworzyć w ciągu jednej minuty, w dodatku nie zostawiając nigdzie najmniejszego śladu po sobie.

Zapalniczka jednakże przesądziła sprawę.

Baba straciła cierpliwość do czajnika. Stał na barku, w towarzystwie różnych podręcznych utensyliów kuchennych, tu sól, tu pieprz, tu cukier, tu imbryczek, tu ekspresik do kawy... Odwróciła się ku tej zastawie, wciąż wykrzykując inwektywy i groźby, niecierpliwie zaczęła zdzierać przewody z czajnika, wzrok jej padł na ekspresik, chwyciła go razem z podstawką, wzięła dobry zamach i chlusnęła na siebie dwiema filiżankami kawy, z towarzyszeniem fusów.

To ją na chwilę zastopowało.

Chwila może być krótsza lub dłuższa. Ta zaliczała się do drugiej kategorii, pan Ryszard ją wykorzystał. Dwoma posuwistymi, ostrożnymi krokami podsunął się do regału, ujął w dłoń zapalniczkę, wrócił na miejsce poprzednie i silnie chwycił Julitę za rękę, odrywając ją od jej twarzy.

– Idziemy – powiedział spokojnie, acz z potężnym naciskiem.

Julita jak automat posłusznie poszła za nim, co ogólnie biorąc, było najdoskonalej sprzeczne z jej charakterem. Ledwo zdążyli znaleźć się na zewnątrz, ze środka dobiegło potężne łupnięcie w drzwi, z czego należało mniemać, iż oskarżycielka wydobyła się spod wpływu kawy. Pan Ryszard przyspieszył kroku.

Julita oderwała drugą dłoń od policzka i odetchnęła głęboko, dopiero wsiadłszy do samochodu.

– O Boże – powiedziała niewyraźnie, trochę się dławiąc. – Co to... Co to było...? Co... co... co tam się mogło... stać...?

– Nic, nic – rzekł kojąco pan Ryszard. – Tam jest woda, w schowku. Niech się pani napije. Zaraz to wszystko omówimy. Najważniejsze, że mamy zapalniczkę, bardzo dobrze pani zgadła...

☆ ☆ ☆

– Coście, na litość boską, najlepszego narobili?! – powiedziałam ze zgrozą, usłyszawszy sprawozdanie z akcji.

– Z tego wszystkiego wynika, że odbieranie własnych rzeczy wcale nie jest takie łatwe i proste – zaopiniował równocześnie Witek. – Żeby nie ta baba... Kto to był?

– Nie żona – zaprzeczyła stanowczo Julita, przychodząca już nieco do siebie po koniaku, kawie, wodzie i winie. – Takiej żony on nie mógł mieć. Okropna stara megiera.

– Zdążyłaś zauważyć? – zdziwiła się Małgosia.

– To się samo rzuciło w oczy...

Pan Ryszard potwierdził pogląd. Zdrowego rozsądku wcale nie stracił, spostrzeżeń zdołał dokonać, jego zdaniem mogła to być siostra. Zdecydowanie starsza, ale podobna z twarzy, tyle że na bazie karykatury. Co u pana Mirka piękne, to u niej przesadzone, co u niego męskie, to u niej też, a kobieta o męskich rysach wielkich zachwytów nie budzi. Ponadto przyniosła mu pożywienie, na własne oczy zobaczył, typowa rzecz, starsza siostrzyczka dba o młodszego braciszka, najwidoczniej pozbawionego żony.

– I myślała, że Julita go kropnęła? – upewniła się Małgosia.

– Wszystko na to wskazuje – przyświadczył pan Ryszard.

– Musiała mieć jakieś przesłanki. Bo ja bym raczej była za klientem, któremu szlag trafił cały ogród. Coś takiego, jak ty. To co teraz będzie?

Zastanowiłam się. Odzyskana zapalniczka stała przede mną na stole. Wytarłam ją starannie, żeby usunąć ślady palców ogrodnika, i poodciskałam własne.

– Zaraz – zarządziłam. – Po kolei. Panie Ryszardzie, pański samochód obejrzała? Numer, kolor, markę?

– Spojrzała z boku, więc o numerze mowy nie ma. Kolor też nie do ustalenia, tam trochę ciemno było, sama pani wie, że mój niebieski kiedyś się pani wydał srebrny, a w ogóle to wcale nie jest mój samochód.

– Tylko czyj? Cudzym pan jeździ?

– Chwilowo. Do jutra. Mój stoi w warsztacie, jutro go odbieram. Taki zastępczy mi dali, bo to znajomy warsztat.

– Bardzo dobrze...

– Byłoby jeszcze lepiej, gdyby był kradziony – stwierdził Witek. – Nie ukradł go pan?

– Niestety, nie.

– Szkoda...

– Rysopisy – podsunął ostrzegawczo Tadzio. – Zrobią portrety pamięciowe.

Przyjrzałam się krytycznie dwojgu złoczyńcom.

– Julita, robisz się na jasnorudo i kręcisz włosy, zawsze ci było w czymś takim do twarzy. Od razu, jutro rano. Albo pożyczam ci perukę. Pan Ryszard jest kompletnie nie do opisania, wszystko ma regularne, co ona powie o jego twarzy? Brwi normalne, oczy normalne, nos normalny, włosy średnie, nic pan nie ma krzywego, tymi samymi słowami można opisać Witka, nawet wzrost macie podobny...

– Witek grubszy – mruknęła Małgosia.

– Iiii tam, parę kilo... Julita, ten czerwony żakiecik spisujesz na straty, zostawiasz go u mnie, może się kotom spodoba. Kupię ci inny, zresztą, do rudych włosów czerwone nie pasuje. Trudno, skoro od razu nie wezwaliście policji, teraz przepadło, musimy się ukrywać. Może to nawet lepiej, zrobilibyśmy im niepotrzebne zamieszanie.

– A zapalniczka? – przypomniała ostrzegawczo Małgosia. – Bo skoro Julita w takiej sytuacji zauważyła, że ta hipotetyczna siostra to megiera, to ona musi być rzeczywiście megiera. I co, jak co, ale głowę daję, że na rąbnięcie zapalniczki zwróciła uwagę. Takie widzą wszystko!

Z niebotyczną naganą popatrzyłam na moją nietaktowną siostrzenicę.

– Jakie rąbnięcie? Jakiej zapalniczki? Pierwsze słyszę. Ta moja, tutaj, stoi na stole... no dobrze, na różnych moich stołach... od prawie trzydziestu lat. Wszyscy widzieli! Nikt jej nie kradł!

– A możesz to udowodnić, że ona twoja?

Triumfalnie odwróciłam zapalniczkę do góry nogami i pokazałam wszystkim. Sama też spojrzałam.

I zamarłam.

Dookoła spodu mojej zapalniczki biegł srebrny pasek, na którym wygrawerowany został napis: Meilleurs voeux pour Joanna des amis danois Karen et Helge 1976 a. Czyli: „Najlepsze życzenia dla Joanny od duńskich przyjaciół Karen i Helge 1976 r.". Że z drobnym błędem, to bez znaczenia, Duńczycy mi życzyli, nie Francuzi.

Na tej zapalniczce nie było niczego. Nawet srebrnego paska.

No i teraz dopiero zaczęła się polka z przytupem...

☆ ☆ ☆

Możliwe, że ostateczna decyzja, jaką wszyscy podjęli, była nie bardzo humanitarna i niekoniecznie praworządna, ale w końcu nikt z nas świętej pamięci ogrodnika nie kropnął, nikt zatem nie szastał się przesadnie wyrzutami sumienia i nie czuł na sobie ciężaru, jakim byłby obowiązek odnalezienia zabójcy. Nie mnie jednej zapewne pan Mirek się naraził i, szczerze mówiąc, dla nieznanego sprawcy wszyscy mieli pełne zrozumienie. Zgodnie postanowiliśmy milczeć niczym zmurszałe głazy.

Pozostała jednakże niepojęta zupełnie kwestia mojej-niemojej zapalniczki.

Wszyscy już poszli, rozpakowałam się nawet częściowo, a wciąż nie opuszczała mnie myśl o czymś, co zdarzyło się jakiś czas temu i tej cholernej zapalniczki dotyczyło. Nijak sobie tego nie mogłam przypomnieć, jakieś skojarzenie migało i gasło, kurczaczki, jakie znowu kurczaczki, co mają kurczaczki do zapalniczek i papierosów? Kurczaczki, jajeczka... Moja pamięć kolorystyczna podsuwała coś żółtego, no owszem, zgadza się, kurczaczki przeważnie bywają żółte, z jajeczkami mają związek, ale co z tego? Nie palą przecież, do pioruna!

Usiadłam na kanapie przy salonowym stoliku i wzięłam zapalniczkę do ręki, ponownie ją oglądając. Moja, jak w pysk dał! Pstryknęłam, nic z tego, iskra migała, płomienia nie było. Zapaliłam dodatkową lampę, obejrzałam spód, po srebrnej blaszce, jeśli ją ktoś odjął, powinny zostać jakieś ślady. Pojęcia nie miałam, jak została przymocowana, nie wnikałam w to nigdy. Na klej...? Czy wbita w drewno jakimiś igiełkami...? Może srebrny paseczek miał ostry rancik...?

Poszłam do pracowni, zapaliłam lampę kreślarską i wyciągnęłam z szuflady lupę. Wciąż miałam nadzieję, że zapalniczka jednak jest moja i nie ukradliśmy cudzej, bo podwędzić coś ofierze zbrodni, to trochę głupio. Mam się teraz zakraść do ogrodnika i podrzucić mu ją pośmiertnie? Ale jeśli nawet ta jest jego, to gdzie moja?

W spodzie nawet przez lupę nie było widać niczego, gładkie drewno, środek nieco wgłębiony, zewnętrzna część wystająca i na niej właśnie powinien się znajdować paseczek z dedykacją. Nie zostało po nim nic, ani cienia śladu, jakby go tam nigdy nie było. Może i rzeczywiście nie było...?

Obracałam zapalniczkę w rękach, beznadziejnie wpatrując się w nią przez lupę, niepewna już nawet identyczności dekoracji. Niby się zgadza, w dole dwa czarne paski emalii, u góry też dwa, z tym że jedne i drugie przedzielone nitkami srebra, dokładnie tak samo jak w mojej. Ale może przerwa między dolnymi paskami w mojej była większa? Albo mniejsza? I czy przypadkiem nie była gładka? Bo tu jest ozdobnie szorstka, fakturowana w drobne kropeczki, co sprawia, że kontrastuje z lśniącą emalią... Głupstwa myślę, moja też była szorstka i też kontrastowała!

Pod lupą w owej przerwie widoczne były mikroskopijne dziureczki. W ich kwestii nie miałam żadnego zdania, nigdy mojej zapalniczki nie oglądałam przez lupę i za żadne dziureczki nie mogłam ręczyć. Ale właściwie już sam brak śladu po pasku z dedykacją wystarczał, żeby stracić nadzieję, niemożliwe przecież, żeby w tak krótkim czasie, kilka dni zaledwie, ogrodnik odjął dedykację, wyszmerglował i wygładził dno, wypolerował drewno, doprowadził je do takiego samego stanu, jak cała reszta. Postarzył. Nie miał co robić i zajmował się wyłącznie stolarską pracą artystyczną?

Nie, jednak ona chyba nie moja...

☆ ☆ ☆

Najbliższy radiowóz podjechał, stwierdził pełną zasadność wezwania, załoga unieruchomiła w kuchni rozhisteryzowaną babę i zaczekała na ekipę śledczą, niczego nie dotykając i nie depcząc. Ekipa śledcza, przybywszy dość szybko, od razu zabrała się do roboty.

Komisarz Janusz Wólnicki sprężył się w sobie niczym podcięty batem rumak bojowy. Zważywszy, iż do poganiania rumaków bojowych nikt nigdy bata nie używał, raczej walono je płazem miecza lub szabli, względnie dźgano ostrogami, w zetknięciu ze zwykłym, wulgarnym batem szał końskiego organizmu powinen wybuchnąć potężnie i takiż sam szał wystrzelił w komisarzu. Znalazł się oto sam jeden w obliczu prawdziwego, niewątpliwego zabójstwa, i to nie żadnego tam dziabania nożem po pijaku szwagra albo żony, nie walenia siekierą męża alkoholika i sadysty, bez całej wsi ani chociaż całej ulicy sąsiadów i świadków, kulturalnie, kameralnie, z pełnym asortymentem niewiadomych.

I do tego bez swojego bezpośredniego zwierzchnika, z którym właśnie zaczynał trwale współpracować, podinspektora Roberta Górskiego, który wcale nie jak policjant, tylko jak zwyczajny, normalny człowiek udał się właśnie w podróż urlopową, do czego miał pełne prawo. W dodatku nie do Warny, nie nad Balaton, a w podróż wędrowną, i nie w Bieszczady ani na Mazury, tylko gdzieś w Europę. Dzięki czemu stał się całkowicie niedostępny nawet przez komórkę, bo bardzo się starał przebywać w rejonach pozbawionych zasięgu. Co komisarz Wólnicki w pełni mógł zrozumieć, ale lekkich obaw i niepokoju tak od razu pozbyć się nie zdołał.

Jednakże ujrzał nagle przed sobą okazję i nieprzyjemne uczucia mocno mu przybladły. Sam...! Górski wróci za dziesięć dni, na te dziesięć dni nikomu innemu go nie przydzielą, sam poprowadzi dochodzenie. Nigdy dotychczas w takiej sprawie nie był sam, zawsze podlegał komuś wyższemu rangą i doświadczeniem, ma pierwszą w życiu szansę pokazania, co potrafi! I pokaże...!

Ambicja wystrzeliła. Z rumieńcem emocji rozpoczął przesłuchanie wstępne w kuchni, gdzie znalazł jedynego świadka, a możliwe, że nawet lepiej, podejrzaną.

– Kim pani jest i co pani... – zaczął łagodnie, chociaż urzędowo, i ugryzł się w język. O mało nie dołożył dalszego ciągu: „...tu robi?", a uczono go wszak, że nie wolno walić na świadka, szczególnie podejrzanego, lawiny pytań, tylko dozować ściśle, po kawałku. O dokumenty poprosić. Ci z radiowozu coś tam do niego bąknęli, ale z przejęcia zlekceważył, no nic, teraz błąd naprawi. Poprzestał na urwanym pytaniu.

Rozhisteryzowana baba uspokoiła się już trochę. Płakała co prawda wytrwale, ale takie robiła wrażenie, jakby więcej w niej było wściekłości niż żalu. Przytomności umysłu okazała więcej niż Wólnicki.

– Ziarniak Gabriela jestem. A tam mój brat leży.

Wólnickiemu przypomniało się nagle, że nazwisko denata właśnie od mundurowych usłyszał i brzmiało inaczej. Nie zdążył się skompromitować przedwczesnymi podejrzeniami, bo baba mówiła dalej.

– Ziarniak to z męża, a z domu Krzewiec. Wdowa. Mirosław Krzewiec to mój brat, dowód mogę panu pokazać, ale w torbie mam, a torba tam została, koło telefonu, tu mnie wygonili i nie puszczają, a mówiłam, żeby oddali, to nie. A tam imiona rodziców i cała reszta, pan śledczy może sam zobaczyć, a ja tę zbrodniarkę widziałam, tu jeszcze stała, w moich oczach, żmija taka i suka, kurwa zwyczajna, teraz już każdy wprost mówi, co ja mam w bawełnę owijać, szantrapa i zdzira wredna, niech ją syf i malaria, i ten ejdes porazi, niech będzie przeklęta...!

Komisarz zorientował się, że litania potrwa długo, bo świadek, w pierwszej chwili rzeczowy i opanowany na bazie zaciśniętych zębów, teraz zaczynał się rozpędzać, podnosząc głos do krzyku, nie czekał zatem na całość, zareagował ostro, urzędowo i niegrzecznie. Odwrócił się, uczynił dwa kroki i stanął w drzwiach tyłem do baby.

– Torba świadka z dokumentami – rzucił w przestrzeń przed siebie. – Koło telefonu.

Krzyk za jego plecami przycichł. Fotograf pstryknął dodatkowo i podał mu torbę bez namysłu, bo niczego innego podobnego do damskiej torebki w okolicy nie było, a odciski palców zostały już zdjęte. Wólnicki wrócił do kuchni, przysunął sobie krzesło i usiadł, wręczając torbę właścicielce. I już po krótkiej chwili dostał cały plik dokumentów.

No tak. Gabriela Anna Ziarniak, nazwisko panieńskie Krzewiec, córka Jana i Bożenny, data urodzenia, adres... Nie był pewien, czy jego odczucia są słuszne, ale gwałtownie zapragnął wejrzeć równocześnie w dokumenty ofiary. Doskonale wiedział, że to nastąpi na końcu, najpierw fotograf, potem technicy, daktyloskop, potem lekarz, wreszcie dojdą do marynarki denata, gdzie zapewne znajdzie się portfel, chwilowo niedostępny z przyczyn ściśle technicznych. Też dobrze, nie ma pożaru, na razie świadek.

– Nie mieszka pani tutaj?

– Nie. Tam jest adres. Czarnomorska, to blisko, sam pan widzi.

– To co pani tu robi?

Z wyrazu twarzy można było bez trudu wywnioskować, że świadek o nim źle pomyślał, ale swoich myśli w pełni nie wyjawił.

– A co mam robić? Jak zawsze przyszłam, zakupy zrobiłam, brat jest sam, zadbać o niego trzeba. Prawie co dzień przychodzę, gdzieżby on sobie co ugotował albo co. Posprzątać, pranie zrobić, wszystko w ogóle, a co, pan śledczy daty urodzenia nie widzi? Dwanaście lat starsza jestem, to ja go chowałam, obu chowałam, dwadzieścia lat miałam, jak matka umarła, dwóch braci na mojej opiece zostało! Ja dla nich wszystko...

– A ojciec? – zdołał wtrącić komisarz.

– Ojciec to już wcześniej, rynny kładł, po pijaku z dachu zleciał i na śmierć się zabił, że po pijaku to nawet odszkodowania za niego żadnego nie było, tyle co pogrzebowe. Jaki tam był z niego ojciec...

– A mąż...?

Gabrieli Ziarniak łzy nieprzerwanym strumieniem płynęły po twarzy, ale nie zwracała na to uwagi i nawet nosa nie musiała wycierać.

– Czyj mąż? – zainteresowała się nieufnie.

– Pani mąż. Skoro jest pani wdową, męża pani miała.

– A tam, mąż! Za mąż poszłam, czemu nie, trzydzieści jeden lat miałam, Mirek pełnoletni już był, ale mój mąż to nie był dobry człowiek. Awanturnik, nawet rozwodzić się zamyśliłam, nie zdążyłam, bo umarł. Zwyczajnie umarł, w szpitalu, raka miał.

– A dzieci...?

– Nie miałam dzieci, tylko brat mi został.

– Zaraz. Jeden? A drugi? Wspomniała pani o dwóch?

Zapłakana Gabriela skrzywiła się niechętnie.

– On młodszy od Mirka o dwa lata. Przekorny taki. O, nic złego, szkołę skończył, na studia poszedł, wszystko jak się należy, ale od rodziny odskoczył. Sam chciał wszystko po swojemu, na parę lat wyjechał, prawie nas znać nie chciał, ani Mirka, ani mnie. Nie to nie. Tylko Mireczek mi został...

– I ten młodszy co robi? Jak mu na imię?

Znów się Wólnicki ugryzł w język, okazało się jednak, że niepotrzebnie.

– Sobek. Sobiesław. I faktycznie, sobek z niego taki... A co robi? Fotografie. Ciągle gdzieś po świecie jeździ, zdjęcia robi, rozmaite, do gazet i w ogóle. Dobrze zarabia, a Mireczkowi grosza jednego nie chciał pożyczyć.

– Gdzie mieszka? Adres panią poproszę.

Tak naprawdę komisarz chciał dostać wszystko naraz. Szalała po nim cała zdobyta dotychczas, teoretyczna i praktyczna, wiedza śledcza, żeby znaleźć sprawcę, należy poznać ofiarę, rodzinę, znajomych, przyjaciół, pracodawców i podwładnych, sytuację majątkową, charakter, znaleźć motyw... O, właśnie, motyw najważniejszy, cui bono, komu to zabójstwo korzyść przyniesie? Stan majątkowy, spadkobiercy...!

Świadek Gabriela wygrzebała z torby podniszczony nieco notes, przekartkowała, podetknęła Wólnickiemu pod nos.

– On różnie mieszka. W Warszawie i w Gdańsku, a przeważnie to we Francji, o, proszę, tu jest adres, ja tam tego wymówić nie umiem, do obcych języków nigdy głowy nie miałam, pan sobie przepisze. Ale i tak w żadnym domu nigdy go nie ma, po rozmaitych Amerykach jeździ, po Australiach, a tam, nieużyty taki. Nawet się nie ożenił... O, zaraz, to moje!

W nadmiarze zapału Wólnicki chciał jej zarekwirować notes, ale zaprotestowała ze straszliwą energią, tak potężną, że podejrzenia komisarza gwałtownie wzrosły. Jeśli ktoś nie chce czegoś udostępnić, z pewnością ukrywa w tym krew w żyłach mrożące tajemnice, najistotniejsze dla śledztwa. Kto ją tam wie, tę babę, może zeznaje kłamliwie, wszystko mówi odwrotnie, trzasnęła jednego brata dla korzyści drugiego... Kobiety są nieobliczalne!

Ponadto teraz dopiero uświadomił sobie, co w tej babie wydało mu się jakieś dziwne. Z przejęcia w pierwszej chwili nie sprecyzował sobie własnych wrażeń, płakała, owszem, twarz miała zalaną łzami, żadna niezwykłość, brata jej ktoś kropnął, miała prawo płakać, ale nie płynęły jej przecież te łzy do góry. Tymczasem cała była mokra, nie dość, że gors i klatka piersiowa, bluzka, trochę nawet spódnica, ale włosy nad czołem...? Skąd jej się to wzięło? Myła się z rozpaczy...?

Gabriela nie popuszczała, twardo wyrywała mu notes z ręki, chwyt miała szponiasty, omal nie wygrała tej walki.

– Moje, mówię! Co pan myśli, ja tu mam wszystko, klientki mam i doktora, i telefony, i w ogóle! Ja tak bez tego nie zostanę, jak na pustyni! Nie dam!

Komisarz się opamiętał, notesem wprawdzie zawładnął, mężnie zniósł obawę, że podejrzana za chwilę wydrapie mu oczy, ale przypomniał sobie metody pracy zalecane przez Górskiego. Nadmiar wilgoci na babie chytrze zostawił sobie w zapasie, nie tykając na razie tematu, bo prawie pewność w nim zakwitła, że krew ofiary zmywała. Trysnęło na nią i proszę...

– Zaraz, chwileczkę, proszę pani. Ja to od pani tylko wypożyczam, jutro rano dostanie pani z powrotem...

– Akurat! Już ja wam wierzę... I na co to panu, ja i przepisy tam mam, co u kogo robię, a jutro rano zamówiona jestem!

– Jutro rano będzie pani załatwiała formalności pogrzebowe – przypomniał Wólnicki bezlitośnie, co okazało się skuteczne. Gabriela Ziarniak jakby sklęsła, ręce jej opadły, a z oczu na nowo popłynęły strumienie.

– Zawiadomić muszę – zamamrotała głucho i rozpaczliwie. – I jak...? Pan mi chce zabrać wszystkie telefony... Mało że brata, to jeszcze i robotę u ludzi stracę... A mówili, że z bandziorem to jak z jajkiem, a porządnym człowiekiem poniewierają...

Wólnicki w głębi duszy musiał przyznać jej rację, ponadto znów Górski mu się czknął, ponadto zdołał pomyśleć, że jeśli nawet ma tę babę przyskrzynić to bez żadnego wymuszania przemocą, czyściutko i wersalsko, żeby nikt się nie mógł przyczepić, podniósł się z krzesła i zajrzał do salonu. Fotograf skończył robotę i właśnie zaczynał się pakować.

Komisarz popukał go w ramię.

– Zrobisz mi tak ekspresowo te wszystkie kartki? Ten notes musi tu zostać.

– Nie ma sprawy. O, rozlatuje się trochę, to nawet wygodniej. Żaden problem.

Od zwłok podniósł się lekarz.

– Dostał w głowę twardym przedmiotem obłym – oznajmił beznamiętnie. – Potem zadano mu cztery ciosy przedmiotem ostrym i grubym. Nie nożem. Nie siekierą. Wiadomo czym, bo zdaje się, że przedmiot tu leży, ale nie będę tego uwzględniał w raporcie, podam tylko objawy. Krwawienie głównie z tętnicy szyjnej.

– Kiedy? – spytał krótko komisarz, w którym natychmiast wybuchły bardzo mieszane uczucia.

– Nie więcej niż godzinę przed naszym przybyciem. I nie mniej niż trzy kwadranse.

– Trzy kwadranse to byłoby prawie tak, że chłopaki z radiowozu wchodzą, a tam ktoś go wali. Nie za duży tłok?

– Ja nie mówię o tym, co my wiemy, tylko o stanie zwłok. Trzy kwadranse to górna granica, do tej dolnej, godziny, mogę dołożyć jeszcze z pięć minut, ale na tym koniec. Reszta po sekcji.

– Wygląda na to, że oba przedmioty tu leżą – zauważył filozoficznie technik, wskazując palcem. – Raz przynajmniej nie trzeba będzie szukać narzędzia zbrodni. Zbieramy ten śmietnik, panie komisarzu, wszystko zabezpieczone. Trzy włosy na marynarce denata. Już zdjęte.

Ochłonąwszy nieco z pierwszych emocji, Wólnicki szybko jął porządkować swoje mieszane uczucia. Za wcześnie złapał się za tę babę, niechby trochę poczekała, przedtem należało uzyskać wszystkie informacje, czas zejścia, narzędzie zbrodni, więcej wiedzy o denacie... Odzież, dokumenty... Z wiarą w doświadczenie i solidność ekipy technicznej nawet nie przyjrzał się porządnie scenie zbrodni, od razu chwycił podejrzanego świadka z naczelną myślą: przepytać na gorąco! Później świadek oprzytomnieje i może być różnie, no i proszę, baba zaczęła coś o szantrapie, sprawcę widziała podobno na własne oczy, przerwał jej, nie docenił, urzędowości mu się zachciało, a w ogóle zawsze bywa różnie, niech to piorun spali, czy się przypadkiem nie wygłupił...? I co też ona z siebie zmywała...?

Nadrabiając hipotetyczne niedopatrzenie, bacznym wzrokiem obrzucił ofiarę i w rekordowym tempie samemu sobie opowiedział, co widzi. Denat ubrany w pełni, spodnie, koszula, rozluźniony nieco krawat, marynarka typu wdzianko, buty... Zaraz, buty... Wychodził z domu czy właśnie wrócił...?

Spojrzał na zajętego najbliżej technika, palcem wskazując obuwie denata, ale pytania zadawać nie musiał.

– Na moje oko, ledwo zdążył wejść do domu i od razu padł – oznajmił technik. – Na zelówkach jeszcze ślad wilgoci i błoto, wytarł nogi, ale trochę zostało, na ścieżce mokro. Wszystko z kieszeni na biurku leży, o...! Chcesz portfel? Już można, Kazik zrobił każdą sztukę.

Tak, komisarz chciał portfel. Resztki proszku na nim wskazywały, że został zbadany, można było wziąć go do ręki. Wziął zatem i chciwie wypatroszył.

Mirosław Krzewiec, syn Jana i Bożenny, to by się zgadzało z zeznaniem świadka. Adres, w porządku. O, wizytówki, firma ogrodnicza „Floretta", bardzo ładnie, prawo jazdy, jakieś rachunki, mnóstwo różnych papierów, zawiadomienie bankowe o stanie konta, numer konta, data... Do bani, zawiadomienie z zeszłego roku opiewa na czterdzieści dwa tysiące złotych, a cholera go wie, ile ma teraz. Pieniądze, fotografia rodzinna, dosyć stara...

Przegarnął resztę chłamu z kieszeni ofiary i zawahał się. Skąd, u diabła, miał wiedzieć, co okaże się ważne? Brakowało teraz czasu na wnikliwą analizę, gdzie mu zresztą było na razie do wnikliwej analizy! W kuchni czekał świadek-podejrzana, chętna do zeznań, chyba głupio potraktowana...

– Wszystko to dajcie razem do oddzielnej torby – zarządził i odwrócił się do fotografa. – Kaziu...

– Już kończę – mruknął fotograf, który wziął takie tempo, jakby był szpiegiem, któremu nad karkiem stoi cały wrogi kontrwywiad. – Janusz, słuchaj... Tu widzę... Słyszę... On Krzewiec, ten nieboszczyk...?

– Krzewiec. A co?

Fotograf mówił z przerwami, bo na każde słowo wypadały mu co najmniej dwa pstryknięcia.

– No, wiesz... Ja jestem z branży... Znam nazwisko... To fotografik?

– Nie. Ogrodnik.

– No coś ty...? No dobra, masz, sam siebie podziwiam – wyprostował się znad stołu. – Sobiesław?

– Nie. Mirosław.

– To nie ten. Ale może ma coś wspólnego. Sobiesław Krzewiec, świetny fotografik, portretów nie robi, więc nie grzmi o nim. Ale co gdzie lepsze, to jego.

Komisarz poczuł, że wali się na niego ciężar straszliwej pracy, wszystko naraz. Chwycił notes świadka, powiadomił fotografa, że będzie wściekle potrzebny, nie powiedział do czego i runął do kuchni. Przed drzwiami przyhamował i wszedł dostojnym krokiem.

Gabriela Ziarniak wciąż siedziała przy stole nad resztkami herbaty w szklance. Wólnicki położył przed nią notes.

– Proszę. Mówiłem, że dostanie pani z powrotem. Teraz porozmawiamy.

– A niby co innego tu cały czas robimy?

Komisarz nie mógł jej wyznać, że owszem, rozmawiamy, ale potwornie chaotycznie i głupio, i dopiero teraz zaczniemy rozmawiać z sensem. Coś tam zdążył sobie uporządkować w umyśle. Zdążył także odgadnąć, iż rozdeptane pod drzwiami produkty spożywcze są efektem dokonanych przez nią zakupów, ale nie zamierzał jej o tym napomykać, żeby nie zdenerwować świadka dodatkowo i nie nastawiać do siebie nieprzychylnie. Szczególnie, że mgły podejrzeń gęstniały.

– O której godzinie pani tu przyszła? – spytał możliwie łagodnie.

– A bo ja wiem? Na zegarek nie patrzyłam, ale już ciemno było.

– Długo było ciemno?

– No, dosyć długo. Jak kurze udka z piecyka wyjmowałam, to jeszcze dobra szarówka była, a ja dopiero potem wyszłam. Ściemniło się, jak na autobus czekałam, a tu to już całkiem.

– Długo pani czekała na ten autobus?

– Z dziesięć minut albo i więcej. Nawet myślałam, czy mi udka nie wystygną.

– I co się dalej działo?

– Co się działo, co się działo! – sarknęła nagle we wzburzeniu Gabriela i podniosła się gwałtownie od stołu. – Weszłam i zobaczyłam... Jezus Mario! Własnym oczom nie sposób uwierzyć! Suka taka, ścierwo, strzyga zębata, łachudra...! Ja herbaty chcę jeszcze! Panu zrobić...?!

Na moment komisarz doznał wrażenia, iż jeśli odmówi herbaty, świadek przyłoży mu czajnikiem, czym prędzej zatem poprosił o napój. Proste czynności gospodarskie Gabrielę jakby nieco ukoiły. Mamrotała jeszcze pod nosem inwektywy, ale już ciszej.

– Chwileczkę – przyhamował ją Wólnicki. – Po kolei panią poproszę i bardzo dokładnie. Miała pani paczki w rękach. Jak pani otworzyła furtkę?

– Nijak. Otwarta była. Już mi się to dziwne wydało, ale tam czasem zamek nie zaskakiwał, a Mirek wiedział, że przyjdę, więc mógł zaniedbać. Zdarzało się. A potem drzwi do domu niedomknięte, też dziwne, ale weszłam i za sobą zamknęłam. Na klamkę tylko, bo ręki nie miałam.

Z dwiema szklankami usiadła przy stole i jedną podsunęła Wólnickiemu takim gestem, jakby w ogóle nie myślała o tym, co robi. Wólnicki powąchał, herbata pachniała zachwycająco. W ciągu tych kilku krótkich chwil zdążył sobie wyliczyć czas, słońce o tej porze roku zachodziło o siedemnastej czterdzieści dwie, osiemnasta, to już szarówka, osiemnasta trzydzieści ciemno. Czekanie na autobus, dojazd, dojście... Na litość boską, ta kobieta przyszła tu niemal w chwili zbrodni, najwyżej w dziesięć minut później! O ile, oczywiście, nie trzasnęła braciszka osobiście i ledwo zdążyła się umyć... No, miała po czym. I dlatego jeszcze jest mokra!

Przeleciał po nim dreszcz emocji.

– Niech się pani porządnie zastanowi, co pani widziała. Idąc od autobusu, na ulicy, wokół domu...

– A co ja się mam zastanawiać – odparła z gniewną wzgardą Gabriela, wzruszając ramionami i siadając przy stole. – Przecież tu ją zastałam, tę zbrodniarkę, żmiję, tu stała, nad Mireczkiem...!

– Dokładnie nad... – komisarz zawahał się, bo określenie „denat" wydało mu się wobec rozpaczającej siostry nietaktowne, a uporczywie chciał budzić w niej zaufanie i sympatię. Coś innego... – ...nad pani bratem?

– Żeby tak całkiem nad nim, to nie. Tak w kącie, blisko drzwi, przy ścianie. Nawet jej w pierwszej chwili nie zobaczyłam, tylko Mireczka...

Świadkinię nieco zadławiło, chwyciła szklankę, gwałtownie chlupnęła sobie łyk herbaty, herbata była gorąca, to ją zatchnęło jeszcze bardziej, zerwała się, poratowała zimną wodą z kranu, od czego Wólnickiego dreszcze przeszły, bo zamigotały mu w pamięci ostrzeżenia, żeby tą wodą z kranu nawet zębów nie myć, zwłaszcza dzieciom, w popłochu pomyślał, że to chyba nie działa piorunująco, trupem mu ta baba pod nogami nie padnie, nic już na ten samobójczy wyskok nie mógł poradzić, patrzył tylko bezradnie, a świadkini wróciła na swoje miejsce przy stole żywa i na razie zdrowa.

– Myślałam, że coś mu się stało – ciągnęła, chrypiąc lekko, wpatrzona gdzieś w dal. – Upadł może nieszczęśliwie, nie wiem co było, ratować chciałam, głowa, widzę, rozbita, Boże mój... Poderwałam się i widzę tę morderczynię, stoi, oczy wytrzeszcza ścierwo jedno, aż mi się coś zrobiło, no nie wiem, jakieś takie... Jakbym spętana była. A ona stoi...

– Już nie stoi. Co było dalej? Wyszła? Uciekła?

– A tam, wyszła! Potwór jakiś wpadł i ją wyciągnął, tak wpadł jak ta trąba powietrzna, a ja ciągle w czymś... Trzymało mnie. Teraz już wiem, tam te przewody elektryczne, zaplątałam się, jak dzwoniłam, to zobaczyłam, kłębowisko takie. Na policję od razu...

Podejrzenia komisarza wzrosły, a zarazem się zachybotały. Zaraz. Spętana, zaplątana... Od spętania człowiek się mokry nie robi, chyba że całkiem gdzie indziej, nie tak jak ona, od frontu. Jakby ktoś na nią chlusnął w lany poniedziałek. No nic, o tym za chwilę, nie wyschnie przecież w dziesięć minut, kontynuujmy...

– A nie do pogotowia?

– Akurat, do pogotowia! – prychnęła gniewnie Gabriela. – Na pogotowie to do usranej śmierci można czekać, a i to jeszcze po drodze człowieka zabiją, jak te w Łodzi. Policja prędzej przyjeżdża i ja to wiem, że doktora ze sobą mają.

– Jak wyglądała ta osoba w kącie? Zna ją pani? Potrafi ją pani opisać?

– Znać, to nie znam, pierwszy raz szantrapę widziałam, ale opisać mogę. Czerwona była strasznie.

– W jakim sensie czerwona? Na twarzy?

– Gdzie tam na twarzy, za twarz to się trzymała, o, tak – tu nastąpiła demonstracja, dłonie Gabrieli zakryły całe jej oblicze. – W ogóle była czerwona, żakiet chyba miała czy co, a włosy czarne. Taka z tych, co to się za nią każdy chłop obejrzy. Młoda.

Część nadziei komisarza zwiędła w zaraniu, bo już widział, że na portret pamięciowy nie ma co liczyć. Zasłoniętej twarzy Gabriela trafnie opisać nie zdoła, może chociaż te widoczne fragmenty...

– Jakie miała oczy? Dostrzegła pani?

– A pewnie. Wytrzeszczone.

– Ale dokładniej, jakie? Niebieskie, czarne?

– Jak te wszystkie zdziry, wymalowane. A tak, to nie wiem. Świecące.

– A ręce?

– Co ręce?

– Ręce jakie? Pierścionki może miała albo obrączkę?

– Ręce jak ręce. O, pazury czerwone, ale nie bardzo długie, zaraz... takie średnie. I chyba pierścionek miała, a możliwe, że dwa, ale nie wiem jakie. Też chyba czerwone. A włosy wcale nie kudłate, gładkie, jak to teraz moda. Ale długie czy krótkie, to już nie wiem.

– A ten potwór, co wpadł? Jak wyglądał?

– Wielki okropnie, ale na wygląd nijaki – orzekła Gabriela stanowczo. – Nic takiego do zapamiętania nie miał. Strasznie zwyczajny, a nawet mu się przypatrzeć nie zdążyłam, bo akurat te sznurki mnie oplątały. A on wleciał, za rękę ją złapał i wywlókł.

– I to jest wszystko, co pani widziała?

– No, tak się szastnął jakoś i już go nie było. I tyle.

– Czyli przyszła pani jak zwykle, z zakupami, weszła, zobaczyła brata...

– Ale! – przypomniała sobie nagle Gabriela. – Samochód stał jak wchodziłam, jak raz przed furtką. Tu wszyscy tak stają, żeby furtek nie zastawiać, brat też, kawałek dalej swojego postawił, a ten stał, że jakby kto z domu leciał, to prosto na niego. I wnosić coś albo wynosić, całkiem niemożliwe. Aż popatrzyłam na niego, ale co mnie obchodzi, jakby stał dłużej, tobym co powiedziała.

W Wólnickim na nowo zalęgła się odrobina nadziei, bo dotychczasowe śledztwo szło mu jak po grudzie. Co prawda siostra denata na znawczynię motoryzacji nie wyglądała...

– Jaki to był samochód?

– A bo ja wiem? Taki, co ich pełno jeździ. Na srebrny wyglądał, chociaż tu latarni mało i światło myli. Ręki w ogień nie włożę.

– Numeru pani nie dostrzegła?

Gabriela wzruszyła ramionami i nie udzieliła odpowiedzi.

– Siedział ktoś w środku?

– Też nie wiem. Może i siedział. Nie zaglądałam tak porządnie.

– Ludzi dookoła wcale nie było? Nikt z sąsiadów nie patrzył? Ktoś może z psem spacerował?

– A skąd ja mam to wiedzieć? Ciemno było. Mają tu psy, chodzą, dlaczego nie, prawie w każdym domu jakieś zwierzę, ale akurat nie patrzyłam. To nie wiem.

Komisarz westchnął ciężko i zwątpił w prawdziwość zeznań. Czy tu w ogóle był ktokolwiek? Nie wymyśliła ona sobie przypadkiem dziewczyny i potwora...? Przepytywanie sąsiadów postanowił odpracować jeszcze dziś, ale to za chwilę, bo już wisiał mu nad głową drugi temat. Motyw. Konieczność znalezienia motywu gryzła go wszędzie.

– No dobrze. To teraz druga sprawa. Brat był żonaty?

Coś się nagle w tej Gabrieli zmieniło, jakby się nastroszyła wewnętrznie. Wólnicki doznał wrażenia, że kotły z wrzącą smołą ustawiła na murach zamkowych, takie w nim błysnęło dziwne skojarzenie, chociaż wcale nie był miłośnikiem historii.

– Nie – wysyczała. – Rozwiedziony.

– Dzieci miał?

– Nie.

– Dawno się rozwiódł?

– Ze trzy lata temu.

– A teraz co? Młody człowiek, przystojny, nie kręciła się koło niego jakaś przyjaciółka? Narzeczona?

– Narzeczona! – fuknęła Gabriela tonem, w którym brzmiały razem wzgarda, gniew, głęboka niechęć i uraza. – Sto narzeczonych! Lecą, jak ta szarańcza do miodu! Mireczek opędzać się musi, bo to nachalne takie, rozszarpać by chciały na strzępy, nastarczyć im nie można, chciwe zdziry, wszystko dla nich. A o niego dbać trzeba, a nie pazurami wyrywać!

Gdyby komisarz był starszy i bardziej doświadczony życiowo, rozpoznałby bez trudu macierzyńską drapieżność. Ukochany synek i wokół niego wampirzyce, pragnące go zagarnąć dla siebie, wydzierające skarb tkliwym dłoniom rodzicielki. Najwyraźniej starsza siostra czuła się matką brata i podobny miała do niego stosunek. Komisarz jednakże nie był ani spętanym synkiem, ani tym bardziej zachłanną mamusią, nie wnikał w tego rodzaju układy rodzinne i psychologiczne wynaturzenia do niego nie dotarły. Nadal trwał w mniemaniu, że świadek może łgać perfidnie, słowa prawdy nie mówiąc.

– Znaczy, jakiejś jednej stałej nie miał? – uściślił, przy okazji przypominając świadkowi, że czas teraźniejszy jest tu nie na miejscu. – Ani żony, ani dzieci, ani konkubiny. To kto po nim dziedziczy?

Zaskoczył Gabrielę kompletnie.

– Co?

– Pytam, kto po pani bracie dziedziczy? Kto jest jego spadkobiercą?

– Spadkobiercą...? Dziedziczy...? A co tu jest do dziedziczenia...?

Teraz nagle jej głos zadźwięczał ostro i nieufnie.

– No niechże pani nie żartuje! – zirytował się lekko komisarz. – Do kogo należy ten dom? Do kogo należy samochód? A pieniądze na koncie? A firma? Co to za firma? Z czego pani brat się utrzymywał?

– No jak to, firmę ogrodniczą miał – powiedziała Gabriela po chwili milczenia, gapiąc się gdzieś w kąt kuchni. – Ogrody różnym urządzał, rośliny sprowadzał, drzewa sadził. On zawsze tak przyrodę lubił.

Wolnicki przyjrzał się wizytówce.

– I ta firma mieści się przy Sobieskiego? To co to jest, szkółka, szklarnia?

Gabrielę jakoś stopowało.

– Tam kantor swój miał przy takim ogrodniku... A tak to od różnych brał towar... I z hurtowni... Ja tam nie wiem dokładnie, nie byłam, nie widziałam. Ja się gotowaniem zajmuję.

– A właśnie, z czego pani się utrzymuje? Gdzie pani pracuje?

– Dorywczo. Ja zlecenia biorę.

– Jakie zlecenia?

Z wielką niechęcią Gabriela wydusiła z siebie komunikat, że zatrudnia ją firma kateringowa w zasadzie jako kucharkę. Wielkie i małe przyjęcia, może być wesele, może być stypa, imieniny, spotkanko, pani domu przewiduje gości, sama pracuje zawodowo, wzywa Gabrielę, żeby przygotowała cały posiłek, potem tylko podać na stół. Czasem nawet Gabriela obsługuje do końca, ze sprzątaniem włącznie, ale wielkie mi sprzątanie, wszyscy mają zmywarki. A wzywają ją chętnie i pracy ma po dziurki w nosie, bo bardzo dobrze gotuje i nie boi się żadnych nowości. Chociaż woli tradycyjnie.

Dzięki ostatniej informacji komisarz poczuł się nagle śmiertelnie głodny i tym głodem zdopingowany. Bezwiednie zwiększył tempo przesłuchania.

– Testament brata istnieje?

Gabriela znów wzruszyła ramionami i pokręciła głową.

– A gdzież tam, żadnego testamentu nie ma. Jak się Mireczek rozwodził, to adwokat odradził, jak na teraz, powiedział, rzecz jest prosta, spadkobierców dwie osoby i nikogo więcej, brat i siostra, czy tam dwóch braci, zależy komu z brzega, więc na co nam urzędy. I tak zostało.

Komisarz doznał takiej ulgi, że omal nie odsapnął głośno. Nareszcie znalazł swoje cui bono!

Motyw finansowy podobał mu się najbardziej, ale czuł się zmuszony pogrzebać głębiej, bo denat rzeczywiście był przystojny i jakaś porzucona dziewczyna mogła tu wkroczyć. W dodatku sposób popełnienia zbrodni bardziej pasował mu do kobiety niż do mężczyzny, nad czym się jeszcze porządnie nie zdążył zastanowić, ale już czuł to gdzieś w sobie.

– A co pani może powiedzieć o znajomych brata? Tych kobietach, które, jak pani sama stwierdziła, tak się do niego pchały?

Niechęć Gabrieli wręcz biła w oczy.

– Już też pan śledczy nie ma się kim zajmować... Wszystko to nachalne i tyle. Jedne widziałam, drugich nie, a jak się nazywały albo nie wiem, albo nie pamiętam. Jak przychodziłam, to ich przeważnie nie było, chociaż widać było, że były. Tu szaliczek, tam perfumy, tam jeszcze co innego, nie moja rzecz.

Mimo drobnych braków w wiedzy o subtelnościach psychologicznych, Wólnicki mógłby przysiąc, że była to jak najbardziej jej rzecz i oczyma duszy wręcz widział, jak węszy po całym domu w poszukiwaniu śladów rywalek do serca brata. Prawdopodobnie ten cały Mireczek pozbywał się dziewczyn przed wizytą siostry, żeby uniknąć awantur.

– Żadna się specjalnie nie wyróżniała?

– A wyróżniła się jedna, ta suka, co go tu zabiła...!

– A z tych innych?

– No i skąd ja mam to wiedzieć! – zdenerwowała się Gabriela. – Gniecie pan i gniecie, na głowie mu nie siedziałam! Czasem co powiedział, ale to nie o tych dziwach, tylko o pracy, jak miał kłopoty, tu mu się nie przyjęło, tu uschło, tu lepszy klient, tu gorszy, a i też nie wiem nawet, kto tam był kto i jak się nazywał!

No nic, adresy, nazwiska, imiona i telefony znajdą się zapewne w papierach nieboszczyka. Rachunki powiedzą więcej niż zazdrosna siostra.

Komisarz dał wreszcie spokój znajomym, bo jeszcze jeden obowiązek na nim ciążył, a głód czuł coraz większy.

– Tam już najważniejsze zrobione – rzekł, czyniąc gest w kierunku drzwi. – Pani brata zabrali lekarze, a ja bym panią teraz poprosił, żeby pani przeszła przez dom i popatrzyła, czego brakuje. Co zginęło, względnie zmieniło miejsce, a może co przybyło.

Gabriela podniosła się bez słowa, spojrzała na niego ponuro i wyszła z kuchni, przeżegnawszy się w drzwiach.

Wielki pokój na parterze nie wyglądał najpiękniej, ślad zbrodni widniał na podłodze i okolicznych meblach. Skorupy z podłogi wprawdzie uprzątnięto starannie, ale reszta pozostawała w niejakim nieładzie. Gabriela zatrzymała się i przez długą chwilę bacznym wzrokiem penetrowała zarówno pobojowisko, jak i część pomieszczenia nietkniętą kataklizmem. Potem, wciąż nic nie mówiąc, weszła na piętro, do sypialni, zajrzała do ozdobnego kuferka ukrytego za potężnie rozrosłym kaktusem, wysunęła jakąś szufladkę, przegarnęła jej zawartość i kiwnęła głową. Następnie zbadała wnętrza dwóch szaf ściennych, zwiedziła łazienkę i drugi pokój, jakby gościnny, mało używany, wróciła do salonu i jeszcze raz wnikliwie przyjrzała się półkom regałów. Komisarz twardo chodził wszędzie za nią.

– O papierach w biurku to ja nic nie wiem – rzekła wreszcie. – A pieniądze w portfelu nosił. Jak tak patrzę, to wszystko jest, nie okradła go. Tu szklanki duże stały, takie kufle, to wiem, że się stłukły, widziałam. Jednego tylko brakuje, a też zawsze tu stało, ale nie wiem, bo może panowie zabrali. Bo nie ma.

– Czego? Co to było?

– Podobno stołowa zapalniczka, tak Mirek mówił, że to zapalniczka, nawet ładna, ale sama bym nie zgadła, bo jakoś nigdy się nie zapalała. Chyba gaz z niej wyszedł, może na kamienie była, a teraz kamieni nie ma, podobno pamiątkowa, tak mi się jakoś o uszy obiło. Mirek w ogóle niepalący był. Ale że stała, to wiem, bo sama ją odkurzałam i o, nawet ślad został.

Na regale widoczny był wyróżniający się nieco, chociaż przysypany proszkiem, pękaty owal.

– I tej ziemi nie było – mówiła dalej Gabriela potępiająco. – Ja nie wiem, kto tak tu naprószył, o, ile tego...

Moment na podchwytliwe pytania wlazł Wólnickiemu do ręki, jak znalazł.

– Może brat coś w ogródku robił?

– Znowu mi ogródek, ścierką przykryje. Nic nie robił, to ja robiłam, też żadna robota, trochę porządku i tyle.

– Ale jakieś narzędzia potrzebne. Ma pani, na przykład, sekator?

– Sekator? – zdziwiła się Gabriela. – Mam, dlaczego nie. I grabki, i takie tam różne. Motyczka, łopata...

– Chciałbym zobaczyć. Gdzie pani to trzyma?

Coraz bardziej podejrzana świadkini wzruszyła ramionami, popatrzyła na Wólnickiego potępiająco i skierowała się do kuchni.

– Tu zbrodnia, a panu śledczemu ogródki w głowie. W schowku wszystko leży, proszę bardzo, oglądać można, ile chcąc.

Chciwie i niemal z bijącym sercem, bo przecież każdy drobiazg mógł się okazać przełomowy, komisarz zajrzał do wąskiej, ściennej szafki. Ujrzał komórkę, w niej zaś złożoną deskę do prasowania, szczotkę do zamiatania, grabie na długim kiju i drobne przedmioty w płaskim pudle. Młotek, obcęgi, malutkie grabki, motyczkę, śrubokręt i sekator. Trochę przyrdzewiały, ale porządnie oczyszczony i najwidoczniej w doskonałym stanie.

A tak liczył na to, że sekatora tu nie zobaczy...!

Cofnął się od drzwi szafki.

– Drugiego sekatora pani nie ma? Ten jest dosyć stary.

– Co pan śledczy z tym sekatorem? Bardzo dobry jest, lepszy niż te nowe, na co mi drugi? Czasem tylko naostrzyć i tnie jak złoto, a tyle tu do cięcia, co kot napłakał. I w ogóle wszystko na miejscu, nic nie zginęło, sam pan pytał, tylko to jedno...

– Duża była? – przerwał komisarz, przechodząc znów do salonu.

Teraz Gabriela szła za nim, nieco skołowana.

– Co duże...? A, ta zapalniczka? Dosyć duża, taka właśnie jak to – wskazała owal na półce. – A do góry to o, z tyle... Drewniana. Brązowa. Wyście nie wzięli?

– Sprawdzę. Jeśli znalazły się na niej jakieś ślady, to możliwe. Kwiatów w doniczkach nie brakuje?

– Kwiatów? – zdziwiła się znów Gabriela i jeszcze raz rozejrzała dookoła. – Nie, są wszystkie, a nie tak ich znów dużo. I cała reszta jest, książki i te inne rzeczy... no, zleciały, ale są. Niczego nie brakuje. Jedno co przepadło, jak panowie nie wzięli, to ta zapalniczka...

Przyszła wreszcie chwila na pytanie zasadnicze. Wólnicki wykrzesał z siebie tyle słodyczy, ile tylko zdołał.

– A można wiedzieć, dlaczego pani jest mokra?

Gabriela łypnęła na niego złym okiem i milczała chwilę.

– Fusy zmywałam – odparła krótko i niechętnie.

– Jakie fusy?

– Od kawy.

– A dlaczego miała pani na sobie fusy po kawie?

– Wylało się.

– Z czego? Może pani to jakoś wytłumaczyć obszerniej? I dokładniej?

Z wielkim oporem i jeszcze bardziej niechętnie podejrzana świadkini wyjaśniła, że owszem, zamierzyła się na tę zbrodniarkę tym, co jej wpadło pod rękę, a był to ekspres do kawy. Przyłożyć jej chciała w nerwach i tyle, ludzka rzecz, a tam kawa została i nie w tę stronę poszła, co trzeba. Zimna już, na szczęście, więc pewnie to ze śniadania, Mirek wypić nie zdążył i tak zostało. No to zmyła z siebie. Każdy by zmył.

Kawa ze śniadania, rzeczywiście, akurat. A przypadkiem nie krew ofiary? Rozbryzg musiał być niezły... Wólnicki udał, że wierzy, po czym odesłał ją do domu razem z technikiem, nakazał dopilnować przebrania się baby w cokolwiek innego i dostarczyć zmoczoną odzież do laboratorium. Wyniki badania rozstrzygną chociaż jedną wątpliwość...

Po czym ruszył w bój.

☆ ☆ ☆

W poniedziałek o niezbyt wczesnym poranku zadzwoniła komórka pana Ryszarda.

Pan Ryszard był właśnie u mnie, wezwany w trybie alarmowym, ponieważ telekomunikacja zdecydowała się nagle rozszerzyć działalność i podłączyć telefony na całej ulicy. Już od świtu zaczęli się znęcać nade mną, osobiście i przez komórkę wypytując o jakieś przewody, rozgałęzienia i gniazdka na zewnątrz, o których nie miałam najmniejszego pojęcia, przekonana jednakże, że prawie przed chwilą, tuż przed moim powrotem, coś zostało zamurowane.

Pan Ryszard pojęcie miał. Przyjechał koło południa i wyznał, że podobnej sytuacji właśnie się spodziewał. Zamierzał mi to już wczoraj powiedzieć, nawet prawie usta otworzył, ale sytuacja wydała mu się zbyt skomplikowana, żeby jeszcze straszyć mnie informacjami o szatańskich pomysłach łączności.

– Kto ich tam mógł wiedzieć, kiedy naprawdę do tego przyjadą – dodał usprawiedliwiająco. – A poza tym jasne przecież było, że w razie czego pani do mnie zadzwoni.

Wyraziłam mu wdzięczność za troskę i razem czekaliśmy na zapowiedzianych fachowców od łączności, popijając na zmianę piwo i herbatę, kiedy właśnie zabrzęczała ta jego komórka.

W komórce odezwał się ktoś bardzo zdenerwowany. Słychać go było na odległość, ale słów nie dawało się rozróżnić.

– Tam byłem, gdzie miałem być – powiedział pan Ryszard spokojnie. – U znajomej klientki. A co się stało?

Dalszego ciągu rozmowy wysłuchałam poniekąd jednostronnie, bo z komórki wciąż dobiegało tylko nerwowe poćwierkiwanie.

– A o co im chodzi? – spytał pan Ryszard. – Nie, nie miałem żadnego wypadku... Ani stłuczki... Nie, nie płaciłem żadnego mandatu... U tej samej klientki... No dobrze, daj...

Z komórki przestało nerwowo poćwierkiwać, a pan Ryszard pokręcił nosem w moim kierunku, z czego zrozumiałam, że przytrafiło mu się coś kłopotliwego.

– Dzień dobry panu – powiedział. – U klientki byłem... Ja tego panu przez telefon nie powiem, bo moją klientkę chronią dane osobowe...

Popatrzyłam na niego w osłupieniu i wywnioskowałam z tego osobliwego sformułowania, że pan Ryszard jest dziko zdenerwowany.

– ...Oczywiście, że policji powiem, ale ja przecież nie wiem, czy pan jest rzeczywiście z policji, przez telefon nie widać... Teraz nie mogę, mam tu do załatwienia sprawy techniczne... U tej samej klientki... Tak, u tej samej, co wczoraj... A, to chwileczkę, ja muszę zapytać...

Przykrył komórkę dłonią i zwrócił się do mnie.

– Gliny mnie chyba namierzyły i chcą tu przyjechać. Mam im podać pani adres?

– No pewnie – odparłam bez namysłu i nawet się ucieszyłam, zanim zdążyłam sobie przypomnieć, że akurat w tej chwili wcale glin nie chcę i boję się ich panicznie. – Zaraz, niech pan poda sam adres, bez nazwiska.

Pan Ryszard spełnił polecenie i wyłączył przyrząd. Popatrzyliśmy na siebie z lekkim niepokojem.

– Szybko im poszło – zauważyłam. – Przecież pan nie był własnym samochodem?

– No właśnie, po numerze pewnie trafili do tego Mariana. Marian Gwasz, warsztat samochodowy, mój wóz u niego stoi, dziś wieczorem mam odebrać. Jełopa taka, od razu mnie wystawił.

– To jednak ktoś ten numer zauważył?

– Słowo daję, że nie wiem kto. Chyba ta baba, jak podchodziła, ale tam przecież samochody stały jeden za drugim, ciemno było, musiałaby specjalnie zaglądać. A nie zaglądała, jestem pewien. I skąd mogła wiedzieć, że jej ten numer będzie potrzebny?

– Co zeznajemy? Przyznajemy się do wszystkiego, czy nie?

Pan Ryszard zastanowił się, obrzucił wzrokiem stół, podniósł się z fotela, zgarnął puszkę po piwie i oba kufelki. Wyrwałam mu swój z ręki i wypiłam resztkę. Pan Ryszard zaczekał cierpliwie.

– Lepiej to zabrać, bo co się im będę tłumaczył, że nie wiadomo, kiedy stąd odjadę – podsunął. – Zanim ci telefoniarze przyjdą, pół litra zdążyłoby wyparować, a nie tylko pół piwa, ale oni w nic nie uwierzą.

– Zróbmy sobie kawę, bo w samą herbatę też nie uwierzą – zaproponowałam i ruszyłam za nim do kuchni.

Niezbyt skomplikowane czynności gospodarskie potrwały ledwo chwilę. Z kawą wróciliśmy do salonu.

– Sam nie wiem – rzekł pan Ryszard w zatroskanej zadumie. – W końcu tę zapalniczkę rzeczywiście mu zabrałem... Ale wpadłem, jak one obie już tam były, więc nie mogłem go zabić. Pani Julita też nie, bo skąd by wzięła ziemię?

– Jaką ziemię?

– Tam była ziemia rozsypana. A co, nie zdążyłem powiedzieć...? Teraz mi się przypomina, bo chyba mnie zdziwiło. Jakoś tak, ta ziemia... ogrodnicza...

– U ogrodnika ziemia ogrodnicza... – zaczęłam, mętnie usiłując uporządkować w sobie myśl, że ogrodnik z ziemią ogrodniczą dość ściśle się kojarzy, a zarazem czując, że to jednak coś nie tak. – Zaraz. Jak rozsypana? Tak równomiernie? Po całej podłodze?

– Nie. Nierówno. Trochę. Mignęło mi w oczach. I chyba jakieś zielsko leżało.

Poczułam się wściekle zaintrygowana.

– Myśli pan, że bili się kwiatkami w doniczkach?

– Nie zdziwiłbym się, bo na ile pamiętam ten widok, na tyle mi pasuje. No i jatka niezła. Chociaż z drugiej strony krew z nosa też robi dobre wrażenie. No dobrze, zastanowiłem się. Wolałbym teraz nie być podejrzany, bo mam trzy budowy, w tym jedną ledwo napoczętą, a jedną na ukończeniu, brakuje mi czasu, niechby chociaż ta jedna spadła mi z głowy, ale nie wiem, jak pani...?

Mimo zaskoczenia ziemią ogrodniczą też się zdążyłam zastanowić.

Wpadliśmy w tę imprezę niczym śliwka w kompot, ściśle biorąc, pan Ryszard i Julita, ściśle biorąc, Julita, ściśle biorąc, nie sama wpadła, tylko ja ją wplątałam. Julita również nie dysponuje nadmiarem wolnego czasu i tylko tego jej jeszcze brakuje, żeby poszła siedzieć. Wyjaśnienie, że Julita do zbrodniczych czynów nie ma najmniejszych predyspozycji, może tym glinom nie wystarczyć, wszystkich nas posądzą o matactwo, jej się uczepią radośnie i w ogóle nie będą szukać innego podejrzanego. Wnioskując z tego, co opowiadał pan Ryszard, ta jakaś wrzeszcząca baba obciąży ją gruntownie, może nawet w dobrej wierze...

– Zełżemy, panie Ryszardzie, trudno – westchnęłam. – Nic nie wiemy, siedział pan tutaj cały czas i wszyscy czekali na mnie. Nigdzie pan nie jeździł.

– A samochód?

– Podwędził ktoś, przejechał się i odstawił na miejsce. Tu przecież parę samochodów stało, pański, Witka, Julity, jeszcze Tadzio przyjechał, ja wjeżdżałam, kto się w tym połapie? A co do numeru, to czy ten spostrzegawczy informator nie mógł się pomylić?

– Móc, mógł, dlaczego nie...?

– Trzeba zawiadomić resztę, bo do nich musimy się przyznać. Są świadkami. Zaraz zadzwonię.

– To gazu, bo te gliny za chwilę tu będą.

Zaraz, do kogo dzwonić? Julita zdenerwuje się niebotycznie, Małgosia jest dociekliwa, a tu nie ma czasu na długie gadanie, Tadzio jest w pracy i nie wiadomo, co akurat robi, zostaje Witek. Jeśli akurat wyłączył komórkę, zabiję go.

Nie wyłączył, uszedł z życiem.

– Gliny doszły do pana Ryszarda przez numer samochodu – powiedziałam bez wstępów. – Zaraz tu będą. Wypieramy się, obydwoje z Julitą siedzieli tu cały czas i nigdzie nie jeździli. Zawiadom pozostałe osoby, bo ja nie zdążę.

– A zapalniczka? – spytał przytomnie Witek.

– Jaka zapalniczka? Jest przecież, stoi, problemu zapalniczki nie było i nie ma.

– Ogrodnika znaliśmy?

Brzęknął gong u furtki i ktoś wszedł, bo była otwarta. Równocześnie podjechała Telekomunikacja Polska.

– Są...! – syknęłam w pośpiechu. – Znaliśmy. Wszystko prawda, z wyjątkiem wycieczki.

Rozłączyłam się, nie czekając na jego odpowiedź.

Rzecz jasna, wszyscy weszli prawie razem i przez chwilę nie wiedziałam, kto jest kim. Wyjaśniło się szybko, bo telekomunikacja miała napis na plecach i raczej rozglądała się po słupach ogrodzenia i podmurówce budynku, nie wykazując zainteresowania wnętrzem domu, a dwóch bez napisu przeciwnie.

– Pani tu mieszka czy zastaliśmy pana Ryszarda Gwiazdowskiego powinna pani mieć podłączenie gdzie pani wychodzi linia na zewnątrz komisarz Wólnicki czy można wejść.

Tak mniej więcej zabrzmiała ogólna wypowiedź, z tym że gdzieniegdzie pojawiały się znaki zapytania. I jeszcze wskoczyło w to jakieś „dzień dobry".

– Panie Ryszardzie! – wrzasnęłam rozdzierająco w odpowiedzi.

Pan Ryszard już był w drzwiach. Rozgraniczyłam towarzystwo, dwóch zaprosiłam do środka, pozostałych zapewniłam, że mam wszystko i z pewnością linia mi gdzieś wychodzi, ale ten pan wie lepiej. Policja była uparta, zatrzymała się w progu.

– Pan Ryszard Gwiazdowski?

– Moment – powiedział pan Ryszard i wyszedł za furtkę.

Też postanowiłam się uprzeć.

– Skoro panowie są policją, uprzejmie proszę wejść i przez chwilę nie przeszkadzać. Zaświadczam, że to jest Ryszard Gwiazdowski i nigdzie nie ucieknie, ma żonę i dzieci, a mnie tu właśnie podłączają telefon. Nie tyle mnie, ile całej ulicy. Musi im wszystko pokazać, bo ja się nie znam. Nic nie poradzę, że panowie tak trafili, chociaż u mnie to normalne, albo nic, albo wszystko na kupie...

W tym momencie zadzwoniła komórka. To również było u mnie normalne, za chwilę powinna zadzwonić i druga.

– Proszę bardzo. Przepraszam...

Gliniarze mieli trochę oleju w głowie, zorientowali się w rodzaju zamieszania, weszli już bez protestu. Przytknęłam komórkę do ucha.

– Halo – powiedział ktoś. – Ja z firmy ogrodniczej. Czy to u pani zostały dwa bzy wysokopienne z taką czerwoną obwódką pod gałęziami?

Ciemno w oczach zrobiło mi się od razu. Miałam pięć bzów wysokopiennych, a nie chciałam żadnego, wolałam takie krzewiaste, wtrynił mi je ten zamordowany łobuz, czerwonych obwódek na nich nie zauważyłam, ale ze złości mogłam przeoczyć.

– Nie wiem. Mam zaraz iść i popatrzeć? Pięć u mnie siedzi.

– A one leżą czy są już w ziemi?

– W ziemi.

– Od kiedy?

– Od zeszłego roku.

– A, nie, to nie to. Powinny leżeć od zeszłego tygodnia. Znaczy, to nie pani.

Rozłączył się, nie wyjaśniając niczego więcej. No, ale skoro to nie ja... Czym prędzej stłumiłam wściekłość i przestawiłam się na normalną gościnność przyzwoitej pani domu.

Goście stali w salonie, postawą starając się prezentować zniecierpliwienie, zagapieni w koty na tarasie. Z nadzieją pomyślałam, że widok kotów ukoi ich uczucia, i zaproponowałam jakiś niewinny napój, kawę, herbatę, wodę mineralną, ale nie chcieli. Z całej siły czekali na pana Ryszarda, czemu doprawdy trudno mi było się dziwić.

Ten, który przedstawił się jako komisarz Wólnicki, nagle jakby się przecknął.

– Chociaż... skoro pani taka uprzejma, może i rzeczywiście skorzystamy z pani propozycji. Mała kawka... Jeśli to nie sprawi kłopotu...?

Ejże! Wchodząc, sztywny był jak drąg, teraz znienacka się odmienił, zmiękł, uczłowieczył. Usiadł nawet, a ten drugi poszedł za jego przykładem. Wpływ kotów, gwarantowane. W rekordowym tempie robiąc kawę, łypnęłam okiem za okno, pan Ryszard cackał się z telefoniarzami jak ze śmierdzącym jajkiem, prawie usiłował ich pod łokcie trzymać, jasne, nie śpieszyło mu się do przesłuchania. Pomyślałam, że liczy może na towarzyski nastrój, powinnam tych tutaj dobrze usposobić i poprawić im humor. Ciekawe, jak... No jak to jak, oczywiście, metodą sprawdzoną od wieków! I w dodatku wcale nie muszę łgać...

Postawiłam tackę na stole.

– Wyrosłam już z wieku podrywczego i mogę sobie pozwalać na szczerość – oznajmiłam beztrosko. – Panowie są naprawdę z policji?

– Ależ służę legitymacją! – poderwał się natychmiast komisarz, zaraz, wedle minionej nomenklatury porucznik, co to jednak znaczy przyzwyczajenie, druga natura, porucznik mi bardziej pasuje...

Nie pożałowałam sobie obejrzenia dokumentu.

– No i proszę, jakie szalone zmiany zaszły w ostatnich latach! Dobierają was chyba jakoś specjalnie...? Co jeden chłopak, to przystojniejszy, nie wspominając już nawet o poziomie ogólnym, w drogówce sami dżentelmeni, a w wydziale... o, panowie z zabójstw? Do licha, zabiłam kogoś...? A, nie, to nie ja. Pan Ryszard kogoś zabił? Nic nie mówił na ten temat!

Nic nigdy nie przychodziło mi łatwiej niż udawanie kretynki. No dobrze, zdobądźmy się na szczerość, zdaje się, że wcale nie musiałam tak bardzo udawać...

☆ ☆ ☆

Zdopingowany namiętnym pragnieniem sukcesu Wólnicki nieco zgłupiał.

Nie odczekał ani jednej sekundy, a najchętniej sam podzieliłby się na nieprzeliczoną ilość części, z których każda, zjadłszy po drodze chociaż troszeczkę czegokolwiek, rzuciłaby się do działania w innym kierunku. Gdzie mu było do snu i wypoczynku, skoro natychmiast należało usunąć z miejsca zbrodni podejrzanego świadka, Gabrielę, przejrzeć papiery denata ze spisem znajomych płci żeńskiej na czele, zaplombować mieszkanie, znaleźć brata i byłą żonę, pogonić laboratorium, narzędzia zbrodni dostali, niech je zbadają w trybie przyśpieszonym, dopilnować sekcji i wydrzeć patologowi z gardła wyniki, czym prędzej przesłuchać sąsiadów, złapać tych z psami, połapać niedorosłych chłopców, tacy zazwyczaj lubią numery samochodów, należało w ogóle wszystko, i to już, w tej chwili, a może nawet jeszcze wcześniej. W sytuacji normalnej zostałoby to załatwione na spokojnie, racjonalnie, z godziwym podziałem zajęć i przydzieleniem różnych czynności właściwym osobom, ale Wólnicki na tle upragnionego sukcesu dostał szału.

Sukces nie przychodzi sam. O sukces trzeba się zdrowo postarać. Zapracować na niego rzetelnie!

Zważywszy, iż miał za sobą odpowiednie wykształcenie zawodowe i półtora roku doświadczeń pod coraz częstszym kierunkiem Roberta Górskiego, zdobył się na uruchomienie umysłu.

Uruchomiony umysł powiadomił go z naciskiem, że mimo najszczerszych chęci, w kilku miejscach naraz w żaden sposób sam się nie znajdzie i musi użyć pomocników. Użył zatem. Przydzielonego służbowo sierżanta pchnął w jedną stronę, zaprzyjaźnionego prywatnie wywiadowcę w drugą, sam pośpieszył w trzecią.

To wywiadowca właśnie już bardzo późnym wieczorem trafił na upragnioną postać, człowieka powiązanego ze zwierzęciem, z tym że nie był to facet z psem, tylko baba z kotem. Kotek jak to kotek, wieczorem ożywiony, wybiegł z domu na łąfry, właścicielka wybiegła za nim i na własne oczy ujrzała, że o mało go samochód nie przejechał. Łobuz jakiś popruł niczym torpeda, ale musiał zwolnić na zakręcie wąskiej uliczki, latarnia świeciła, więc posiadaczka kotka mściwie zdążyła odczytać, zapamiętać i zapisać numer. Była emerytowaną nauczycielką matematyki i z wszelkimi liczbami miała dużo do czynienia, zasługiwała zatem na wiarę.

W błyskawicznym tempie właściciel pojazdu został odnaleziony i okazały się nim Naprawy i Przeglądy Samochodów Osobowych Marian Gwasz. Naprawy i przeglądy o tej porze i w dodatku w niedzielę były zamknięte na głucho, a zdumiewająco czujny ochroniarz, pilnujący w nocy dość kosztownego mienia, bez oporu poinformował, że owszem, pan Gwasz tu mieszka, ale nocuje u aktualnej podrywki, kim zaś akurat jest aktualna podrywka, ochroniarz niestety nie wie. Pan Gwasz pod tym względem raczej zmienny jest. Poza tym jednak obowiązkowy i w poniedziałek o ósmej rano będzie w miejscu pracy z pewnością.

Czasu do rana komisarz nie zmarnował, przegrzebał tyle papierów denata, ile tylko zdołał. Znalazł wyrok rozwodowy, dzięki czemu personalia byłej żony stały mu się znane, znalazł mnóstwo rachunków, zamówień, pokwitowań i tym podobnych dokumentów, stanowiących nieopisany mętlik, znalazł trochę zdjęć, które dały mu pojęcie o gustach i upodobaniach ogrodnika w dziedzinie damskiej urody, nie znalazł natomiast brata. Jakiś numer komórki Sobka zapisany w notesie okazał się nieaktualny, a w orgii rozmaitych innych numerów komisarz nie zdążył się jeszcze dokładnie zorientować.

Spróbował, oczywiście. Z rozpędu, nie bacząc na porę doby, zadzwonił pod pierwszy z brzegu, pasujący inicjałami S.K. i, usłyszawszy zaspany męski głos, spytał ostro:

– Czy pan Krzewiec?

– Odchromol się, palancie – odparł na to głos niemrawo i łagodnie i połączenie zostało przerwane.

Wtedy dopiero Wólnicki spojrzał na zegarek i opamiętał się nieco. W pobliżu trzeciej w nocy nie uda mu się chyba z ludźmi rzeczowo porozmawiać. Trudno, musi zaczekać do rana.

Rano, przecknąwszy się z głową na biurku wśród papierów, musiał się nieco ogarnąć i dopadł Mariana Gwasza dopiero około dziewiątej.

Marian Gwasz wizyty u ogrodnika wyparł się stanowczo i kategorycznie. Ściśle biorąc, wyparł się także użytkowania samochodu o zapamiętanym przez matematyczkę numerze, wypierał się w ogóle wszystkiego i dopiero ostrzeżenie, że tym wypieraniem wplącze się w zabójstwo, postraszyło go troszeczkę i wróciło mu pamięć.

– A, już wiem. Klientowi dałem, bo jego wóz tu stoi...

Zaniepokojony nagle w znacznie większym stopniu, bo diabli wiedzą, a może klient, kumpel właściwie, dotychczas w pełni godzien zaufania, rozwalił pojazd...? Albo jeszcze gorzej, nie daj Boże, przejechał kogoś...? Uciekł cholernik i teraz będzie na niego...? Dobrowolnie odszukał przez komórkę klienta i dalej komisarzowi poszło z górki.

Osobnik, posługujący się wczorajszego wieczoru widzianym na miejscu zbrodni samochodem, przebywał rzekomo u klientki. Siostra denata nad braterskimi zwłokami zastała dziewczynę, jasne, razem tam byli, ona gościa rąbnęła, on czekał w samochodzie, bezczelni zupełnie i pewnie się czują, skoro dziś są znowu razem. Zaraz, Gwasz napomknął, że ten Gwiazdowski jest żonaty, ciekawe, co na ten romans jego żona, trzeba z nią będzie pogadać. No dobrze, może być dyplomatycznie... Znamienne, swoją drogą, że nie chciał podać nazwiska klientki, przecież za chwilę i tak wyjdzie na jaw...

Z sierżantem u boku Wólnicki dotarł na miejsce rozgorączkowany i niemal pewien, że przed upływem dwudziestu czterech godzin będzie miał sprawcę pod kluczem, sam, bez pomocy Górskiego. Jego pewność wzrosła na widok samochodu przed bramą, wyrwał z kieszeni notes, sprawdził, tak jest, to ten, numer się zgadza.

Sukces. Upragniony sukces nadbiega...!

Zadzwonił do furtki, okazała się uchylona, zanim jednakże zdążył wejść, podjechała biała furgonetka i ujrzał się nagle w otoczeniu trzech niezmiernie energicznych facetów. Pchali się za nim. Pojawił się jeszcze jeden facet, z domu wyszedł, razem zrobiło się ich sześciu, przed nim z domu wyszła baba, facet z pewnością był Ryszardem Gwiazdowskim, baba zaś z wielkim naciskiem oznajmiła, że linia jej wychodzi. Może i wychodziła, ale na pierwszy rzut oka nie było tego widać.

Panowanie nad sytuacją wymknęło się Wólnickiemu z rąk. Pohamował chęć złapania tego Gwiazdowskiego i przytrzymania go siłą fizyczną, i pozwolił się zaprosić do wnętrza domu. Błysnęła mu przyjemna myśl, że jeśli gość ucieknie, sprawa wyjaśni się automatycznie, wręcz zbyt łatwo, prawie szkoda, że nie będzie się czym wykazywać...

Myśl jak błysnęła, tak zgasła, a jej miejsce zajęło potężne kłębowisko. Zaraz, chwileczkę, najwyraźniej w świecie miał przed sobą panią domu, czyli ową klientkę, z którą Gwiazdowski powinien był wszak romansować, wieczór u niej, poranek u niej... Ponadto świadek Ziarniak Gabriela, określając ją mianem dziewczyny, dokładniej mówiąc, dziwki, nie dołożyła przymiotnika stara i przywaliła jej romans z denatem, zatem coś tu chyba nie grało. Możliwe, że „zbyt łatwo" nie wchodzi w rachubę, baba na panienkę do wzięcia raczej się nie nadaje, prędzej już na mamusię panienki, rozczochrana, nie umalowana kompletnie, w stroju nie bardzo kuszącym, a w ogóle jakaś taka... beztroska. Z pewnością udaje. Albo kretynka. W dodatku on ją chyba zna, musiał widzieć tę gębę, ciekawe gdzie, pewnie już była zatrzymana i jest w kartotece, Górski wyciągał zeznania ze świadków i z podejrzanych na bazie życzliwości i prawie przyjaźni, może z tą tutaj też tak trzeba, bardziej elegancko niż urzędowo...

Przestawił się błyskawicznie, acz z lekkim wysiłkiem, a sierżant poszedł w jego ślady, chociaż widać było, że oderwanie wzroku od stada kotów za ogrodowymi drzwiami nie przychodzi mu łatwo. Komisarz pomyślał z irytacją, że rozbieżnego zeza głupi gówniarz dostanie.

Kretynką ta baba może i była, ale wiedzę o życiu posiadała.

– Powinnam panu chyba pokazać dowód osobisty? – rzekła uczynnie i podniosła się z kanapy. – Jeśli tylko znajdę torebkę, proszę uprzejmie, ale to chwilę potrwa. Moją torebkę wszyscy ciągle ukrywają przed złoczyńcami i potem sama jej szukam po całym domu. Ale nie ma obawy, ona gdzieś tu jest.

Wszelkimi siłami starając się robić najlepsze wrażenie świata, komisarz twardniał w sobie. Nie da się nabrać na te głupkowate podstępy, ona na głowie stanie, ale dowodu osobistego spróbuje mu nie pokazać. Idiotka beznadziejna, czy naprawdę wyobraża sobie, że przed policją ukryje tożsamość? Zaraz, a może to w ogóle nie ona, może zwyczajnie chce zyskać na czasie, przeleci się po rozmaitych pomieszczeniach, zwieje, a prawdziwa pani domu pojawi się nie wiadomo kiedy, albo o...! Okaże się, że przebywa w Australii, a tu wyrasta jakiś tajemniczy przekręt, trup już leży, afera zatacza zgoła ogólnoświatowe kręgi, on zaś uchwycił ledwo wierzchołek góry lodowej. Ten Gwiazdowski też się zmyje, a on sam wyjdzie na wała!

Myśl była raczej niepokojąca. Sierżant pomocą nie służył, siedział jak pień, wpatrzony w koty, mechanicznie popijając kawę. Nawet niezła była ta kawa. Komisarz już dojrzał do tego, żeby zadziałać ogniście, łapiąc wszystkich bodaj przemocą, ci tam, ci z furgonetki, też diabli ich wiedzą, czy są prawdziwi, więc ich również... ale w tym momencie przestępczyni wróciła. Z torebką.

– Proszę bardzo – rzekła, wciąż uczynnie, i podała mu dowód osobisty.

I wtedy komisarz przypomniał sobie, skąd zna tę gębę.

Ogarnęło go wszystko razem. Ulga, nadzieja, zakłopotanie, irytacja, przeczucie klęski i pewność zwycięstwa, euforia i depresja. Wiedział przecież, że Górski miał z nią kiedyś do czynienia, ale szczegóły ich współpracy, o ile można to było nazwać współpracą, nie były mu znane. Dziwaczna facetka, wplątująca się nachalnie we wszystko, co jej się napatoczy, ściągająca człowiekowi na głowę więcej kłopotów niż pożytku. Rzeczywiście, jeszcze tylko tej baby mu brakowało!

– Miło mi poznać panią osobiście – powiedział słabo i sam uczuł, że iskry zachwytu w tej deklaracji nie zabłysły. – Czy pan Gwiazdowski długo tam będzie...

W tym momencie przypomniał sobie fragment czytanych nocą dokumentów ofiary. Ależ oczywiście, ona również tam się znalazła!

– Nie wiem, ale mogę ich zaraz zapytać – odpowiedziała na niedokończone pytanie i już ruszyła się z kanapy, ale Wólnicki ją powstrzymał.

– Nie, zaraz, ja do pani też mam kilka pytań, może załatwimy to przy okazji. Czy pani znała Mirosława Krzewieca... albo Krzewca, nie wiem, jak to odmieniać... z firmy ogrodniczej?

– Dlaczego znałam? – zdziwiła się. – Znam go nadal, nie będzie mi się przy spotkaniu przedstawiał. Chociaż w spotkanie wątpię.

– Dlaczego?

– Bo już zerwałam z nim kontakty służbowe. Od razu powiem, bo pewnie pan zapyta, że to nie jest solidna firma, panu Mirkowi nie można wierzyć, trzeba mu patrzeć na ręce, nie spełnia obietnic, nie to panu dostarcza, czego pan sobie życzył. Pół ogrodu mam spaskudzone przez niego i cholera mnie bierze, ale nie będzie poprawiał. Nie chcę mieć z nim więcej do czynienia!

Mógł sobie Wólnicki hodować w sercu rozmaite ambicje i marzenia, mógł się rzucać na łatwizny i ekspresowe rozwiązywanie sprawy, ale jednak fachowcem już zaczynał być. W tym miejscu baba nie kłamała, zaiskrzyła, szlag ją trafił prawdziwy na tego Krzewca... zdecydował się na Krzewca, lepiej mu brzmiało niż Krzewieca... zła była jak diabli. Ogień z niej trysnął taki, że sierżant wreszcie zmienił obiekt zainteresowania, oderwał oko od kotów, przeniósł spojrzenie na podejrzaną. Bo stanowczo należało zaliczyć ją do grona podejrzanych, nie świadków.

– Pan komisarz pozwoli...? Ja trochę wiem o ogrodnictwie.

– Proszę, pytajcie – zgodził się Wólnicki sucho.

– Co pani zrobił...?

Wulkan wybuchł w spokojnym dotychczas salonie.

– Wszystko! Pan spojrzy przez okno! Wysoką brzozę chciałam, posadził mi płaczącą! Dwa czerwone klony obok siebie, na plaster mi dwa czerwone klony?! Chciałam dużą lipę, proszę, widać, patyk ze szkółki, tyle wetknąć, to i ja sama potrafię! Chciałam duży orzech, jest orzech, czemu nie, owoce ma jak czereśnie, tylko mi ziemię zatruwa! Chciałam bez, gówno mam, a nie bez, za to orgię jaśminu, dom mi niedługo pod tym jaśminem zniknie! Trzy uschnięte choinki, wcale nie chciałam choinek, czy ja jestem górskie zbocze?! Ziemi nie zmienił, nie wywiózł, nie dowiózł, trzy centymetry czarnoziemu, a pod spodem glina jak byk, mogę sobie cegielnię założyć! To jest ogrodnik?! To jest taki ogrodnik, jak z cara Mikołaja dziewica słowiańska!!!

Komisarz wpatrzył się z zaciekawieniem w ogród, jego zdaniem bardzo ładny, i kompletnie nie pojmował sedna rzeczy, ale sierżant kiwał głową z pełnym zrozumieniem.

– Przesuszone? Za długo czekało?

– No pewnie!

– A od frontu, zdaje się, ma pani kasztan jadalny?

– Jadalny...! Taki on jadalny, jak żółwia skorupa! W życiu w naszym klimacie jadalny nie będzie! A jeszcze rajskie jabłuszka mi wpychał, sam niech zeżre rajskie jabłuszka! Nienawidzę jabłuszek! Nawet żywopłot spieprzył, z każdej strony co innego, nawet ostrokrzew...!

Wólnicki nie wytrzymał.

– To dlaczego to u pani tak ładnie wygląda?

– Bo się sama postarałam! Ładnie...? Miało być sto razy ładniej!

– Nie dopilnowała pani?

– Panie, ja się nie podzielę na cztery nierówne połowy! Fachowcowi w ręce oddałam, sama miałam co innego do roboty, każdy z nas ma swój zawód...!

No nie, to niemożliwe, gdyby trzasnęła ogrodnika, powinna teraz symulować co najmniej sympatię do niego, ukryć tę wściekłość, a chociaż ją przytłumić. Ponadto psychologia twierdzi, że po zabiciu osoby znienawidzonej nienawiść przycicha. Co nie przeszkadza jednakże, że ma motyw, to znaczy miała, po którymś nieudanym krzaczku poleciała do faceta i rozwaliła mu łeb.

– Kiedy pani ostatnio widziała pana Krzewca?

Baba, wciąż jeszcze rozzłoszczona, wetknęła do ust papierosa i pomacała stół w poszukiwaniu zapalniczki. Znalazła taką małą, czerwoną, pstryknęła.

– Przed wyjazdem. W lipcu. Chce pan dokładnie?

– Wolałbym dokładnie, jeśli można.

Westchnęła, podniosła się, poszła do sąsiedniego pokoju. Wróciła po krótkiej chwili.

– Musiałam spojrzeć na kalendarz. Jedenastego lipca. Tu. Był u mnie i jeszcze mnie namawiał na iglaczki, a ja mam w nosie iglaczki.

– Wspomniała pani o wyjeździe. Gdzie pani była i kiedy?

– W różnych miejscach. Też pan chce dokładnie? Zaraz, a właściwie dlaczego? Zdawało mi się, że pan przyszedł do pana Ryszarda, co mają do niego moje podróże? Nie jeździliśmy razem. I po jaką cholerę denerwuje mnie pan ogrodnikiem? Wszystko panu powiem bardzo chętnie, ale niech wiem przynajmniej, o co tu chodzi?

Nareszcie Wólnicki poczuł pewniejszy grunt pod nogami. Takie pytanie zadaje każdy podejrzany, usiłując wywęszyć, ile może zełgać i co policja wie na pewno. Wreszcie i ta facetka wylazła z ram swojej symulowanej niewinności.

– Za chwilę do tego dojdziemy. To jak z tym pani wyjazdem?

– Czternastego wyjechałam za granicę i byłam w Czechach, w Austrii, w Niemczech i we Francji. We Francji najdłużej, głównie w Bretanii.

– Urlop wędrowny?

– Nie, osiadły. Ale samochodem nie da rady dojechać do Francji, omijając te wszystkie kraje, bo nawet przez Skandynawię do Niemiec pan trafia. A od południa Austria po drodze.

– Rozumiem. I kiedy pani wróciła?

– Wczoraj.

– Proszę?

– Wczoraj wróciłam. Gdzieś między piątą a szóstą po południu. Tłum ludzi już tu na mnie czekał i zapewniam pana, że wśród nich pana Krzewca nie było.

– Może mi pani wymienić te czekające osoby?

Wciąż jeszcze rozzłoszczona facetka przyjrzała mu się jakoś dziwnie i złość w niej przygasła. Pojawiło się jakby zainteresowanie.

– Wymienić ich wszystkich to ja, proszę pana... zaraz, najmocniej przepraszam, panie komisarzu chciałam powiedzieć, szkoda, że nie poruczniku... mogę w każdej chwili i bez namysłu, ale po co? Nagrywa pan?

Wólnicki poczuł, że jakby baranieje i sprężył się w sobie. O, żadne takie, ona go chce skołować, lada chwila zacznie tu w niego łupać jakimiś naukowymi teoriami, nic z tych rzeczy, nie z nim te numery, też zdobył jakieś wykształcenie i z różnymi już miał do czynienia. Nie da z siebie zrobić przemielonej mierzwy!

Już chciał zimno odpowiedzieć, że może nagrywa, a może nie, kiedy nagle przypomniało mu się, że idiotyczne prawo pęta mu ręce. Podstępnie nagrywać nie wolno, oficjalnie, rzecz jasna, bo nieoficjalnie... przesłuchiwany ma wyrazić zgodę, inaczej żaden dowód i nic nie jest ważne, w dodatku za kuper go wezmą, a ta zołza z pewnością coś o tym wie. Zgrzytnął czymś w głębi jestestwa, nie zębami, zęby słychać...

– Dlaczego szkoda, że nie poruczniku? – spytał, całkowicie wbrew sobie, ale zarazem z nikłą nadzieją, że jakoś ją zaskoczy.

Nie zaskoczył, niestety.

– No i sam pan widzi, że pan zmienia temat, nie ja. Przywykliście do rozmów z prymitywami, szkoda. Ja to panu mogę opowiedzieć obszernie, ale czy rzeczywiście tak panu zależy na moich osobistych doznaniach, przyzwyczajeniach, upodobaniach, skojarzeniach, na mojej odległej przeszłości i wyobrażeniach z dzieciństwa? Z pewnością zajmuje się pan jakimś dochodzeniem i rozmaite niuanse psychologiczne to ostatnia rzecz, jakiej byłby pan teraz akurat spragniony. Chce pan o poruczniku, proszę bardzo, ale sądzę, że bardziej interesuje pana moja wątpliwość, czy wszystko, co powiem o moich gościach, w mgnieniu oka pan zapamięta. Jeśli pan zatem nie nagrywa, gdzie sens ich wymieniać?

Komisarz Wólnicki nie był idiotą, a myśl ludzka biegnie szybko. Słuchając cholernej baby, zdążył napluć sobie w brodę, przestraszyć się, rozjuszyć, poczuć cień wdzięczności i wyciągnąć kilka wniosków, których w słowa ubrać nie zdołał. Na końcu przez jego usta przemówił zawód, wyuczony i wykonywany.

– Nie wiemy jeszcze – rzekł anielsko łagodnie i nieco zjadliwie – ani pani, ani ja, czy osoby, o których mowa, okażą się ważne. Jeśli tak, zawsze istnieje możliwość zapisania ich personaliów, prawda? Długopisem, na papierze. W związku z czym nie nagrywam. Ja osobiście pisać umiem, sądzę, że pani również, a były czasy, kiedy technika jeszcze nas nie wspomagała...

I tu omal sobie nie przegryzł języka, bo złośliwie chciał dodać, że szanowna pani te czasy powinna doskonale pamiętać, ale czknięcie Górskim wręcz kopnęło go w umysł. Ona czy nie ona rąbnęła Krzewca, jeśli nie ona, zrazi świadka, sam sobie rzuci kłody pod nogi, ma być uprzejmy, do plagi egipskiej!

Ku jego śmiertelnemu zdumieniu, baba rozpromieniła się i wręcz rozkwitła, na poczekaniu ubyło jej dziesięć lat. Uwaga o pamiętaniu w tym momencie byłaby absolutnie nie na miejscu.

– Jestem dokładnie tego samego zdania – oznajmiła radośnie. – Bardzo panu dziękuję, nie lubimy się wzajemnie, technika i ja. Woli pan zapisać czy nagrać?

– Na razie usłyszeć.

– Proszę uprzejmie. Małgosia i Witek Głowaccy, moja siostrzenica i jej mąż. Ryszard Gwiazdowski, o którym pan wie wszystko, skoro na niego pan tu czatuje. Julita Bitte, siostrzenica mojej przyjaciółki, służbowo ze mną związana, bez niej nie mam życia. No dobrze, połowy życia. Tadeusz Kwiatkowski, syn mojego kumpla z młodych lat. Znam go od urodzenia, Tadzia, nie jego ojca, ale Tadzio dołączył chwilę później. To wszyscy.

Komisarzowi towarzystwo wydało się jakieś zróżnicowane, tu rodzinnie, tu służbowo, tu prywatnie, nie klika chyba, nie sitwa? Chociaż, diabli ich wiedzą...

Wyjął notes.

– Miała pani rację... – zaczął i w tym momencie wszedł ów Gwiazdowski, o którym omal nie zapomniał.

– Resztę załatwią sami – powiedział. – Służę panu. Pani Joanno, pozwoli pani, że zrobię sobie herbatę?

Pani domu zerwała się z kanapy.

– Nie, niech pan siada i niech ja się wreszcie dowiem, dlaczego policja pana łapie. Ja panu zrobię herbatę. Ale proszę rozmawiać głośno, żebym słyszała. Czy jeszcze któryś z panów coś...

– Nie, dziękujemy.

Ten cały Gwiazdowski usiadł na drugiej kanapie, obok sierżanta, który skwapliwie przesunął się, zostawiając mu więcej miejsca. Wólnicki poczuł się w siodle. Nareszcie miał kogoś, obciążonego konkretnym zarzutem, o tyle skomplikowanego, że nie uciekł, chociaż, na dobrą sprawę, powinien. Przyjrzał mu się. Facet nie robił wrażenia potwora, owszem, wysoki, solidnie zbudowany, ale gdzie mu było do wyobrażeń, jakie budziło określenie, dwa metry wzrostu, ze sto pięćdziesiąt kilo wagi, wzrok dziki i suknia plugawa, wściekła gęba, zmierzwiony kołtun na łbie, agresja buchająca ze środka... Nic z tych rzeczy, normalny człowiek, spokojny i łagodnie opanowany, do licha, nie pasuje!

Na myśl, że ci wszyscy, dotychczas połapani, mogliby okazać się niewinni, zimny dreszcz przeleciał mu po plecach.

– Miło mi, że wreszcie mogę z panem porozmawiać – rzekł jadowicie. – Gdzie znajdował się pan wczoraj pomiędzy osiemnastą trzydzieści a dwudziestą?

Gwiazdowski nie zaprezentował żadnych emocji.

– Tutaj chyba, nie? Czekaliśmy na panią Joannę, zdaje się, że od piątej? Ja w każdym razie byłem już od wpół do piątej przez tych telefoniarzy. I pani Małgosia była.

– Do której?

– O, długo. Do ósmej... nie, co ja mówię, do dziewiątej chyba? Nie patrzyłem na zegarek, ale do domu przyjechałem dwadzieścia po dziewiątej, co mi żona wypomniała, bo miałem być o dziewiątej. Dwudziestej pierwszej, mam na myśli. A stąd jadę do siebie mniej więcej piętnaście minut. Nie było żadnych przeszkód, więc musiałem wyjechać pięć po dwudziestej pierwszej.

– Kto to może poświadczyć?

– A mówiłam, żeby pan nagrał albo zapisał! – wrzasnęła z kuchni pani domu.

Wólnicki postanowił tego nie słyszeć.

Potwornie podejrzany Gwiazdowski wymienił wszystkie te same osoby, z tym że zaciął się przy nazwisku Tadeusza. Kwiatkowski. Zakłopotał się, znał go jako Tadzia, nigdy nic budowlanego u niego nie robił, nazwisko potrzebne mu było jak dziura w moście, słyszał je, ale nie zakodował w pamięci. Przypomniał sobie z wysiłkiem.

– No tak – powiedział komisarz po chwili milczenia. – Ale samochód, którym pan jeździ obecnie, wiem, że to nie pański, tylko pochodzący z warsztatu pana Gwasza, o wymienionej porze znajdował się na ulicy Pąchockiej pod numerem czterdzieści cztery. Co on tam robił?

Komunikat zawierał w sobie zaledwie połowę prawdy. Nauczcielka matematyki nie ratowała kota spod kół samochodu pod numerem czterdziestym czwartym, tylko znacznie dalej, na samym końcu krętej uliczki, prawie przy wyjeździe z niej, i na dobrą sprawę nie było pewne, skąd ten samochód jechał. Ale co szkodziło trochę podejrzanego świadka postraszyć?

Obydwoje, Gwiazdowski i pani domu, która już wróciła z herbatą, gapili się na komisarza baranim wzrokiem.

– Stał, jak sądzę...? – wysunęła niepewne przypuszczenie ta okropna baba.

– Nic na ten temat nie wiem – powiedział znacznie sensowniej Ryszard Gwiazdowski. – O ile wiem, stał tutaj. Dokładnie, pod śmietnikiem pani Joanny.

W komisarzu Wólnickim pojawiło się w tym momencie okropne uczucie. Coś przeoczył, coś zlekceważył, poszedł niewłaściwą drogą, a przeoczone i zlekceważone właśnie mu umyka. Z wysiłkiem stłumił uczucie, nie, to niemożliwe, zrobił przecież wszystko co trzeba, a teraz bada świadków bez wątpienia właściwych, skoro znali denata. Śladów z miejsca przestępstwa badać nie może, bo z całą pewnością laboratorium jeszcze mu żadnych wyników nie dostarczyło, grzebać w dokumentach...? W dokumentach grzebie się w celu dokładnego poznania ofiary, jej otoczenia i poczynań, w tym samym celu przepytuje się świadków, to właśnie czyni, więc skąd zgryzota?

– Pod śmietnikiem... – powtórzył bezwiednie. – No tak... Znał pan Mirosława Krzewca? Ogrodnika?

Podejrzany uparcie zachowywał spokój.

– Znać znałem, ale nie bardzo. Ze dwa razy go widziałem i słyszałem tylko...

– Zaraz – przerwała podejrzliwie pani domu. – Już drugi raz używa pan czasu przeszłego. Co się dzieje? Umarł ten Krzewiec czy co? Wpadł pod samochód?

– Dlaczego pod samochód? – spytał natychmiast komisarz.

– O, nie upieram się, może pod pociąg. Ale pyta pan o samochód pana Ryszarda, więc tak mi się nasunęło. Coś się z nim stało?

Wólnicki postanowił nie dopuścić do towarzyskiej pogawędki. Zwrócił się znów do podejrzanego.

– Zaczął pan mówić, że pan słyszał. Co pan słyszał?

– Słyszałem tylko, że się nie sprawdził. Ten cały Krzewiec. Pani Joanna narzekała, zresztą prawdę powiedziawszy sam to też zauważyłem. Oglądaliśmy drzewa, no, co tu ukrywać, spaprał robotę. One musiały być źle przechowywane, i choinki, i bzy, orzech też mu się nie udał. Tyle wiem i nic więcej.

– Przesuszone korzenie i za płytko sadził – wyrwało się sierżantowi.

– A głębiej glina! – warknęła podejrzana.

– Już niech mi pani tak tej gliny nie wymawia – skrzywił się Gwiazdowski, też podejrzany. – Ale myślałem, że ogrodnik zadecyduje, a spod wykopu całą wywiozłem, słowo daję. Już przepadło, chyba że chce pani wszystko wywrócić do góry nogami.

Podejrzana machnęła ręką.

– Nie chcę. Dosypię od góry. To co z tym panem Mirkiem, musiało mu się coś przytrafić, bo inaczej nie zawracałby pan nim głowy sobie i nam. Panie komisarzu, może nas pan uważać za przestępców, ale niech pan nas nie uważa za idiotów, uparcie mówi pan o nim w czasie przeszłym... Zabił go ktoś?

– Dlaczego miałby zabić... – zaczął Wólnicki, zanim zdążył uświadomić sobie, że mówi kretyństwo.

– Bo panowie są z wydziału zabójstw – usłyszał zimną odpowiedź. – Więc szczerze wątpię, czy chodzi o to, że nie zapłacił podatków. I rozumiem, że smutne wydarzenie nastąpiło wczoraj między... zaraz, o jaką porę pan pytał...? A, między osiemnastą i dwudziestą. Pięć osób tu siedziało...

– Cztery – uściślił podejrzany. – Tadzio dobił później.

– Zgadza się, później. Około wpół do siódmej. Z Okęcia jechał, pana Krzewca miał po drodze. O, zaraz powiem, skąd wiem, jasne przecież, że pan o to zapyta...

Nuklearny wręcz wybuch nadziei Wólnickiego znikł szybciej niż przekłuty balon albo zwykła bańka mydlana.

– W życiu u niego z wizytą nie byłam, ale na tej samej ulicy mieszka mój dentysta, więc mniej więcej wiem, gdzie to jest. Z Okęcia na pewno po drodze bardziej niż na przykład z Gocławka. Ale Tadzio wcale go nie zna i nie znał, i jeśli nawet do niego narzekałam na kłopoty ogrodnicze, starał się nie słuchać. Gdyby okazało się, że to Tadzio go zabił, oszalałabym z ciekawości, jaki na litość boską mógł mieć motyw, więc bardzo proszę mi to powiedzieć. Chociaż i tak wątpię, czyby zdążył, o której tu był...?

Obydwoje podejrzani, wpatrzeni w siebie, ze zmarszczonymi brwiami wyraźnie usiłowali sobie przypomnieć.

– Ja o której...? Po piątej... Kwadrans...?

– Zaraz. Szósta... Pani dzwoniła, że pani już jest... Jakieś pięć po...? Za dwadzieścia siódma...?

– Niechby za piętnaście. Musiałby wcześniej. Przed wpół do siódmej byłoby dobrze?

Chciwie zachłanne spojrzenie ugrzęzło teraz w Wólnickim, który poczuł się tak dziwnie, jak jeszcze nigdy w życiu. Co ci ludzie mówią, ten jakiś Kwiatkowski, pozbawiony motywu, miałby zabić Krzewca przed wpół do siódmej? Według tego, co stwierdził lekarz, mowy nie ma!

– Nie – wyrwało mu się. – Później.

– Odpada. Później już był tu. Znaczy, to nie Tadzio.

– A dlaczego właściwie miałaby go zabijać koniecznie któraś z osób, tu obecnych? – zainteresował się nagle Gwiazdowski. – Pani Joanna takiego zlecenia nie zostawiła. Może jednak ktoś inny?

– Dlatego, że pański samochód we właściwej porze był widziany przed właściwym domem – odparł komisarz ze zdumiewającą, zważywszy lekką kołowaciznę, przytomnością umysłu, znów odrobinę wypaczając prawdę. – I bardzo chciałbym wiedzieć, jakim sposobem on się tam znalazł. Sam przecież nie pojechał?

Okropne milczenie, jakie teraz zapadło, wypełnione było pracą umysłową, od której powietrze gęstniało. Jakim sposobem samochód stojący tu, mógłby się znaleźć tam, bez uczestnictwa człowieka, który był tu...?

– Czy pan jest zupełnie pewien, że to był mój samochód? – spytał jakoś bezradnie podejrzany. – To znaczy, nie mój, tylko Gwasza, ale to już wszystko jedno. Bo ja, prawdę mówiąc, nie rozumiem...

Wólnicki otrząsnął się nagle z okropnego zauroczenia. Pomyślał, że obydwoje kłamią, kłamią tak porządnie i prawdziwie, że niemożliwe jest, żeby nie kłamali. Gdyby nie Górski, zamknąłby ich na czterdzieści osiem godzin bez sekundy namysłu, ale współpraca z Górskim już się na nim odbiła. Zaraz, errare humanum est, a policjant też człowiek. Siostra denata miała rację, z bandziorem jak z jajkiem, przyzwoitego się szarpie, zastanówmy się, jakie są inne możliwości?

Pierwsza: nauczycielka matematyki jednak się pomyliła, to nie Indianin Sokole Oko, tylko starsza pani, jedna cyfra inna i już się kitłasi. Druga: ktoś podwędził gablotę z ulicy i zdążył odstawić z powrotem, dużo wiedział, no, o jego wiedzy kiedy indziej. Trzecia: cudzy wóz, z warsztatu, ktoś miał kluczyki, zaplanował sobie... Zaraz, jeszcze czwarte: świadek widział młodą i piękną dziewczynę o czarnych włosach, do diabła z włosami, teraz te baby miewają na głowach wszelkie śmieci. Potworem był Gwiazdowski, też mi potwór, cha, cha, ale dziewczyna...?

Wszystko to przeleciało mu przez głowę z szybkością powyżej świetlnej. W obliczu takich wątpliwości decyduje motyw. No i konkretne ślady, ale to też rozpatrzy później, z laboratorium dostanie. Teraz ten motyw.

– W porządku – powiedział, chociaż nic nie było w porządku. – Zapasowe kluczyki zostały w warsztacie?

– Ja miałem tylko jedne – odparł Gwiazdowski.

– W porządku. Samochód stał tu, pan siedział tu, tam pana wcale nie było.

– Zgadza się.

– Siedział pan dostatecznie długo, żeby ktoś zdążył wziąć samochód, pojechać tam i wrócić tak, żeby pan tego nie zauważył?

– Pewnie, że mógł…

– Nikt z nas nie wyglądał na ulicę i nie interesował się ruchem na drodze – przerwała stanowczo podejrzana. – Niech pan się zastanowi, wróciłam po prawie dwóch miesiącach nieobecności, wszyscy specjalnie na mnie czekali, sery się roztopiły po drodze, wino przywiozłam, tu działo się mnóstwo, o podróży gadałam, mogę pana zapewnić, że w każdej podróży przytrafiają mi się idiotyzmy, gdzie pan w tym zmieści jeszcze cokolwiek innego? Bramę mogli mi rozmontować i wynieść i nikt by tego nie zauważył!

Wólnicki trwał przy swoim.

– Zaalarmowany był ten pański samochód? No, wszystko jedno, Gwasza?

I tu Gwiazdowski pierwszy raz stropił się wyraźnie i zawahał.

– No, alarm to on miał… Ale ja chyba… Rurę do hydrantu przywiozłem… Tę cienką, wie pani…

– Tę, co pękła?

– No właśnie. I możliwe, że ją chciałem przykręcić, zanim pani dojedzie… Za samochód nie dam głowy. Pani Małgosia mi pomagała, może ona pamięta…

– Znaczy, ktoś mógł – uciął krótko Wólnicki. – Teraz drugie. Motyw.

Nie postawił wyraźnego znaku zapytania, ale odpowiedzi oczekiwał. Nie uzyskał jej. To całe cholerne przesłuchanie szło mu jak po grudzie, podejrzani gapili się na niego z wielkim zainteresowaniem i nadzieją, że odpowiedź usłyszą właśnie z jego ust. Rzeczywiście, już się rozpędził…

Z dużym wysiłkiem skupił się służbowo i święcie przekonany, że coś zaniedbuje, że najważniejszych pytań nie zadał, że niczego właściwie nie osiągnął, zdecydowany jednakże sprawdzić prawdziwość tych idiotycznych zeznań, jak nożem uciął zakończył spotkanie. Adresy i telefony pozostałych świadków miał, pójdzie tym tropem i albo coś z tego wyniknie, albo się definitywnie od nich odczepi.

Podniósł się.

– Dziękuję państwu. Być może, będę musiał... – powstrzymał się od komunikatu, że na pewno zarządzi konfrontację, i zakończył trochę ni w pięć ni w dziewięć – jakieś pytania jeszcze mieć. Proszę nie opuszczać miasta.

I wyszedł. Sierżant wyszedł za nim z głową obróconą bez mała tyłem do przodu, bo wciąż absorbowały go koty.

☆ ☆ ☆

– To co, panie Ryszardzie? – spytałam niepewnie. – Jesteśmy aresztowani czy nie?

– Że też nie spytała go pani, kto tam ten numer zauważył – skarcił mnie pan Ryszard. – Bo to właściwie jedyny klops. A jeśli to był jakiś sklerotyk albo trochę ślepawy i dałoby się wszystko mu wmówić?

– Akurat by odpowiedział. Moim zdaniem, uczepi się teraz tego pańskiego Gwasza, przez zapasowe kluczyki. Może niech pan lepiej uprzedzi człowieka?

– A co ja go będę uprzedzał, od niego przecież zaczął. Nie wierzę, żeby ten gliniarz wymyślił coś takiego, że ktoś tam u nich taką intrygę uknuł, tu kluczyki, tu czatować, aż pani przyjedzie, skąd by w ogóle wiedział, ja sam nie wiedziałem jak mu zostawiałem wóz, dopiero później pani dzwoniła. Śledzić, skorzystać z okazji, jechać i utłuc tego, pożal się Boże, ogrodnika, a potem na mnie zwalić. To by już była ta, jak jej tam, premedytacja, a skoro tak, niech go łapią.

Gwasz może i będzie miał zawracanie głowy, ale winnego nie znajdą, bo go nie było. Gorzej z panią Julitą, ja głowę daję, że to nie ona, nijak by nie zdążyła, ale moją głowę to oni mają gdzieś.

Siedzieliśmy naprzeciwko siebie przy salonowym stoliku, a między nami rozkwitała czarna troska.

– Ale kłamał pan doskonale – pochwaliłam, usiłując znaleźć w tym wszystkim jakąś pociechę.

– Pani też – zrewanżował mi się pan Ryszard. – Mariana nie będę uprzedzał, ale może pani zadzwoni teraz do innych?

Pokręciłam głową, bo jakieś kawałki umysłu ocknęły się z letargu i podjęły pracę. Niechętnie, ale jednak.

– Do bani. Niech pan popatrzy, panie Ryszardzie, jakie straszne czasy nastały. Jeśli się nas uczepią, sprawdzą rozmowy telefoniczne, te cholerne bilingi, nawet komórki da się wyłapać. Nic już człowiek nie może nachachmęcić. Cała nadzieja, że Witek zdążył ich zawiadomić i Julita zaczęła się odmieniać. Cholera, zapomniałam jej zabrać ten czerwony żakiecik!

Brzęknął gong u furtki.

– Ja otworzę – zaofiarował się pan Ryszard.

Poszłam za nim z ciekawości. Okazało się, że panowie śledczy wrócili. Pewnie liczyli na to, że złapią nas na gorączkowym ukrywaniu dowodów rzeczowych, zakopujemy w ogródku narzędzie zbrodni albo coś w tym rodzaju. A może bijemy się, nawzajem czyniąc sobie wyrzuty.

– Czy pani posiada sekator? – spytał komisarz już w progu.

Nawet się nie zdziwiłam, sekator do ogrodnika pasuje, chyba mi go nie zabierze? No, nawet gdyby, kupię nowy, niech będzie.

– Posiadam. Chce go pan obejrzeć?

– Tak, proszę.

No i cześć. Wróciłam wczoraj pod wieczór, nie zdążyłam nawet zajrzeć do ogrodu, nie wspominając o jakichkolwiek pracach, skąd miałam wiedzieć, gdzie znajduje się w tej chwili sekator czy którekolwiek inne narzędzie? Próbując szybko pobiec drogą dedukcji, gapiłam się na niego, zmartwiona i stropiona. I jak, z takim wyrazem twarzy, mogłam nie wydawać się podejrzana...?

Dedukcja kazała mi się wypchać trocinami i tłuczonym szkłem. Ruszyłam zwyczajnie, drogą praktyczną, obejrzałam się na szafkę w przepokoju, leżały na niej tylko stare rękawiczki, dwie i pół pary, przeszłam do salonu i obejrzałam obramowanie kominka, nożyczki, gasidło do świec, długie zapałki, popielniczka, trzy lichtarze, nożyce do ścinania trawy, bardzo niedobre, długopis, wazon z suchym bukietem ominęłam wzrokiem, sekatora tam nie było, ale i tak wątpiłam, czy mógłby być, wyszłam na tarasik przed domem. Sierżant twardo szedł za mną i oglądał to samo.

Na tarasiku spenetrowałam dwa stoliki turystyczne, na jednym, obok pazurków do pielenia, wąskiej łopatki, popielniczki i jednej rękawiczki leżał sekator, ale na długich rękojeściach.

– Taki panom odpowiada? – spytałam niepewnie.

– Może być – zgodził się sierżant. – Mniejszego pani nie ma?

– Mam. Tylko nie wiem gdzie. Ale może się znajdzie.

Sprawdziłam zawartość dwóch wiaderek, bez skutku, i obeszłam dom dookoła od zewnątrz. Zdenerwowałam się bardzo widokiem rdestu, pchającego się w trawę ozdobną, z trudem powstrzymałam się przed wyrwaniem go chociaż trochę, bacznie przyjrzałam się parapetom okiennym, obejrzałam drewno opałowe, wlazłam pod wierzbę i wreszcie znalazłam sekator. Leżał na workach z ziemią ogrodniczą do rozsypywania.

– Jest! Proszę.

Wróciliśmy do domu od frontu, sierżant z dwoma sekatorami, jednym wielkim, drugim mniejszym.

Komisarzowi jeszcze było mało.

– Tylko jeden? Drugiego takiego pani nie ma? – spytał, potrząsając tym mniejszym.

– Mam, ale on do kitu. Rozklekotał się.

– Można zobaczyć?

Rozklekotany sekator znalazłam w garażu obok młotka, siekiery i dwóch ręcznych piłek, mocno stępionych. Odniosłam z tego korzyść osobistą, przypomniało mi się, że takie piłki można naostrzyć, Witek wie gdzie, i od razu zabrałam je do domu.

Komisarz nie oglądał sekatorów zbyt wnikliwie.

– To wszystko? Więcej pani nie miała?

– Niech pan nie wymaga za wiele, to dopiero dwa lata, jak mam ten ogród, nie zdążyłam zepsuć wszystkiego. Chce mi pan te sekatory pozabierać?

– Nie, cóż znowu. Dziękujemy bardzo.

Poszli. Zostałam z trzema sekatorami.

– A do tego pierwszego pani się nie przyznała – wytknął mi pan Ryszard, wracając do salonu.

– O, rzeczywiście, już lecę ze świstem. Przecież też by go chciał oglądać, a ja przypadkiem wiem, gdzie on leży. W garażu pod drewnem, na samym spodzie, musiałabym wyprowadzić samochód i rozkopać pół domu, panu by się chciało? Bo mnie nie. Ale...! Gdzie ci telefoniarze?

– Już zrobili swoje i poszli. Z panią chyba skończyli, teraz podłączają drugą stronę.

– Nie wrócą?

– Obiecali, że nie. To ja już też będę leciał...

– Moment, panie Ryszardzie – poprosiłam i pozbyłam się wreszcie narzędzi ogrodniczych, wynosząc je na taras i odkładając na drugi stolik turystyczny. – Ja czasami coś myślę i trzeba to wspólnie omówić. Baba widziała Julitę i pana, numerowi samochodu możemy nie dać rady, diabli wiedzą kto go widział, ci dwaj tutaj nie robili wrażenia kretynów, niech pęknę, jeśli nie zarządzą konfrontacji! Pierwsza rzecz, jaką powinni zrobić.

Pan Ryszard spojrzał na mnie, popatrzył przez okno w dal i zaczął zbierać ze stołu szklanki.

– Powinni – przyznał. – To co?

– No właśnie. Niech pan się uspokoi z tym sprzątaniem, bo mnie to rozprasza, a ja się muszę poważnie zastanowić. Poza tym, do takich rzeczy służy taca!

– Nic, nic. Już. Zaraz.

Najpierw zastanowiłam się, czy nie mogłabym jednak czasami być normalną kobietą, która porządki robi odruchowo, a potem wróciłam do konfrontacji. Konfrontacja wyszła mi lepiej.

– Baba była w nerwach? – upewniłam się surowo.

– Nawet w dużych.

– Fotograficznej pamięci, miejmy nadzieję, nie posiada. Krótko patrzyła?

– Krótko.

– A Julita trzymała się za twarz?

– Zgadza się, trzymała.

– To ona gówno zobaczyła. Na konfrontację musi pan iść w garniturze, nie żeby zaraz frak...

– Nie mam fraka.

– To tym bardziej. Ale garnitur pan ma. Żadnych tam dżinsów, kurtek, prawdziwa marynarka, nie najnowsza, biała koszula, krawacik...

Pan Ryszard znalazł tacę, na której przyniosłam herbatę i którą potem wetknęłam za poduszkę na kanapie. Poustawiał na niej naczynia i wyprostował się.

– I myśli pani, że ktokolwiek uwierzy w taką moją roboczą odzież?

– Jaką roboczą odzież? Spotkanie towarzyskie, na moją cześć pan się ubrał normalnie, długo mnie nie było! Tak pan mnie chciał powitać elegancko, wolno panu, nie?

– No, powitać, to tak... Ale ja przecież przyłączałem węża do kranu...

– Rozebrał się pan – zaproponowałam w rozpędzie.

Pan Ryszard popatrzył na mnie jakoś dziwnie.

– No tak. Marynarka, spodnie... I ktoś uwierzy, że nikt nie zwrócił uwagi na gołego faceta w gaciach, który lata po pani ogrodzie i po dziedzińcu z wężem w ręku...? Sąsiedzi, ludzie chodzą, robotnicy naprzeciwko...

– Niech pan nie stwarza trudności! – zdenerwowałam się. – Kitel pan włożył... Cholera, nie ma u mnie kitla. Wszystko jedno, nie o to chodzi, nic pan nie wkładał, łatwo się panu przyłączyło bez szkody dla zdrowia. Ale był pan wytwornie odziany i cześć! Julity przypilnuję osobiście, mam nadzieję, że siedzi u fryzjera, w najgorszym razie inaczej się uczesze, w coś żółtego ją ubiorę. Przemocą, jeśli trzeba!

Sedno rzeczy pan Ryszard zrozumiał doskonale, zamyślił się, poszedł z tacą do kuchni i wrócił.

– Jeśli tej babie każą rozpoznawać z twarzy, to ma pani rację. Ja byłem mniej zdenerwowany, ale z pani Julity rzeczywiście widać było tylko włosy, ręce i ten czerwony żakiet. Ubrać tak samo inną dziewczynę i już nie wiadomo, która jest która. A ze mnie to ona w ogóle mało widziała, bo takie szare miałem na sobie...

– Szaroniebieskie – skorygowałam. – Garnitur, o ile pamiętam, ma pan ciemniejszy.

– Mam i czarny, ale to nie był ani pogrzeb, ani ślub. Więc czarny nie pasuje. No dobrze, to niezła myśl. Mnie co innego zastanawia, ten sekator. Na kiego grzyba im były pani sekatory?

– Gdyby pytali o noże kuchenne, rozumiałabym, że szukają narzędzia zbrodni – odparłam bez namysłu. – Ale sekatory...? Poza tym te noże by zabrali. Coś on wywinął głupiego tym sekatorem? Ukradł komuś? Czy ktoś jemu? Niby jedno do drugiego przystaje, sekator do ogrodnika i odwrotnie, ale mnie tu nie gra.

– Mnie też nie. Poczekajmy. Na razie panią Julitą trzeba się zająć...

☆ ☆ ☆

Zajęcie się Julitą polegało na objechaniu połowy miasta i w rezultacie wypadło nieco dziwnie, dając efekt niezamierzony. Spróbowałam posłużyć się komórką, stosując niesłychanie okrężną drogę, żeby mi nikt nie udowodnił podejrzanych połączeń telefonicznych, ale ostateczny komunikat donosił, że ona swoją wyłączyła. Mogła się znajdować wszędzie, w kinie, w kościele, u kosmetyczki... O, właśnie, u kosmetyczki, może jednak robi coś z twarzą i włosami!

Czerwony żakiecik, który zapomniałam z niej zedrzeć, dręczył mnie do tego stopnia, że postanowiłam przestać o nim myśleć. Przestawiłam się na inne tory, przypomniałam sobie, że po drodze do domu mam ogrodnika, ściśle biorąc tak zwane ogrodnictwo, nawet dwa ogrodnictwa... no dobrze, może to były po prostu sklepy ogrodnicze... jedno z nich zaś mieściło się pod adresem, którym operował pan Mirek. Miałam z tym podlecem ciężką zgryzotę już od dwóch lat, a po raz pierwszy przyszło mi do głowy, że coś tu się nie zgadza, było to ogrodnictwo małe, chociaż zasobne, i pan Mirek w nim się właściwie nie mieścił. I od kiedy w ogóle do niego należał?

Wytężyłam pamięć. Rozwijające się stopniowo ogrodnictwo znałam od wieków, od czasów, kiedy jeszcze usiłowałam zazielenić swój balkon, co uniemożliwiły mi gołębie. Cokolwiek tam posiałam albo zasadziłam, mościły się na tym z upodobaniem, wygniatając sobie ciepłe gniazdka, skutecznie tłamsząc wschodzące zielska, i nie pomagało nic. Wetknięte gęsto patyki kochane ptaszki rozpychały, pod rozciągniętą nad roślinami siatkę właziły, za to człowiekowi siatka nie pozwalała wyjść na balkon, ponadto z wyraźną przyjemnością pstrzyły całość żrącym łajnem i nie było na nie siły. Zrezygnowałam z dekoracji balkonu i zdaje się, że wtedy właśnie bardzo znielubiłam gołębie. Nie posunęłam się do ukręcania im łbów i gotowania rosołku, ale niechęć trwała we mnie zdecydowana i wyraźna.

Ogrodnictwo jednakże mi zostało i tam nabyłam pierwsze roślinki do nowego ogródka. Drugich już nie nabyłam, ponieważ ogrodnictwo znikło i pojawiło się dopiero po pewnym czasie w nieco innym miejscu, nawet dość blisko poprzedniego, co sprawdziłam zaledwie raz, na więcej razy zabrakło mi czasu. Wciąż zajmowało niewielki kawałek terenu, ale towarem, o ile pamiętałam, dysponowało w obfitości. I oto okazało się adresem służbowym ogrodnika Mirosława Krzewca.

No i kto wie? Może miał tam malutki azylek, przyjemnie dla siebie urządzony, przyozdobiony moją zapalniczką...?

Nadzieja była nikła, ale co mi szkodziło sprawdzić? Z pewnym trudem, po ścieżce rowerowej i przejściu dla pieszych podjechałam pod bramkę.

Dobrze mi się wydawało, ogrodnictwo rzeczywiście było miniaturowe. Sadzonki w doniczkach na regałach nawet bez zadaszenia, ukorzenione róże, hosty, azalie, bluszcze, hortensje, astry i mnóstwo innych roślin, też w doniczkach, gniotące się na krótkich grzędach, krzewinki i trawy we wczesnej fazie rozwoju, wszystkiego po odrobinie, ale za to rozmaitość wielka. Baraczek z kasą, nasionami, cebulkami i bulwami, skromna ekspozycja donic i podstawek, trochę chemikaliów, stosy worków z nawozem i ziemią, torby z odżywkami i właściwie nic więcej. Prawdopodobnie ukryty gdzieś sanitariat, którego nie było widać. Miejsca dla pana Krzewca również nie było widać.

Najpierw nie wytrzymałam i skusiłam się na dwie rabatowe róże w łososiowym kolorze i dwie niskie złotożółte chryzantemy, potem dokupiłam cztery małe hosty, następnie zawahałam się przy czymś, co widziałam we Francji, nie miałam pojęcia, jak to się nazywa, w każdym razie w naszym klimacie nie miało prawa przyjąć się i rosnąć, ale wzięłam to na próbę, wreszcie poszłam płacić, nabyłam szafirki, które chodziły za mną już od zeszłego roku, i przypomniałam sobie, po co tu w ogóle jestem.

Pytanie zadałam panience przy kasie, do której wróciłam po wepchnięciu zakupów na wózek, na szczęście lekki.

– Przepraszam panią, ale zdaje się, że tu gdzieś u państwa urzęduje albo może tylko bywa pan Mirosław Krzewiec. Gdzie go mogę znaleźć?

– Mirosław Krzewiec? – zdziwiła się panienka. – Nic nie wiem. Nie znam takiego. Bardzo mi przykro.

Pomyślałam, że może jest za młoda, pewnie od niedawna pracuje, a pan Mirek mógł bywać dosyć rzadko. Odwróciłam się do faceta przy regałach.

– Tu u państwa urzęduje pan Krzewiec. Mam jego służbowy adres. Wie pan może, jak go złapać?

Facet był trochę starszy od panienki. Zawahał się, otworzył usta, zamknął i znów otworzył.

– Krzewiec? Możliwe. Ja tak wszystkich nie znam... Lepiej niech pani spyta szefowej.

– A gdzie znajdę szefową?

Spojrzał w niezbyt odległą dal i uczynił gest brodą.

– Tam jest, z tyłu, przy paprotkach.

Udałam się w paprotki za baraczkiem. Przejście ku nim było dostatecznie wąskie i niewygodne, żebym zdążyła zmodyfikować dociekania.

– Przepraszam panią, a gdybym chciała takich ondulowanych host kupić czterdzieści, czy państwo mają tyle?

Pochylona nad roślinkami ogrodniczka wyprostowała się. Oto kobieta bez pretensji, tak mi się pomyślało z uznaniem i pochwalnie. Czterdzieści pięć murowane, ani śladu makijażu, proste, czarne włosy ze srebrnymi nitkami, dżinsy dość luźne i wygodne, za to niekoniecznie twarzowe, zielona bluzeczka bez rękawów, całość z nadwagą góra osiem-dziesięć kilo. Błyskawicznie wyłowiła wzrokiem moje zakupy i zastanowiła się.

– Czterdzieści? Może być. Jutro, a najdalej pojutrze. Przyjedzie pani czy dowieźć?

– Nie. Powiedziałam „gdybym". Urządzam swój ogród, jaki tam ogród, mały ogródek, i jeszcze się waham. Jeden z wariantów to takie hosty na całej rabacie. Zabezpieczam sobie źródła zakupów, a do pani mam blisko, więc pytam na wszelki wypadek.

– A, rozumiem. Proszę bardzo, w razie czego w dwa dni może pani dostać wszystko. Z dostawą.

Ucieszyłam się najszczerzej w świecie.

– A krzewy? Bez mam na myśli. Bo krzewów u pani nie widzę?

– Fakt, krzewów nie prowadzę. Ale... Czy ja wiem...

Zawahała się. W rozpędzie kontynuowałam.

– Jestem chora na bez. Chciałam mieć cały gąszcz bzu, taki długi wał w różnych kolorach, pojedynczy i dubeltowy, i nie powiem co mam, bo mi się niedobrze robi, a na usta pchają mi się budowlane słowa. Omijane w eleganckich słownikach. Może wie pani przypadkiem, skąd brał bez pan Krzewiec, który tu u państwa ma swoją urzędową metę? I gdzie w ogóle ktoś hoduje bez na rozplenienie?

Już przy bzie troszeczkę zesztywniała, a przy panu Krzewcu zamieniła się w kamień. Przyjrzała mi się z wielką uwagą.

– A co? – spytała kąśliwie. – Bez od pana Krzewca nie spodobał się pani?

Z całej siły postanawiałam ukrywać prawdziwe uczucia i załatwiać sprawę podstępnie, dyplomatycznie i głupkowato. Przy największych staraniach nie mogła znaleźć lepszego pytania, żeby mnie wyprowadzić z równowagi.

– Bez od pana Krzewca, proszę pani, mogę sobie o kant tyłka potłuc. Różne bzy w życiu widywałam, ale ten mój pobił rekordy. Nie ma przepisu, że muszę egzystować w bzie od pana Krzewca, mam pełne prawo pozyskiwać bez wszędzie tam, gdzie jest to możliwe i kto ma mi udzielić rady, jak nie fachowy ogrodnik?! Niemożliwe, żeby pani nie wiedziała, gdzie kupuje się bez!

Zreflektowałam się nagle, bo w końcu nic mi ta kobieta nie zawiniła. W dodatku zdaje się, że sama sobie odbierałam właśnie szansę na zyskanie jakiejkolwiek dalszej wiedzy.

– Najmocniej panią przepraszam, uniosłam się, ale ten cholerny bez naprawdę mnie zdenerwował. Może to niefart jakiś, ale chcę przeciwdziałać i jestem trochę niecierpliwa. To już nie ten wiek, żebym miała na swój gąszcz czekać trzydzieści lat, widać chyba, nie?

Jednakże kobieta z kobietą zawsze się dogada.

Kamień w ogrodniczce nagle zmiękł, zaczęła patrzeć na mnie prawie z sympatią, a już na pewno ze zrozumieniem. Możliwe, że również lubiła bez, a możliwe, że przyjemność sprawiła jej różnica wieku na moją niekorzyść.

– O, zaraz. Nieporozumienie. Pani przypadkiem nie dostała... Nie, zaraz. Co pani właściwie dostała? Znaczy, ten bez do ogrodu?

– Wysokopienne barachło, czymś zarażone, przesuszone na pewno, sadzonki jak patyczki, trzy gałązki na krzyż, z trudem uratowane, a i to nie jest pewne. Całkiem co innego niż chciałam. Do gąszczu tak podobny, jak ja do pingwina. Do strusia, jeśli pani woli.

Kiwnęła głową, zatroskała się jakby i zaczęła wyłazić z paprotek. Cofałam się przed nią, z racji ciasnoty z wielkim trudem, za nic nie chcąc odwracać się tyłem, z góry zdecydowana kupić paprotkę, którą nadepnę, chociaż mój ogród do paprotek nadawał się jak wół do karety.

– A nie było na nich... No, takiego czerwonego paska, namalowanego tuż pod rozgałęzieniem? Mógł być słabo widoczny.

– O, coś takiego – zdziwiłam się. – Już mnie ktoś o to pytał. Sprawdziłam na wszelki wypadek, obejrzałam te nieszczęsne drzewka, ale nie. Nie ma na żadnym.

– Widocznie okazał pani cień przyzwoitości – mruknęła i ostatecznie opuściłyśmy teren paprotek, bo w końcu trasa nie była długa. Z ulgą przestałam patrzeć do tyłu i pod nogi, dzięki czemu omal nie usiadłam na wózeczku z własnymi zakupami. Ogrodniczka przytomnie chwyciła mnie pod ramię i ocaliła rośliny.

– Ja z tym nie mam nic wspólnego – zastrzegła się stanowczo. – I nie chcę mieć. Nie pani pierwsza tu o niego pyta, zaraz, a panią ktoś pytał? O co?

– O bzy z czerwonym paskiem. Telefonicznie.

– A...

Wyjęła z kieszeni dżinsów papierosy, wyjęłam swoje z torebki, zapaliłyśmy obie, zdecydowanie mijając się z panującymi trendami. Wygląd zewnętrzny jej, a zapewne i mój, nie wskazywał na żadne objawy chorobowe, widywałam osoby niepalące w stanie, na oko biorąc, znacznie gorszym.

– No, mam dosyć – powiedziała z determinacją. – Starałam się być lojalna i unikać plotek, ale wszystko ma swoje granice. Prosiłam pana Krzewca o zmianę adresu na wizytówkach, bezskutecznie, nie mam ochoty wplątywać się w jego dziwne interesy, nie zamierzam w nie wnikać, ale uważam, że powinnam to pani powiedzieć. Niech pani więcej roślin od niego nie kupuje.

Solennie zapewniłam ją, że rada jest spóźniona, bo właściwe postanowienie podjęłam już wcześniej. Czepiam się źródła wyłącznie przez ten bez. Więc jeśli ona może...

– Nic więcej się pani nie zmarnowało? – przerwała z zainteresowaniem.

– Owszem, choinki. I drobnostki, jeżyna, czarna porzeczka...

– No tak, krzewy. No, nie wiem. Chyba powiem pani prawdę.

Ton mściwości zadźwięczał w jej głosie, czekałam zatem z wielkim zaciekawieniem. Co ten cholerny Mireczek wykombinował? Poza tym, że padł trupem, o czym ona najwyraźniej w świecie nie miała najmniejszego pojęcia, widać władze śledcze jeszcze do niej nie trafiły. Zawahałam się, powiedzieć jej o tym czy nie, zaraz, czy ja w ogóle mam prawo wiedzieć o jego tragicznym zejściu? Komisarz domniemywań nie potwierdził, ale też im nie zaprzeczył, mogę chyba sama z siebie wymyślić, że pan Krzewiec zszedł z tego padołu, kto mi zabroni plotki rozpuszczać? Każda baba ma prawo!

Ogrodniczka zaciągnęła się papierosem i podjęła męską decyzję.

– Ja o tym nie wiedziałam – zastrzegła się. – To, tutaj, kupiłam niedawno, z półtora roku temu, dopiero się urządzam, bo prawdę mówiąc, wszystko było zaniedbane. Razem z Krzewcem kupiłam.

Obejrzałam się za siebie i przysiadłam na niższym stosie toreb z ziemią. Ona wsparła się łokciem o wyższy stos obok.

– W jakim sensie razem? Do spółki...?

– Nie, skąd. Przez grzeczność zgodziłam się dalej udostępniać mu miejsce, a teraz mi ta grzeczność bokiem wychodzi.

– Miał tu u pani jakiś pokój? Biuro, pakamerę?

– Co też pani? Gdzie? Sama dla siebie mam jeden stolik i jedno krzesło. Dobrze, że chociaż kibel się zmieścił, szpilki więcej nie wciśnie.

– To gdzie tu miejsce dla niego?

– Tak się mówi, miejsce. A naprawdę to adres, dla firmy potrzebny. No i telefon, czasem się tu z kimś spotykał, ale rzadko, ze trzy tygodnie go na oczy nie widziałam. Dosyć już tego! Pani wie, co on robił? Prawie wcale nie kupował niczego od hurtowników, braki od nich wywoził. Braki, pani rozumie? Odpady! Fachowiec widzi, że sadzonka się nie przyjmie, że coś jest uszkodzone, zarażone, takie rzeczy się usuwa, spalić najlepiej, bywa, że coś się z ziemi wyjmie, bo miejsce potrzebne na coś następnego, kupiec nie bierze, to leży i przesycha, wybrakowany towar. A on to zabierał, na ogień powinno iść, bo zarażone na kompost się nie nadaje, a potem ludziom sprzedawał. Widzę, że ciągle robi to samo, co i raz ktoś mi przylatuje z pretensją, przez ten adres tutaj, a co ja mam z tym wspólnego? Pojęcia nie miałam przecież!

– A kiedy się pani zorientowała?

– W tym roku dopiero. Bielmo na oczach. Ludzi miał, to cała firma, pyskowali, odchodzili już od niego, a ja nic, wierzyłam w jego gadanie, pani wie, ludzie jak ludzie, każdy na coś narzeka, no i co z tego, że fachowcy, do roślin trzeba mieć rękę i serce, no, nie każdego obchodzi, niektórym wszystko jedno, suchy patyk posadzi i słowa nie powie, byleby mu zapłacili, ale ci lepsi ostrzegali. Mirek na niefart zwalał, na odbiorców, na malkontenctwo, a ja, jak głupia...

Urwała nagle, ze złością przydeptała niedopałek. Zajęłam się własnym problemem.

Widać już było, że zadziałał tu urok pana Mirka, dała się nabrać, tyle że na krótko. Rozsądna kobieta, połapała się w ulotności płomiennych nadziei, zła teraz na samą siebie, zacięta i żądna zemsty, nie ulegało wątpliwości, że go wykopie i obszczeka. Nie, moment, nie musi już wykopywać, ale co ja mam teraz zrobić? Przyznać się do posiadanej wiedzy czy ukryć ją, tak źle i tak niedobrze, rzeczywiście byłoby mi wygodnie u niej robić zakupy z dostawą do domu, a tę możliwość lada chwila stracę. Jeśli teraz powiem, że pan Mirek nie żyje, wyjdzie na to, że podstępnie i niepotrzebnie wyciągnęłam z niej zwierzenia, jeśli nie powiem, a wykryje się później, że wiedziałam, poszczuje mnie psami. Nie ma psów, nie szkodzi, przyłoży mi narzędziem ogrodniczym i tyle mojego.

Zdecydowałam się. Nie będę popadać w konflikt z własnym, głupim charakterem i jeszcze głupszą prawdomównością!

– Zdaje się, że pana Krzewca już się pani pozbyła – oznajmiłam, starając się wykrzesać z siebie ton pociechy. – Ja też. Takie mam wrażenie. Dlatego właśnie szukam dostawców i sama się staram o ten bez.

Przyjrzała mi się podejrzliwie.

– Bo co?

– Była u mnie policja. O pana Krzewca pytali, zdaje się, że dobrego słowa o nim nie usłyszeli, bo się od razu zdenerwowałam. Nie powiedzieli wyraźnie, ale tak mi wyszło, że on chyba nie żyje.

– Jak to...?!

– No, tak jakoś... W taki właśnie sposób pytają, jeśli w grę wchodzi zabójstwo. Coś mi się widzi, że go ktoś rąbnął, a ja im wyszłam z któregoś rachunku.

Ogrodniczka oderwała się od stosu worków, gwałtownie złapała dech, przez moment trwała w bezruchu, po czym wyszarpnęła z kieszeni papierosy i wsparła się o stos plecami. Przypaliłam jej i sobie.

– Głowy za to nie dam – ciągnęłam współczująco – i może się mylę. Ale jakaś afera wyskoczyła, to pewne.

Milczała jeszcze z pięć sekund.

– Pani z nim była bliżej? – spytała wreszcie zdławionym głosem.

Miotnęło mną lekko.

– Ma pani źle w głowie? Wyglądam na przechodzoną kurtyzanę? Czy może on był gerontofilem, czego nie zdążyłam zauważyć?

– To dlaczego akurat do pani przyszli?

– Mówiłam przecież. Wnioskując z pytań, natrafili na rachunek z moim nazwiskiem. Sama się nad tym zastanawiałam i zgaduję, że miał go na wierzchu, bo się czaił na pieniądze ode mnie. Mnie w ogóle nie było i pewnie chciał wyłapać chwilę mojego powrotu. A co dalej, to już nie wiem.

Znów milczała długą chwilę, zapatrzona w dal. Nagle jakby przecknęła się i odzyskała energię.

– Jeśli rzeczywiście ktoś go trzasnął, przyjdą i do mnie, nie ma obawy. A podejrzani będą im się w ogonku tłoczyli. Dziewczyna go tu szukała taka, że tylko patrzyłam, gdzie ma nóż, facetka jedna dzwoniła z dziesięć razy. Co tu ukrywać, baby za nim latały, a on je kołował. Że już nie wspomnę o tych wszystkich wykantowanych na sadzonkach, długa kolejka się uzbiera. Jeszcze i na mnie padnie... Zaraz. Kiedy to było?

– Które?

– Kiedy go ktoś załatwił?

– Nie wiem, czy na pewno załatwił – zastrzegłam się z naciskiem. – Ale jeśli, to wczoraj. O wczesny wieczór mnie pytali.

– Wczoraj, w niedzielę... To nie, na plantacji byłam i mam świadków. Cholerny świat, rachunki telefoniczne będę musiała za niego zapłacić, niech to szlag trafi... Jakby przyszli, to powiedzieć, że pani była?

– Bezproblemowo. O czym jak o czym, ale że o kłopotach ogrodniczych powiedziałam im w pierwszej kolejności, może pani być pewna, samo ze mnie wystrzeliło. A temu bzu... czy może bzowi...? nie popuszczę, gdzie w końcu mam go szukać?

Przydeptała niedopałek już nie mściwie i ze złością, tylko jakoś melancholijnie i oderwała plecy od stosu worków. Podniosłam się, stwierdzając przy okazji, że siedziałam nie na ziemi ogrodniczej, tylko na sproszkowanym krowiaku.

– Przez Magnolię pani dostanie, to ci z alei Krakowskiej, mają własne plantacje. Ale najlepiej niech pani jedzie do Żabieńca, tam pani znajdzie największy wybór. Zaraz, już idę!

Do tej chwili facet przy regałach i panienka przy kasie sami dawali sobie radę z nielicznymi klientami, wszystkiego raptem było ich troje, teraz obecność szefowej okazała się niezbędna. Miałam wielką ochotę wypytać ją szczegółowo o dziewczynę z nożem i facetkę z telefonu, ale sytuacja wydała mi się trochę niezręczna, poza tym przypomniałam sobie, że nie szukam zabójcy pana Mirka tylko własnej zapalniczki. Wątpliwe, czy tu znajdę jakikolwiek ślad po niej, skoro od trzech tygodni go nie było, a nawet stałego kąta dla siebie nie miał.

Dopchnęłam wózeczek do samochodu, przełożyłam doniczki do bagażnika i odjechałam, uświadamiając sobie smętnie, że zamiast odnalezienia Julity zyskałam kilka roślinek do posadzenia, adres bzu i wysoce interesujące informacje śledcze. Na uroku osobistym pan Mirek jechał, to pewne, a kobiety bywają nerwowe...

☆ ☆ ☆

Komisarz Wólnicki uporządkował dotychczasowe zeznania, sam przed sobą kryjąc, że poranne przesłuchanie odrobinę wytrąciło go z równowagi. Zdecydowany był nie wierzyć w nic, ale zdawał sobie sprawę, że tak pełna niewiara pożądanych rezultatów nie da. Sprawdzać zatem. Coś w końcu powinno zacząć klarować się jako pewność.

W pierwszej kolejności dostał wyniki badania odzieży podejrzanej Gabrieli. Krwi na mokrej bluzce i spódnicy nie znaleziono ani śladu, szczątki kawy owszem, facetka zatem powiedziała prawdę, jedno przynajmniej zostało wyjaśnione. Podejrzenia Wólnickiego nieco sklęsły.

Komórkami połapał troje ze świadków, wymienionych w zeznaniach tych dwojga, teoretycznie podejrzanych najbardziej. Z jednym kontakt był utrudniony, bo warczała jakaś maszyneria, w komórce było ją słychać, po chwili silny ryk zagłuszył wszystko i Wólnicki wreszcie przypomniał sobie, iż miejscem pracy świadka jest lotnisko Okęcie. Ostatniego świadka, tej jakiejś Julity Bitte, nie dopadł, w domu jej nie było, a komórkę miała wyłączoną.

Obskoczył zatem troje złapanych, z czego dwie sztuki, Małgorzatę i Witolda Głowackich, załatwił osobiście, odnalazłszy ich na mieście, na lotnisko wysłał sierżanta i wszyscy powiedzieli to samo. Razem spędzili wieczór, czekali na wracającą z urlopu Chmielewską, doczekali się, jedli sery, zaczęli się rozstawać po dwudziestej pierwszej. Nikt się nigdzie nie oddalał, Gwiazdowski też siedział i też próbował serów.

Prawdę mówiąc, Wólnicki sam już nie wiedział, w co najpierw ręce włożyć, poszedł zatem na żywioł. Usiadł, można powiedzieć, na papierach. Notes denata, kalendarz denata, cały stos rachunków i korespondencji miał na swoim biurku, zarazem miał też pod ręką fotografa, który już trzeci raz natrętnie pytał, po co jest mu potrzebny i jak długo ma czekać. Zważywszy, iż papiery nie odzywały się ani jednym słowem i nie ponaglały go wcale, zdecydował się na fotografa, sam jeszcze niepewny, czego od niego chce.

– Tego Sobiesława Krzewca mówisz, że znasz? – zaczął z wahaniem.

– Osobiście nie znam – zaprzeczył natychmiast fotograf. – Raz go widziałem na wernisażu ze dwa lata temu, ale nic więcej. A co?

– Nic. Mówisz, że o nim słyszałeś?

– Pewnie, że słyszałem. Widziałem jego prace. Świetny facet, wolny strzelec, dla najlepszych pism pracuje. I dla wydawnictw. Pejzaże robi, przyrodę, zwierzęta, rośliny, człowieku, zbliżenia mu takie wychodzą, że mózg staje. Sprzęt sprzętem, ale rękę i oko trzeba mieć. Talent!

– A tak prywatnie, to coś o nim wiesz?

Fotograf się nawet nie zdziwił, pracował w policji i nic go zaskoczyć nie mogło. Zwalił z ramienia jakieś potężne ustrojstwo i usiadł z boku biurka.

– Osobiście badziewie. Może jakieś plotki, ale byle jakie i nieszkodliwe.

– Powtórz plotki. To brat denata, więc sam rozumiesz. Gdzie go można znaleźć, na przykład?

– Tam, gdzie jest. Słuchaj, jeśli na rozkładówce jest jego zdjęcie roślinki śródziemnomorskiej, kwiatka znaczy, te tam słupki, pręciki...

– Proszę...?

– ...a w dodatku akurat stwór się tym pożywia, tym, no, nektarem, taki, że jakby ci się przyśnił w powiększeniu, z łóżka byś z krzykiem uciekł, to gdzie on musiał być? Nad Morzem Śródziemnym, nie? To kto go wie, co robi teraz?

– Ale czasem chyba sypia? Żre...?

– Żreć może wszędzie.

– Mieszka! Myje się! Sprzęt trzyma! Portki i gacie! I buty! Musi mieć jakąś metę! Wywołuje, robi odbitki, komputer gdzieś trzyma, jeśli na laptopie obrabia, musi mieć drukarkę! A powiększenia? Wozi ten cały nabój ze sobą po świecie? Ma chyba jakiś adres, chociażby dla banku, dla zleceniodawców, ludzie się z nim kontaktują! Rodzona siostra może nie wiedzieć, gdzie go znaleźć, ale fachowcy potrafią!

Fotograf nieco się zakłopotał.

– No jasne, że potrafią i jakąś metę ma, ale ja w to akurat nigdy nie wnikałem, Tyle co z gadania wynikło, wiesz, zazdroszczą mu niektórzy, a zazdrość to duża rzecz. Najwięcej może wiedzieć *National Geographic* i takie czasopismo... czekaj, o cholera, nie pamiętam nazwy, dla botanicznych celów naukowych, leczniczych, ciągle dla nich robi...

– Nasze?

– Nie, niemieckie. Poza tym... Nic specjalnego o nim się nie gada, żony nie ma, nie dziwkarz, ale i nie pedał, pornografii nie robi, portretów też nie, wielkie gwiazdy, modelki, gówno go obchodzą, maniak szczegółów. Właśnie zbliżeń. Szmal mu leci, średnio chciwy, do konkursów się nie pcha, reklamy sobie nie robi, no, nie musi, jakoś tam żyje po swojemu, zaklopsowany w zawodzie, artysta. Zero sensacji, sam widzisz.

Wólnickiemu było mało. Nie wyrzekł się jeszcze pierwszej wersji, połowa spadku po bracie mogłaby się artyście przydać, siostra łgała, zadźgała Mirosława dla korzyści materialnych. Może jednak, mimo wszystko, temu Sobiesławowi zastrzyk finansowy akurat jest potrzebny?

– Jak go znaleźć, cholera...?

– Ja bym poleciał przez *National Geographic* – poradził fotograf. – Od lat ma z nimi najwięcej do czynienia. Muszą mieć namiar na niego, jakieś plany wydawnicze, zdjęcie potrzebne, te roślinki cholerne...

Na Wólnickiego spadło skojarzenie.

– Zaraz, roślinki... A brat ogrodnik... No dobra, cześć, nie czepiam się więcej. Jakby ci się coś przypomniało, przyleć albo dzwoń i powiedz.

Przekonany, że gdzieś tu umyka mu jakieś sedno rzeczy, gorączkowo rzucił się na dokumenty.

Powychodziły mu z tych dokumentów niepojęte dziwolągi. Wśród rachunków panował przerażający śmietnik, ciężko było z nich cokolwiek zrozumieć. Niektóre były nie dość, że niekompletne, to jeszcze jakby podwójne, niby wystawiane dla tego samego odbiorcy i dotyczące tych samych produktów, ale z różnymi cenami, w dodatku pokreślone to było, poprzerabiane, bardziej przypominało chaotyczne notatki własne dla pamięci niż dokumenty finansowe, na domiar złego wymieszane dokładnie z zamówieniami, też w śmietnikowej postaci, istny groch z kapustą. Jakiś Majda zamawiał sobie coś, co nazywało się forsycja, przy owej forsycji znajdowała się cena, sześć pięćdziesiąt, na rachunku dla Majdy owszem, widniała taka pozycja, forsycja, ale cena wynosiła sześćdziesiąt osiem złotych. Ki diabeł?

Wólnicki nie znał się zbyt dobrze na przyrodzie żywej, rozumiał jednak, iż owa forsycja jest zapewne jakąś rośliną. Wiedział, że rośliny rosną i, być może, proporcjonalnie do rozmiarów drożeją. Pomiędzy zamówieniem a dostarczeniem towaru owa forsycja urosła tak, że zdrożała przeszło dziesięciokrotnie? Bo gdyby, na przykład, Majda chciał tego czegoś, czymkolwiek by to było, dziesięć sztuk, powinien zapłacić sześćdziesiąt pięć złotych, a nie sześćdziesiąt osiem, zatem co, zamówił sobie dziesięć i pół rośliny? Czy coś podobnego w ogóle jest możliwe?

Bystrym wzrokiem komisarz wyłowił daty ukryte w gąszczu bazgrołów, zaraz, jedna – chyba spotkanie z tym Majdą albo złożenie zamówienia, bo i godzina na tym widnieje, i różne botaniczne nazwy, wśród nich zaś grubo podkreślona forsycja, druga – sporządzenie rachunku, jedno od drugiego odległe zaledwie o sześć dni, co na litość boską rośnie w takim tempie? Dżungla po deszczu? Grzyby... o, grzyby! Ale ta forsycja chyba nie jest grzybem...?

Mnóstwo zapisków świadczyło, że klient dostał swoje i zapłacił, co komisarz wywnioskował z czerwonego zygzaka, uzupełnionego literką „Z", bo żadnej pieczątki „ZAPŁACONO" oczywiście nigdzie nie było. W dodatku...

Najmniejszy bałagan panował w zleceniach. Krzewiec miał firmę ogrodniczą, zrozumiałe było, że firma zatrudnia dorywczo projektantów zieleni, drogowców, hydraulików, ludzie urządzają sobie duże ogrody z alejkami, basenikami, altankami, murkami kamiennymi, z automatycznym podlewaniem i w ogóle z czym popadnie, potrzebni do tego fachowcy nie na stałe, a tylko od czasu do czasu. Zrozumiałe, zgadza się, podwykonawcy. Ale transport...?

Wynajmowana ciężarówka. Wynajmowana furgonetka. Wywrotka. Pikap. Platforma. Rany boskie, cały park samochodowy! Firma ogrodnicza, która nie posiada żadnego własnego transportu i wszystko wynajmuje? Dziwne.

I jeszcze dziwniejsze. Mirosław Krzewiec nie posiadał także żadnej własnej plantacji roślin, szkółki ogrodniczej, hodowli tego zielska, cieplarni, w ogóle niczego. Skąd zatem brał te rzeczy? Musiał je zapewne kupować od producentów, bo nie kradł chyba...?

Jeśli kupował, to i płacił. A otóż nic z tych rzeczy, nie płacił prawie wcale. Z rachunków w odwrotną stronę, Krzewiec płacił, a nie jemu płacono, komisarz znalazł zaledwie kilka, jedną brzozę płaczącą, trzy złotokapy, jedenaście kłączy peonii, czterdzieści sadzonek ligustru i bukszpanu, dwa pigwowce oraz jeden czerwony dąb. Tyle denat nabył od producentów. Klientom sprzedał natomiast co najmniej sto razy więcej.

Odór jakiegoś tajemniczego kantu buchał z tej całej makulatury. Pełen niesprecyzowanych podejrzeń Wólnicki postanowił zasadzić do niej podkomisarz Kasię Sążnicką, wielbicielkę i znawczynię kwiatów, oddelegowaną aktualnie do papierkowej roboty z racji zaawansowanej ciąży. Trudno było wymagać od Kasi, żeby w swoim stanie ganiała złoczyńców ze spluwą w garści, wszyscy zatem ochoczo korzystali z niej jak z sekretarki, pomocy naukowej, archiwistki, księgowej i komputera. Bystra i żywa, acz nieco ociężała fizycznie Kasia dawała radę wszelkim zadaniom, godząc się chwilowo na ten rodzaj zajęcia. Dla siebie komisarz spisał tylko wszystkie nazwiska, adresy i telefony, jakie znalazł w dotyczącym pracy zawodowej, papierowym chłamie denata.

Znacznie bardziej zrozumiałe dla niego okazały się notatki prywatne.

– Kurzy flak, Casanova! – wyrwało mu się z ust z lekką zawiścią i zgorszeniem, kiedy akurat wszedł zaprzyjaźniony wywiadowca – Niech mnie świnia powącha, don Juan, podrywacz, dziwkarz stulecia! Burdel prowadził, a nie żadne forsycje!

– Teraz to się nazywa agencja towarzyska – zauważył życzliwie wywiadowca. – A co znalazłeś, klientów czy personel? Personel może być przyjemny.

– A za klienta robił sam jeden. To jest niemożliwa rzecz, tysiąc bab obskoczył! Przesadzam, czekaj, dokładnie... Sto dwanaście! Bo faceci to chyba raczej odbiorcy, dostawcy, pracownicy i tak dalej. Baby trzeba sprawdzić w pierwszej kolejności, chłopak był atrakcyjny, któraś przyleciała i w nerwach zadźgała niewiernego amanta. Ogrodnik cholerny, z kwiatka na kwiatek.

– No, a co innego ma robić ogrodnik? – westchnął wywiadowca filozoficznie i zaciekawił się szczegółami. – A jak go właściwie zadźgała? Niech wiem, kogo mam szukać, Horpyny czy motylka.

Wólnicki również westchnął i sięgnął po opinię patologa, którą mu dostarczono wyjątkowo szybko wyłącznie dzięki temu, że pewna nietypowość narzędzi zbrodni zainteresowała medycynę. Denat poszedł na stół w pierwszej kolejności.

– Nie uwierzysz. Najpierw dostał w łeb doniczką, a potem został czterokrotnie dziabnięty sekatorem. Jeden cios prosto w tętnicę szyjną, wykrwawił się w parę minut. Ale już i ta doniczka nieźle mu dogodziła.

– Znaczy, poniósł ogrodniczą śmierć. Czym kto wojuje...

– Nie wygłupiaj się. Czekaj, zaraz, dziwnie dostał.

Obaj pochylili się nad zdjęciami, wywiadowca zaglądał Wólnickiemu przez ramię.

– To ten sekator? Rzeczywiście dziwny. Rozleciał się od samego dziabania? To solidny przyrząd, gałęzie tnie, a na człowieku się zdemolował?

– Otóż to! – przytaknął Wólnicki z takim triumfem, jakby dewastacja sekatora była jego osobistym osiągnięciem, i przysunął bliżej tekst pisany. – Znaczy nie, on już był rozpieprzony, zobacz, ostrza się nie schodzą, węższe załazi na szersze, a szersze wystaje, w dodatku poluzowany, o, słyszałem takie określenie, rozklekotany. Ale nie w tym rzecz, tylko w doniczce.

Wywiadowca przyjrzał się skorupom na zdjęciu.

– Nietypowa?

– Jak by tu... wazonowata. Trochę jak dzbanek. Wysoka, w środku pękata, a u góry się zwęża.

– Bez sensu. Ziemię widzę, coś w tym rosło? To jak takie coś przesadzać? Cholernie trudno wyjąć kwiatek ze zwężonej donicy, powinna być właśnie szersza u góry.

– Skąd wiesz?

– Matka się nade mną znęca. Kwiaty hoduje w domu i na balkonie i ściąga mnie do każdego przesadzania, bo powiada, że mam dobrą rękę. O doniczkach wiem wszystko.

– No więc właśnie, tak mi tu napisali. Ślad po uderzeniu wskazuje, że dostał tym poniekąd do góry nogami. Sprawca trzymał za roślinę i walnął donicą, normalnie baba trzyma donicę i wali, bo kwiatka jej szkoda, a tu odwrotnie.

– Co to był za kwiatek?

– A cholera go wie. Tyle mam od patologa, z laboratorium wyników jeszcze nie dostałem.

– Ze zdjęcia wynika, że mocno podeschnięty. Może dlatego nie było babie szkoda.

Przez chwilę wpatrywali się w podobizny narzędzi zbrodni i szczątków tajemniczej rośliny. Wólnicki się przecknął.

– No więc masz nazwiska, telefony, trochę adresów, ale nie wszystkie...

– Komórki – skrzywił się wywiadowca.

– Znajdą ci właścicieli. Łap to damskie towarzystwo, muszę mieć jakieś rozeznanie, bo mi jeszcze służbowe kontakty dochodzą. Śmierdzi mi to całe przedsiębiorstwo, aż grzmot idzie, niech ja się w tym trochę połapię.

– Ale! – przypomniał sobie wywiadowca. – Mam tu coś dla ciebie i z tym przyszedłem, parę zeznań dodatkowych. Popytałem o ludzi, ta Pąchocka to nieduża ulica, w dodatku bez przelotu, to znaczy bez przejazdu, bo piesze przejście jest, ale i tak wielki tłum tam się nie kręci. Z obcych, to tak: na końcu mieszka fotograf i u niego różni ludzie bywają, mniej więcej w środku dentysta, pacjentów miewa umiarkowanie, prawie naprzeciwko dentysty przeróbki krawieckie, same baby przychodzą, a reszta to już w zasadzie stali mieszkańcy bez klientów. Tu masz spis, na wszelki wypadek. Nie ma, niestety, żadnego paralityka na wózku, żadnej wścibskiej staruszki, która by w oknie siedziała, żadnych ułatwień, tyle że przytrafiła się jedna nerwowa matka, jeden zły uczeń i cztery osoby z psami.

Wólnicki słuchał w skupieniu, kryjąc niecierpliwość. Wywiadowca bezlitośnie podawał szczegóły, ale na szczęście trzymał się tematu.

– Matka czekała na spóźniającą się córkę i gapiła się w okno kuchenne. Ucznia rodzice zamknęli na piętrze, bo miał się przygotować do jakiegoś sprawdzianu, uczyć mu się chciało jak krowie tańczyć, więc też się gapił na ulicę przez okno. Między osiemnastą trzydzieści a dwudziestą matka zauważyła dwie dziewczyny, no, młode kobiety, jedna ruda, druga blondynka, nie razem szły, tylko każda oddzielnie, twarzy nie widziała, bo tam ciemnawo, a zwróciła na nie uwagę, bo wypatrywała córki...

– O jakiej porze mniej więcej? – przerwał Wólnicki.

– Około siódmej. Jedna trochę przed, druga trochę po. Przez tę córkę ciągle spoglądała na zegar, a córka wróciła tuż przed ósmą. Jeszcze ktoś się plątał, samochody podjeżdżały i parkowały, ale to jej nie interesowało, więc niewiele pamięta.

– Dziewczyny dokąd poszły? Do którego domu?

– Ona nie wie. Okazywało się, że nie córka, więc przestawała na nie patrzeć.

– A uczeń?

– Uczeń patrzył z góry, z piętra. Dziewczyny widział, potwierdza, a poza tym jeszcze trzy osoby na piechotę, no i tych, co z samochodów wysiadali. Parkowanie go ciekawiło, bo tam ciasno.

– Bardzo dobrze – pochwalił Wólnicki. – Sprawca mógł przyjechać samochodem, nie musiał lecieć piechotą. Kogo widział?

Wywiadowca odsapnął i przejrzał swoje karteluszki.

– Spisałem ich, ale chyba tego nie odczytasz. Przepisać ci porządnie?

– Kretyńskie pytanie. Ale najpierw powiedz.

– No więc te cztery osoby z psami też widział, trzech facetów i jedna kobieta, wszystkich zna z widzenia. Psy zna lepiej i wie gdzie mieszkają. Poza tym tak: najpierw szedł staruszek z laską, z siwą bródką, ale dziarsko szedł, tak jakby na energiczny spacer, chłopakowi skojarzyło się ze ścieżką zdrowia. Potem taki w sile wieku, coś długiego trzymał w ręku, powoli szedł i po numerach patrzył, więc chyba do kogoś, potem przygarbiona starsza pani z reklamówką w ręku. Przejechało i parkowało pięć samochodów, z czego jeden dojechał do końca ulicy, tam zawrócił i dopiero potem zaparkował...

– Gdzie?

– Tego chłopak nie wie, bo z góry patrzył, a tam trochę drzewa zasłaniają. Po swojej stronie ulicy widzi tylko przeróbki krawieckie, po przeciwnej widzi więcej, w tym dom dentysty. To znaczy wejście, furtkę w ogrodzeniu...

– A wjazdy do garaży? Są tam gdzieś? Bo wczoraj nie zwróciłem uwagi.

– Są, niewygodne cholernie. Ciasno w ogóle wściekle, jeden gniot. Furtki i garażu denata też nie widzi, tak nieszczęśliwie drzewo rośnie, akurat mu zasłania. Jeden samochód wyjechał, nie da głowy, który. Na końcu ten z czymś długim w ręku szedł jeszcze raz, z powrotem, ale długiego już nie miał. Ale i tak gówniarz nie wszystko widział, bo przyjazd denata przeoczył i tę jego siostrę przeoczył. Chwilami się jednak uczył przy biurku, czego teraz odżałować nie może.

– Radiowóz też przeoczył?

– A skąd. Od przyjazdu radiowozu aż do odjazdu oka od ulicy nie oderwał. Czekaj, mam tych z psami, dwoje dorwałem, jedno z nich, gość na rencie, ale nie stary i nie zramolały, powiada, że widział samochód, jak szedł z psem w jedną stronę, akurat zawracał i parkował, a jak wracał, samochód stał i ktoś w nim siedział. Przy kierownicy. Nie wie kto, nawet porządnie nie spojrzał, zarys głowy i tyle, ale że siedział, jest pewien. Koniec informacji, zaraz ci ich wszystkich przepiszę czytelnie. Dawaj te swoje lalunie, póki jestem w rozpędzie.

Chwycił długą listę Wólnickiego i już go nie było.

Zleciwszy właściwym osobom odszukanie Sobiesława Krzewca, komisarz zdecydował się osobiście dotrzeć do rozwiedzionej żony denata, rozwiedzione żony bywają niekiedy ogromnie użyteczne. Tylko przedtem musi jeszcze złapać ostatnią z podejrzanych bab, tę jakąś nieuchwytną dotychczas Julitę Bitte...

☆ ☆ ☆

Komórka zadzwoniła, kiedy przejeżdżałam przez bramę.

– Jesteś w domu? – spytała Małgosia.

– Właśnie wjechałam.

– To my tam zaraz u ciebie będziemy. Za jakieś pół godziny.

Wyłączyła się, zanim zdążyłam jej odpowiedzieć. Otworzyłam wrota garażowe i nie skorzystałam z nich, przypomniawszy sobie o sadzonkach w bagażniku. Wygodniej było je wyjąć, póki stałam na zewnątrz.

Zdążyłam wyjąć doniczki, wstawić samochód do garażu i upewnić się gruntownie, że nie wiem, gdzie mogłabym nabyte rośliny posadzić, kiedy podjechały razem Julita z Małgosią. Co do Małgosi nie miałam wątpliwości, ale Julitę poznałam dopiero po chwili i chyba tylko dzięki temu, że srebrna toyota należała do niej.

– Rany boskie – powiedziałam, wstrząśnięta.

– Świetnie jej, nie? – pochwaliła rozradowana Małgosia, wchodząc do domu.

Julita szła za nią.

– Potraktowałam sprawę serio – oznajmiła mężnie. – Przestraszyłam się, naprawdę nie mamy teraz czasu na siedzenie w areszcie, więc zrobiłam, co mogłam. Jak oceniasz?

Przyglądałam się jej z podwójnym podziwem. Nie dość, że w krótkich złotorudych włosach i zielonkawobeżowym kostiumie nie miała kompletnie nic wspólnego z brunetką w czerwonym żakieciku i czarnych spodniach, to jeszcze wyglądała prześlicznie. A dawno mówiłam, że od czasu do czasu powinna się przerabiać na jasno!

– Znakomicie! Nie poznałam cię, zagraj w coś czym prędzej, powinnaś się wzbogacić. Gdzie tamten żakiet?

Julita podała mi foliową torbę.

– Przyniosłam, skoro kazałaś oddać go kotom. Na szczęście nie jest nowy, mam go już parę lat i mogę odżałować. Podłożysz im w całości czy trzeba go pociąć nożyczkami?

– Pociąć, pociąć – zadecydowała gorliwie Małgosia. – Potrafiły wyciągnąć z domku całą skórę baranią, potrafią i to. A kolor się rzuca w oczy. Gdzie nożyczki? A, tu. Guziki może ci zostawić?

– Nie całą skórę, tylko pół – skorygowałam, macając stół w holu w poszukiwaniu drugiej pary nożyczek. – Stara już była i zleżała. Guziki zostaw, a resztę w kawałkach podłożymy pod spód na górze i na dole. W dwie osoby górny domek się podniesie, silny chłop podnosi samodzielnie. Chociaż trzeba przyznać, że z pewnym wysiłkiem.

– Daj, też będę cięła, widzę tu jeszcze jedne nożyczki – powiedziała Julita.

– Nie za drobno – ostrzegłam. – Małymi strzępkami będą się bawić i wywloką. Rękawy tylko wzdłuż.

– Ty masz jakąś obsesję na tle silnego chłopa? – zainteresowała się Małgosia i rozłożyła żakiet na dywanie. – Ciągle od ciebie słyszę silny chłop i silny chłop.

Prawie się obraziłam.

– No pewnie, że mam. Zazdroszczę silnym chłopom do szaleństwa od czasu, kiedy z bagażem wagi pięćdziesiąt sześć i pół kilo jechałam przez pół Europy. Z przesiadkami.

– Dlaczego z przesiadkami? Nie samochodem?

– Nie, pociągami. Akurat byłam wtedy spieszona. Z wiekiem mi się to pogłębiło, masz pojęcie, jak łatwo wrzucałabym worek z ziemią na taczki, gdybym była silnym chłopem? A tak, muszę najpierw co najmniej połowę łopatką wygarnąć. Gwiazdowski przylatuje i w pół godziny odwali to, co ja bym robiła przez tydzień, głupiego świerka jednym kopem na kominkowe kawałki nie przepiłuję, grubego grzdyla do porąbania na siekierze nie podniosę! A książki? Trzy półki uporządkuję i cześć, muszę odpocząć. Przez całe życie miałam pod ręką jakiegoś silnego chłopa i teraz jestem wściekła, że tyle samo nie potrafię.

– A kiedykolwiek tyle samo potrafiłaś?

– No coś ty! Zazdrościłam im zawsze!

– Ona ma źle w głowie – zaopiniowała ze zgrozą Julita, rozcinając plecy żakiecika razem z podszewką. – To znaczy, ja nie chciałam być niegrzeczna, ale ty przecież nie pracujesz fizycznie, tylko umysłowo.

– A silny chłop zawsze się znajdzie – podtrzymała ją Małgosia. – Fizycznie. Bo z umysłowo silnym mogą być kłopoty.

– Silny umysł to i nam by się przydał – zauważyłam rychło w czas. – Trzeba było ciąć na tarasie, policja lubi mikroślady, a tu się jedno od drugiego nie odróżnia.

Obie siedziały na podłodze, na czerwonym dywanie, i wprawdzie żakiecik Julity był znacznie jaskrawszy, ale jakieś drobne strzępeczki mogły się w tej ogólnej czerwieni zaplątać. Pocieszyłam się myślą, że i Julita, i Małgosia z natury są pedantycznie porządne, z pewnością posprzątają, wyszłam na taras i zaczęłam zdejmować styropian z górnego domku.

Dwa kocie domki stały jeden na drugim, na inny układ brakowało miejsca, a koty same zadecydowały, gdzie chcą sypiać, na parterze czy na piętrze. Na parterze jeden kot widocznie spał twardo i został nagle obudzony, bo czarny pocisk wyprysnął mi wprost pod nogi. Nie uciekał daleko, po dwóch metrach zatrzymał się, ocenił sytuację i zaczął się przeciągać.

Dwie osoby, nie będące silnymi chłopami, zdołały zdjąć jeden domek z drugiego. Otwarłszy wierzchnie płyty wiórowe, bez trudu umieściłyśmy szczątki garderoby Julity na samym spodzie domków i z powrotem ułożyłyśmy warstwy ocieplające. Po czym zmieniłyśmy konfigurację, umieszczając żakiecik na wierzchu, pod spodem bowiem zbyt długo mógłby pozostawać w dobrym stanie. Zastanowiwszy się nieco, wróciłyśmy do wersji pierwotnej w obawie, że jednak koty górną warstwę wyciągną na zewnątrz. Po krótkiej naradzie uznałyśmy, że może najlepiej będzie to wszystko ze sobą wymieszać, dokładając coś kolorowego z mojej garderoby i przypomniałam sobie, że kiedyś posiadałam czerwony wełniany sweter.

– Czy wyście zupełnie zwariowały? – odezwał się znienacka Witek, stojący w tarasowych drzwiach. – Cały dom otwarty, przyglądam się wam już pół godziny i widzę, co robicie. Dopiero w połowie przyglądania poznałem Julitę, ale i tak mam wrażenie, że nie jesteście normalne.

– Nie poznałeś mnie? – ucieszyła się Julita. – Naprawdę?

– Nie pół godziny, tylko najwyżej pięć minut – poprawiła surowo Małgosia. – Co tak wcześnie przyjechałeś?

– Tak mi wyszło z klientem...

– To poradź, jak będzie lepiej – zażądałam. – Pójdę poszukać tego swetra, a ty tu rozważ sprawę, bo nie wiemy, jak zrobić.

Bez wyjaśnień wiedziałam, że Witek przyjechał po Małgosię, której samochodu prawdopodobnie używała chwilowo Marta, jeżdżąca do swojego konia. Ściśle biorąc, do licznych koni, pogubiłam się już w jej obowiązkach koniarskich, treningach, konkursach, nagrodach i Bóg wie czym jeszcze, miała na tym tle większego szmergla, niż ja kiedykolwiek, a jej podopieczne zwierzątka rozrzucone były w dużym promieniu. Niekiedy musiała je wizytować w pośpiechu, dojazdu żadnego nie miała i nie pozostawało nic innego, jak tylko pożyczać samochód matki, prowadzącej tryb życia znacznie mniej ruchliwy.

Czerwony sweter znalazłam ku własnemu zdziwieniu. Nigdy go nie lubiłam, bo był za krótki, i ucieszyła mnie myśl, że wreszcie się go racjonalnie pozbędę. Może i dobrze, że nie oddałam go kotom wcześniej, nie sprułam i nie wyrzuciłam do śmieci, teraz właśnie się przyda.

– To i sweter musicie pociąć – zawyrokował Witek. – Inaczej będzie głupio.

– Chwalić Boga, nadkąsiły go mole – oceniłam z ulgą, rozpościerając czerwoną dzianinę. – Nie będzie nam szkoda bez względu na moje uczucia. Na pół, połowa na górze, połowa na dole, która tam ma nożyczki? Ciachać!

Kocie domki zostały ustawione jak należy, czerwień wymieszana. Małgosia przestała wreszcie warczeć odkurzaczem i mogliśmy spokojnie usiąść przy salonowym stole.

– Ze wszystkiego wynika, że jeszcze mnie nie dopadli – powiedziała Julita z lekką ulgą i zarazem jakby z pretensją. – Myślicie, żeby włączyć komórkę?

– A do tej pory masz wyłączoną?

– Wyłączoną.

– To już chyba nie musisz? Włącz.

– Zaraz. Zastanów się najpierw, dlaczego – poradziłam ostrzegawczo. – Gdyby cię ktoś spytał, dlaczego, generalnie operując komórką, tak długo miałaś wyłączoną, co odpowiesz?

Julita patrzyła na mnie, stropiona nieco i pełna wahania.

– Ona prowadzi, on też – powiedziała Małgosia. – Ale ja nie i ty nie. Możemy chyba napić się wina, bo widzę, że masz otwarte?

– Witek...

– Dobra, już wam nalewam...

Julita przez ten czas zdążyła się zastanowić.

– Zwyczajnie, zapomniałam o niej. Wyłączyłam już wczoraj wieczorem... to akurat jest prawda... bo chciałam skończyć korektę, a potem zapomniałam włączyć.

– A gdzie byłaś dzisiaj? Bo jeśli powiesz, że u kosmetyczki, dopadną twojej przemiany i przemalują cię z powrotem. Dusza mi mówi, że on, ten gliniarz, uczepi się pana Ryszarda i ciebie, jakaś gangrena zauważyła numer samochodu, nie wiem kto, musimy się upierać przy pomyłce i żadnych potknięć więcej.

Tak, jak teraz wyglądasz, to z pewnością nie ty, ale bez ujawnienia fryzjera i kosmetyczki!

– Najpierw w domu – powiedziała żałośnie Julita. – A potem... No właśnie, u fryzjera...

Przez bardzo długą chwilę nikt z nas nic nie mówił. Najbystrzejsza okazała się Małgosia.

– W kościele. Ty wierząca jesteś i do kościoła chodzisz. I nikt cię nie musiał widzieć, nie po to się chodzi do kościoła w dni powszednie, żeby ludzi oglądać, każdy idzie dla siebie. I nikt w kościele komórki nie włącza. Nie wiem, w jakim kościele bywasz, ale to już możesz sama wymyślić.

– Przy cmentarzu – podsunęłam szybko. – Cmentarz też niezły.

– A to nie będzie świętokradztwo? – zaniepokoiła się Julita.

– No nie, to przechodzi ludzkie pojęcie – stwierdził Witek, energicznie podniósł się z fotela i ruszył do podręcznej lodówki. – Mam gdzieś resztę dnia pracy, Grzesiek po nas przyjedzie, samochód niech tu u ciebie postoi, zabiorę go wieczorem albo jutro rano – wyciągnął butelkę whisky i sięgnął po szklaneczkę. – Nie jestem historykiem i nie moja dziedzina, ale coś tam pamiętam, że kościół to zawsze był azyl. Nie? Znaczy, kościół ratował niewinnych ludzi w podbramkowych sytuacjach i po to między innymi był. To gdzie tu świętokradztwo?

– Zabiłaś pana Mirka? – spytałam równocześnie zimnym głosem.

– No wiesz...!

– To niby kto ma cię ratować, jak nie Pan Bóg?

Julita zawahała się wyraźniej, parking przed moim domem uznała za wystarczający na dwa samochody i żałośnie poprosiła o wino, Grzesiek mógł odwieźć także i ją, był to kumpel Witka. Witek otworzył drugą butelkę. Po intensywnej naradzie wybraliśmy Bródno, kościół i cmentarz, mogłam ją przecież poprosić, żeby zapaliła świeczkę na grobie moich przodków, grób ulokowany był tak, że z każdej strony było do niego daleko i stara gropa mogła mieć kłopoty z dojściem, a świeczkę należało zapalić. Zaraz, dlaczego...?

Jeśli już tworzyłam legendę, musiała być przyzwoita i wiarygodna.

– Zaraz, co w ogóle teraz jest...? Wrzesień! Koniec września. No to wypada rocznica przyjścia mojego dziadka z powstania, za cholerę nie pamiętam, kiedy dotarł do rodziny naprawdę, ale dlaczego nie dziś? Powiedzmy, że wyruszył zaraz potem, jak się szpital na niego zawalił, wydostał się z Warszawy, długo to trwało, szedł powoli, chory był, dwudziestego szóstego września doszedł. No i poprosiłam cię, żebyś znicz zapaliła, jestem pewna, że dziadek mi przebaczy, może tak być?

– Niezłe – pochwaliła Małgosia. – I nikt na nią nie zwrócił uwagi, bo niby dlaczego miał zwracać?

– Powinnam może przynajmniej wiedzieć, gdzie jest ten twój grób? – zauważyła Julita niespokojnie.

– W samym środku cmentarza, gdzieś mam adres. Dwa kilometry od wszystkich bram, jak w banku. Sprawdziłam.

– I na cmentarzu też nikt specjalnie nie włącza komórki – przypomniał Witek optymistycznie.

Przez chwilę uzgadnialiśmy szczegóły, a mój kryminalistyczny umysł odwalał swoją robotę. Radośnie podsunął nowy pomysł.

– Zaraz, czekajcie. A dlaczego nie u Lewkowskich?

Ania Lewkowska była drugą połową mojego wydawnictwa, jej mąż zaś pełnił obowiązki mojego plenipotenta i menedżera. Czy nie powinno się ich włączyć do zapewnienia Julicie alibi? Niemożliwe, żeby zaprotestowali!

Wyglądało na to, że zaczynamy się stawać instytucją zbrodniczą...

– Czy my w ogóle nie przesadzamy? – spytał Witek ostrożnie, z lubością ustawiając na stole butelkę whisky i lód w małej kompotierce. – Przecież, na dobrą sprawę, nie mamy z tym całym cholernym ogrodnikiem nic wspólnego. Dlaczego właściwie nie powiemy im prawdy?

– Bo nikt w nią nie uwierzy – poinformowała go sucho Małgosia. – Był tam Gwiazdowski? Był. Była Julita? Była. Spieprzył ciotce ogród? Spieprzył. Mówiłeś ty sam, że należy mu mordę zbić i łeb ukręcić? Mówiłeś. To kto go wykosił? Ktoś z nas, nie?

– O rany boskie...

Pan Tadeusz Lewkowski nie miał lepszego pomysłu niż akurat w tym momencie na własną zgubę do mnie zadzwonić.

– Panie Tadeuszu, gdzie była dziś od rana pani Ania? – spytałam ostro, nie słuchając kompletnie tego, co usiłował do mnie powiedzieć. – W domu może?

– W zasadzie w domu, ale ja muszę pani przedstawić...

– Przedstawienia mnie na razie nie interesują. A gdzie jest teraz?

– No, w domu jest. Czy pani sobie życzy...

– Nie wiem. Chyba życzę. Hej, co o tym myślicie? To nie do pana...

– No może...? – ożywiła się Julita. – Chyba Lewkowskim można powiedzieć prawdę? Może Ania mogłaby tu przyjechać?

– Czy pani Ania mogłaby tu natychmiast przyjechać? – spytałam w sposób, wykluczający wszelkie inne tematy i nawet zdążyła we mnie błysnąć wdzięczność dla moich przodkiń za okropny charakter. – Ale już, nóż na gardle, obiad, dziecko i resztę świata może pan wykończyć sam. O ile wiem, ma pan dwie ręce. I głowę.

– Tak, oczywiście. Aniu...? Ale ja muszę pani przedstawić...

– Najpierw pani Ania. Potem może pan przedstawiać, co pan chce.

– Aniu...! – krzyknął strasznie pan Tadeusz.

Z pogmatwanych dźwięków wywnioskowałam, że Lewkowscy się przestraszyli, być może spłoszeni moim nagłym pomieszaniem zmysłów, i Ania już do mnie jedzie. Wyliczyłam ją na sześć minut i uspokajająco pomachałam ręką do towarzystwa przy salonowym stole.

– No dobrze. Skoro pani Ania już jedzie, może pan przedstawiać.

– Wiem, że się pani nie zgodzi – zaczął pan Tadeusz ze skruchą – ale telewizja zgłosiła się z takim zaproszeniem i muszę je pani przekazać...

Pokiwałam na Witka, żeby mi dolał wina i z zimną krwią wysłuchałam propozycji wystąpienia w czymś rozrywkowym, czego w życiu nie oglądałam i co zapewne przeznaczone było dla odbiorców o poziomie poniżej czwartej klasy szkoły podstawowej, podupadłych umysłowo. Gdyby telewizja za tego rodzaju występ płaciła mi, na przykład, sto tysięcy euro, może bym się zastanowiła, chociaż i tak według norm europejskich byłaby to hańba niezmywalna, ale w obliczu tysiąca złotych...? Dlaczego, na litość boską, ja, nie aktorka, nie estradowiec, nie żaden cud urody, miałabym się prezentować w czymś, od czego skóra mi cierpnie wszędzie?

– Panie Tadeuszu, ile razy pan to oglądał? – spytałam delikatnie i łagodnie.

– Ani razu – wyznał uczciwie pan Tadeusz. – Ja nie oglądam tych rzeczy...

– To niech pan mi zada to pytanie drugi raz, jak pan obejrzy. Wie pan, cud zawsze może się zdarzyć. Poza wszystkim, przypominam panu, że ja piszę własne, a nie odtwarzam cudze. I nie śpiewam. W ostateczności mogłabym tańczyć, ale krótko, bo przy dłużej padnę trupem, więc jeśli pan lubi pogrzeby...

Pan Tadeusz moją wypowiedź zrozumiał właściwie, usprawiedliwił się obowiązkiem, bo mogłabym wszak nagle popaść w jakiś amok i zechcieć wystąpić, nie wiem dokładnie w czym, ale z pewnością w kretyństwie, i przyjął odpowiedź jako odmowną.

Ania Lewkowska przyjechała i w pierwszej chwili nie poznała Julity, mimo że spodziewała się jej, widząc przed bramą samochód. W drugiej się zachwyciła. W trzeciej została poinformowana o kłopotliwej sytuacji i dwóch wariantach wybrnięcia przynajmniej z tej wyłączonej komórki.

Słuchała uważnie i zastanawiała się krótko.

– A gdzie przez cały ten czas znajdował się twój samochód? – spytała przytomnie. – Mógł go ktoś zauważyć?

No tak, to nam do głowy nie przyszło. Następna spostrzegawcza osoba i grzęźniemy w bagnie coraz głębiej. Tylko patrzeć, jak gliny wymyślą, że było to morderstwo zbiorowe.

– Stał na ulicy – wyznała przygnębiona Julita.

– Bez przesady – zaprotestował Witek. – Takich toyot całe miasto jest pełne, nikt nie patrzy na numery bez powodu, nie wozisz na tylnej szybie tygrysa z rozdziawioną paszczęką! Stuknęłaś kogoś? Zastawiłaś wyjazd z parkingu?

– Nie, skąd, normalnie stałam.

– To nikt nie zwrócił uwagi. Ciasno było? Gdzie dokładnie stałaś?

– W Alejach Jerozolimskich. Przed bankiem.

– Na płatnym, znaczy?

– Na płatnym. I zapłaciłam!

– Natychmiast wyrzuć bilet parkingowy! – rozkazałam z energią. – Jestem pewna, że go jeszcze masz, zaraz spalimy w kominku.

– Już wyrzuciłam, bo wetknęli mi za wycieraczkę seksowne panienki, więc pozbyłam się tego razem. Aniu, a kto u was był? I mógł mnie widzieć?

Ania Lewkowska zakłopotała się nieco.

– Tadeusz był, ale on zaświadczy, że byłaś. A samochód... wjechałaś za bramę... ale gorzej, że był ogrodnik, pryskał na drzewka. To nieduży teren, niemożliwe, żeby nie widział samochodu, gdyby rzeczywiście stał. Cały czas tam się plątał, w dodatku z pomocnikiem.

– Przekupić ogrodnika... – zaczęła z niesmakiem Małgosia.

– Odpada – przerwałam jej. – Nie posuwajmy się za daleko w matactwie. Już też nie mieliście kiedy sobie pryskać, tylko akurat dzisiaj!

– Gdzieś ona jednak musiała być – zauważył Witek bezlitośnie.

– Na koniach! – ożywiła się nagle Julita. – Pojechałam sobie trochę pojeździć dla zdrowia, czasem naprawdę jeżdżę, mam blisko...

– Gdzie Marta? – zwróciłam się gwałtownie do Małgosi.

– Nie wiem, miała być w Chojnowie, zaraz do niej zadzwonię. Też chciałam powiedzieć, że przekupywać ogrodnika, i do tego jeszcze z pomocnikiem, to całkiem bez sensu. Halo, Marta...? Gdzie jesteś...? A gdzie byłaś...?

Pomysł z końmi spodobał się wszystkim. Okazało się, że Marta od rana rzeczywiście była w Chojnowie, ale tylko przez chwilę, zaraz potem zaś, o dziewiątej, pojechała do Bobrowca, z tym że tam jej też już nie ma, właśnie wyjechała i wraca przez Konstancin. Komunikat o wizycie Julity w owym Bobrowcu przyjęła, zdaje się, spokojnie, i od razu podsunęła siwego wałacha, który dziś akurat powinien był się trochę przelecieć. Stajenny mógł nie widzieć Julity, bo objeżdżał innego konia.

Małgosia z uwagą wysłuchała propozycji córki i kazała jej po drodze wstąpić do ciotki.

– Własne dziecko namawiam do fałszywych zeznań – stwierdziła ze zgrozą. – Ale ogólnie ona wie o co chodzi, trzeba tylko uzgodnić szczegóły. Tego wałacha podobno znasz osobiście?

– Znam – przyświadczyła gorąco Julita. – Nazywa się Sandor, młody jeszcze, już na nim jeździłam. Ja do Bobrowca mam blisko i często tam bywam.

– A samochód zostawiłaś za akacjami...

– Doskonałe miejsce!

– To gdzie ci było do komórki... Możesz ją teraz włączyć.

Julita wypukała kod i włączyła komórkę.

– To czy ja jestem jeszcze potrzebna? – spytała delikatnie pani Ania. – Bo skoro Julita była nie u nas, tylko u koni, może nie powinnam się wtrącać...?

Komórka Julity zadzwoniła, zanim zdążyliśmy odezwać się bodaj słowem. W pełnym napięcia milczeniu wysłuchaliśmy jednostronnej rozmowy.

– Tak, rzeczywiście, bardzo przepraszam – powiedziała ze skruchą Julita. – Ja nie mam stacjonarnego telefonu... Oczywiście, że przez komórkę, ale nie zdawałam sobie sprawy... Wczoraj... Pracowałam... Teraz dopiero sobie uświadomiłam... U pani Chmielewskiej i właśnie dlatego... Oczywiście, sądzę, że tak, pan pozwoli, że zapytam... No dobrze, tak, rozumiem... Jasne, że zaczekam, pan przypuszcza, że ucieknę do Argentyny...?

Pod koniec rozmowy skrucha z jej głosu znikła całkowicie i zadźwięczały w nim spiżowe tony. Wyłączyła urządzenie i popatrzyła na nas wzrokiem, z którego tajfunem walił sarkazm.

– Niech nikt się z tego domu nie rusza, dopóki on nie przyjedzie. Oszalał?

– Z pewnością – przyświadczyła Małgosia. – Przecież nie wie, kto tu jest. A gdyby akurat był listonosz z listem poleconym...?

– Powiedział, że nie muszę cię pytać, jesteś zamieszana i też masz czekać. Aniu, może ty...? O tobie nie wie...

– Otóż nie wiem, czy nie wie – rzekła energicznie pani Ania. – Jeżeli wszystkich podejrzewa, może postawił kogoś na czatach? W domu mam męża i dzieci, i dochodzący obiad na kuchni, ale nikt z nich nie jest paralitykiem, ani, mam nadzieję, debilem. Na szczęście o niczym nie mam pojęcia, więc mogę spokojnie poczekać, ale skoro tak... Czy mogłabym też dostać trochę wina? Tadeusz po mnie przyjedzie, droga od nas do pani trwa cztery minuty razem z otwieraniem bramy, nawet befsztyki na patelni nie zdążą się przypalić. Nie mam befsztyków.

– Ciekawe, kto będzie pierwszy, ten gliniarz czy Marta? – zainteresował się Witek z uciechą i lekkomyślnie.

I nikomu z nas nawet nie zaświtało, ile pożytku z tej Marty wyniknie.

☆☆☆

Adres, telefon i miejsce pracy byłej żony Krzewca Wólnicki już dostał, ale jeszcze raz spróbował złapać ostatniego świadka owego podejrzanego wieczoru. Tę jakąś Julitę Bitte.

O dziwo, odezwała się! Odebrała od razu, normalnie, jak człowiek, przeprosiła, przez pomyłkę miała wyłączoną komórkę. Przez pomyłkę, cha, cha. Specjalnie wyłączyła, żeby nie dać się złapać, cały ten czas poświęciła uprawianiu jakiejś kreciej roboty, ukrywała dowody bliskich kontaktów z denatem, zmawiała się z Gwiazdowskim, diabli wiedzą co jeszcze... I gdzie się znajduje, proszę, w domu tej okropnej baby, cała szajka to jest czy co, melinę tam mają...? Niby ludzie na jakimś poziomie, ale jeśli w grę wchodzi grubsza afera, kto ma ją organizować, jak nie ludzie na poziomie? Nie menel jakiś przecież, nie analfabeta!

Gdzieś tam, w jakimś zakamarku umysłu zaświtało mu, że co tu ma do rzeczy jakakolwiek grubsza afera, na pierwsze miejsce pcha się zdenerwowana dziewczyna, wykantowana przez tego roślinnego podrywacza, w afekcie go trzasnęła i cześć, a może facet poderwanej dziewczyny, na afekt wskazuje wszystko. To niby co, związek porzuconych dziewczyn? Partia zdradzanych facetów? Kretyństwo denne!

Zdusił jednakże błysk, na sygnale przeleciał jedną trzecią miasta, wyciszył się dopiero kilkaset metrów przed celem.

Przy ogrodzeniu stały trzy samochody, furtka była uchylona. Na wabia...?

Nie z nim te numery. Zadzwonił. Odczekał. Zadzwonił ponownie. Już zaczął wchodzić, kiedy w drzwiach domu ukazał się ten, zaraz, który to? A, Głowacki. No proszę, personel na miejscu i w pogotowiu...

Wszedł i skamieniał. Jako fachowiec skamieniał na krótko i mógł żywić nadzieję, że nikt jego wrażenia nie dostrzegł.

Na fotelu przy salonowym stole siedziała sprawczyni zbrodni, dokładnie opisana przez siostrę denata. Długie, do ramion, czarne włosy, może nie całkiem proste, lekko falujące, ale nie wymagajmy za wiele, z czerwoną apaszką wokół szyi, z kieliszkiem w ręku... Dłoń, obejmująca kieliszek zaopatrzona była we wspaniałe, ciemnoczerwone paznokcie, a do tego oczy! Cóż za oczy...! Nawet bez zasłaniania twarzy, te oczy przebiłyby wszystko, wytrzeszczone, kretynka ta Gabriela, jakie znowu wytrzeszczone, wyraziste, ciemne, lśniące, ogromne, w ciemnej oprawie, oczy, których nie można nie zauważyć! To ona! Ona stała w kącie salonu zbrodni...!

Sam opisałby ją chyba identycznie...

– Witam państwa – wydusił z siebie uprzejmie z kolosalnym wysiłkiem. – Pani Julita Bitte?

Tak był pewien, że to jest właśnie ta cholerna, nieuchwytna dotychczas, ostatnia uczestniczka zbrodniczego wieczoru, że w pierwszej chwili nie zrozumiał, co słyszy. Czarnowłosa piękność milczała, patrzyła na niego z grzecznym zainteresowaniem i nic. Głos dobiegł z boku.

– To ja – powiedziała wdzięcznie siedząca na fotelu obok dziewczyna. – Słucham pana?

Nawet nie spojrzał w kierunku głosu. Uparcie oczekiwał odpowiedzi od znalezionej wreszcie zabójczyni, ma ją, wbrew wszelkim łgarstwom, osiągnął sukces!

– Pani Julita Bitte? – powtórzył cierpko.

– Słucham pana – powtórzyła głośniej ta obok. – To ja jestem Julita Bitte, przepraszam, że tak długo miałam wyłączoną komórkę, ale mogę to panu wyjaśnić. Życzy pan sobie od razu?

Policjant też człowiek. Żadnemu człowiekowi nie jest łatwo zrezygnować z czegoś, czego był pewien, co stanowiło jego osiągnięcie, co wreszcie uzyskał, w co uwierzył granitowo i co, w dodatku, nie tylko wieńczy jego ciężką pracę i kończy wysiłki, ale zarazem stanowi wybuch. Dowód jego umiejętności, poziomu, talentu śledczego!

Chwała Wólnickiemu za to, że już po sześciu sekundach zdołał opanować wszystkie doznania wewnętrzne. Spojrzał na fotel sąsiedni.

Z wielkim zainteresowaniem i trochę niespokojnie patrzyła nie niego prześliczna, młoda dziewczyna, złotoruda, o krótkich włosach, cała jakaś taka pustynna, beżowa, zielonkawa, z oczami, które w pełni pasowały do reszty, piwne, też trochę zielonkawe, w zeznaniach Wólnicki tak by je określił. Paznokcie miała bladozłotawe, gdzie jej było do jakiejkolwiek czerwieni!

Bóg raczy wiedzieć jakie głupie słowa z ust by mu się wyrwały, gdyby nie odezwała się w tym momencie ta straszna baba, zmora Górskiego, pani domu.

– Julita, daj panu jakieś papiery. Dowód osobisty, prawo jazdy, cokolwiek. Metryki pewnie nie masz, ale te współczesne może wystarczą.

– Och, oczywiście!

Z wielką gorliwością beżowa dziewczyna chwyciła swoją torbę i zaczęła w niej grzebać. Wólnicki czekał, cokolwiek zdrętwiały.

Dowód osobisty, prawo jazdy, nawet paszport, wszystko ujrzał przed nosem, grzecznie podtykane. W oczach mu się zaćmiło, dopiero teraz uświadomił sobie, jak bardzo był nastawiony na sugestie tej cholernej Gabrieli, jak dokładnie sam w siebie wmówił, że sprawczyni zabójstwa stała w drzwiach miejsca zbrodni, że teraz tu ją znajdzie, że wywlecze z niej prawdę, ta czarnowłosa pasowała idealnie, wszystko inne właściwie zlekceważył, jak potłuczony baran wystartował w jednym kierunku, z klapami na oczach, ślepy na resztę świata. I dlaczego właściwie...? A, przez ten numer samochodu Gwiazdowskiego!

A przecież na początku myślał całkiem rozsądnie. Brał pod uwagę siostrę denata, dopuszczał łgarstwo, węszył zemstę jakiejś podrywki, konflikt z byłą żoną, motywy materialne, spadek dla brata, no i co? Zgłupiał chyba z pośpiechu, z tej wściekłej chęci rozwikłania sprawy, zanim Górski wróci!

Zmobilizował się potężnie.

– Pani coś wie o sprawie? – zwrócił się do czarnowłosej, w żaden sposób nie mogąc się od niej tak od razu odczepić, nie zdoławszy zarazem sformułować żadnego innego pytania, które nie ujawniłoby mętliku w jego umyśle. – To znaczy – poprawił się czym prędzej, czując, że to też nie wychodzi najlepiej – pani jest znajomą?

Wreszcie udało mu się kogoś zaskoczyć. Ściśle biorąc, wszystkich, z sierżantem włącznie.

– Czyją znajomą? – spytała dość przytomnie czarnowłosa, w powietrzu zaś wisiało zdumienie i dezorientacja pozostałych.

– Znajomą osób tu obecnych.

I nagle Wólnicki poczuł, że to pytanie wcale nie jest takie głupie, jakby się mogło wydawać. Przecież mogłaby to być całkiem obca kobieta, która przyszła do tego domu pierwszy raz w życiu, przedstawiła się i z grzeczności została zaproszona do wnętrza. Usadzona w fotelu. Poczęstowana kawą... nie, herbatę pije, herbatą. O, i winem! I może przyszła właśnie w związku z Krzewcem, zabiła go, chce się teraz czegoś podstępnie dowiedzieć...

Nie zdążył przywiązać się do tej nowej myśli, bo czarnowłosa zareagowała prawidłowo, sięgnęła do torebki po dowód osobisty, wyciągnęła rękę, żeby podać go komisarzowi i w tym samym momencie szczęknęły drzwi. Ktoś wszedł. Wólnicki spojrzał w kierunku przedpokoju i zamarł z dłonią o centymetr od dokumentu.

Kolejną osobą była bardzo młoda, wyraźnie młodsza od pozostałych, śliczna dziewczyna, z czarnymi włosami, opadającymi na ramiona, w czarnym żakieciku, w bryczesach i w butach do konnej jazdy. Pod czarnym żakiecikiem widać było czerwoną bluzeczkę. Wólnickiemu przeleciało przez głowę, że prześladują go te dwa kolory, czerwony i czarny, i gwałtownie usiłował sobie przypomnieć, czy nie słyszał przypadkiem czegoś o jakiejś nowej modzie na czarne włosy.

– Tak się śpieszyłam, że nie zdążyłam się przebrać – powiedziała dziewczyna. – O co chodzi? Dzień dobry.

– Czy pan życzy sobie mój dowód, czy mam go schować? – spytała równocześnie czarnowłosa bardzo uprzejmie, chociaż odrobinę cierpko.

– Już ci daję tę kawę! – krzyknęła któraś, zaraz, Głowacka chyba, i zerwała się z fotela. – Woda jeszcze gorąca...

– Ja jej zrobię – powiedział facet za plecami komisarza.

Wszystkie wypowiedzi padły w ciągu jednej sekundy, a na zakończenie tej sekundy zabrzęczała komórka Wólnickiego. Wyciągając ją z kieszeni, uświadomił sobie, że na widok czarnowłosej od razu stracił z oczu resztę świata i nie umiałby nawet powiedzieć, ile osób znajdowało się w pomieszczeniu, teraz zaś, w obliczu ostatniej potencjalnej podejrzanej, z całą pewnością zgłupiał do reszty. Na domiar złego odezwała się życzliwie pani domu.

– Jeśli ma pan Erę, musi pan wyjść na zewnątrz, byle gdzie, bo w środku nie ma zasięgu. Może być na taras.

Wólnicki i tak by wyszedł, nie chcąc rozmawiać przy ludziach, sierżant, uporczywie wpatrzony w koty, usłużnie otworzył przed nim drzwi tarasowe. Koty odsunęły się na bezpieczną odległość.

Służbowe i rzeczowe informacje dobiegające z telefonu przywróciły Wólnickiemu przytomność umysłu. Uświadomił sobie, że przebywa w tym domu nie dłużej niż trzy minuty, zatem trafiło go coś jakby grom z jasnego nieba, zatem w zasadzie jest usprawiedliwiony. Podejrzane, pchające się w ręce jedna za drugą, każdego mogłyby otumanić. W porządku, już mu przeszło, teraz trzeba to rozwikłać po kolei.

Czarnowłosa okazała się znajomą od dawna, ponadto współpracownicą, obecną tu z przyczyn zawodowych, jakieś papiery przyniosła albo może miała zabrać, bez znaczenia.

– Gdzie pani była wczoraj wieczorem? – padło suche pytanie.

– W drodze – padła zwięzła odpowiedź.

Do zwięzłych odpowiedzi komisarz był przyzwyczajony. Facetka najwyraźniej zaliczała się do małomównych, cholera, trzeba z niej będzie wyrywać po kawałku.

– W jakiej drodze? Skąd dokąd?

– Z Tucholi do Warszawy. Do domu.

– O której?

– Co o której?

– O której wyjazd, o której przyjazd.

– Wyjechaliśmy z Chojnic około pierwszej. Do domu dojechaliśmy piętnaście po dziewiątej. Wieczorem.

– Co tak długo?

– Za Tucholą jedliśmy obiad. Tam dają bardzo dobrą dziczyznę.

– Z kim pani jechała?

– Z mężem i dzieckiem.

– Kto to wszystko może poświadczyć?

Czarnowłosa zawahała się, popatrzyła na Wólnickiego jakoś dziwnie, milczała chwilę, jakby przełamywała w sobie opór, i westchnęła.

– No dobrze, mam mięso w garnku, więc nie będę przedłużać. Poświadczyć mogą, po kolei, restauracja za Tucholą, stacja benzynowa w okolicy Lipna, gdzie właśnie zabrakło benzyny, czekali na dostawę, potem stacja benzynowa koło Płońska, gdzie akurat tankowali z cysterny, potem stacja benzynowa w Łomiankach, gdzie dojechaliśmy na ostatnich kroplach, pracownik stacji powiedział, że chyba na oparach, potem sąsiad, który przyjechał tuż za nami i czekał, aż wjedziemy w bramę, bo tam ciasno, i na końcu syn, który czekał w domu, ale wiem, że syn się nie liczy. O innych świadkach nie wiem nic.

Nikt się do tego przesłuchania nie wtrącał, nikt nie przeszkadzał. Wólnicki już tylko z obowiązku zadał następne pytanie.

– Znała pani Mirosława Krzewca?

– Wyłącznie ze słyszenia.

– Co pani słyszała i od kogo?

– Od pani Joanny. Że nie jest dobry. Więc nie zamierzałam go angażować i ani razu go nie widziałam.

Związku mięsa w garnku z zamordowanym ogrodnikiem Wólnicki postanowił teraz nie rozpatrywać. Czarnowłosa, niestety, nie dała się na poczekaniu wepchnąć do grona podejrzanych, ale szczęśliwie pojawiła się przed chwilą ta ostatnia, najmłodsza, pasująca najidealniej, i coś mu w duszy mówiło, że jest to ostra dziewczyna, z tych takich reagujących energicznie. Coś w niej było, zaraz, może te spodnie i buty...?

– Pani jeździ konno? – zwrócił się do niej znienacka w chwili, kiedy ze szklanką kawy siadała przy jadalnym stole.

– Jeżdżę – odparła z najdoskonalszą obojętnością.

– Ustawicznie? Zawodowo?

– Tak.

Tego się Wólnicki nie spodziewał. Coś mu gdzieś nie pasowało.

– Jako dżokej?

– Nie.

– Nie? To jako co?

– Jako jeździec.

– Jeździec...? Na wyścigach?

– Nie.

– To gdzie?

– Na pokazach.

– Na jakich pokazach?

– Ogólnie, możliwości konia wierzchowego.

Na moment Wólnicki zamilkł. Wyraźnie poczuł, że w obliczu aż tak imponującej gadatliwości podejrzanej końskim sprawom nie da rady, poza tym co tu ma do rzeczy jakikolwiek koń, wierzchowy czy pociągowy, kopytami denat nie został zdeptany i nikt go koniem nie szczuł. Koniem się w ogóle nie szczuje, nie mylić z psem.

Czym prędzej wrócił na znajomy grunt.

– Gdzie pani była wczoraj wieczorem?

Dziewczyna upiła trochę kawy i odetchnęła, jakby z ulgą.

– Zależy kiedy.

– Pomiędzy osiemnastą trzydzieści a dwudziestą.

– O osiemnastej trzydzieści byłam w Siedliskach. Do dziewiętnastej mniej więcej. O siódmej ruszyłam do Warszawy i za kwadrans ósma byłam w Wilanowie. Krótko po ósmej pojechałam do domu i już nie wychodziłam.

Wólnicki poczuł odrobinę wiatru w żaglach.

– Gdzie dokładnie była pani w Wilanowie i co pani tam robiła?

– Przy ulicy Radosnej, numeru nie pamiętam. Rozmawiałam z weterynarzem.

– Ktoś panią widział?

Dziewczyna znów upiła trochę kawy i przyjrzała się komisarzowi z lekkim niesmakiem.

– Sądzę, że weterynarz. Nie zauważyłam, żeby zamykał oczy.

– Ktoś jeszcze?

Teraz się nawet odrobinę zastanowiła.

– Przypuszczam, że wszystkie inne obecne tam osoby. Żona weterynarza. Właściciele psa, to bokser, miał mały zabieg, pomagałam przy tym. Jakieś dzieci na końcu, jak wychodziłam, przyszły z kotem. Nie wiem, kto jeszcze.

– I cały czas była pani tam, u tego weterynarza?

– W lecznicy. Tak.

Wiatr w żaglach Wólnickiego jeszcze nie zdechł kompletnie. Ostatnie, rutynowe pytanie zadał tylko z obowiązku.

– A kto panią widział w domu?

– Mój brat.

– Nikt więcej?

– Nie wiem. Ktoś mógł widzieć. Nie ukrywałam się.

Otóż to. Czas. Wszystko należało sprawdzić, szczególnie czas, według orzeczenia lekarskiego ogrodnik rozstał się z życiem pomiędzy osiemnastą czterdzieści pięć a dziewiętnastą piętnaście. Jeśli pokręciła godziny, zełgała coś, krótkie wahnięcie, mogła zdążyć, kropnęła faceta przed wizytą u weterynarza...

– Po co pani była u weterynarza? – spytał łagodnie, symulując brak głębszego zainteresowania.

Podejrzana popijała kawę, niewzruszona jak skała.

– Chciałam się poradzić.

– W jakiej sprawie?

– Zdrowotnej.

– Pani się leczy u weterynarza?

– Ja nie. Koń.

Wólnicki, ogólnie sympatyk zwierząt, poczuł nagle, że za wszelką cenę musi się odczepić od koni, które bez wątpienia stanowią tu zasłonę dymną. Mydli mu się oczy końmi, ma go to ogłuszyć i otumanić, a chała, nie da się, przemoże cholerne konie!

– Może pani trochę ściślej i szczegółowo?

Podejrzana westchnęła ciężko.

– Wracałam od zastałego konia i chciałam się upewnić, czy zaproponowałam właściwą kurację.

Pilnowałam przeprowadzenia go, byłam zaniepokojona, wolałam się naradzić, okazało się, że wszystko w porządku. Chce pan szczegóły fizjologii konia? Mogę panu dać podręcznik.

Nie, Wólnicki nie chciał. Przyjrzał się wszystkim obecnym, gapiącym się na niego wzajemnie, i uświadomił sobie, że bezwiednie zajął pozycję strategiczną. Stał prawie w połowie pomieszczenia, pomiędzy częścią jadalną a częścią salonową, i miał doskonały widok na całe grono. Przy jadalnym stole ta koniara i Głowacki, który również pił kawę i coś jeszcze, co wyglądało na whisky z lodem, przy salonowym stoliku cztery facetki, nazwiska trzech znał i pamiętał, czwarta, ta czarnowłosa...

Teraz dopiero zauważył, że jej dowód osobisty ciągle trzyma w ręku i poklepuje się nim po paznokciu dużego palca. Niepotrzebnie. Ujawnia tym chyba własne doznania wewnętrzne, których wolał sobie chwilowo nie precyzować, no nic, zaraz jej to zwróci, jak ona się nazywa, a, Lewkowska. Anna Lewkowska.

Wszystkie cztery patrzyły na niego z nieskrywanym zaciekawieniem i właściwie bez niepokoju. Lewkowska z rezygnacją i trochę smętnie. Przypomniało mu się, że chyba mówiła coś o mięsie w garnku, co zapewne wskazywało na brak czasu, chciał o tym napomknąć, ale nie zdążył, bo znienacka wtrącił się sierżant.

– Trzy kwadranse jechała pani z Siedlisk do Wilanowa? – spytał niedowierzająco, oderwawszy wreszcie wzrok od drzwi tarasowych, być może dlatego, że koty gdzieś się rozlazły i znikły z horyzontu. – To czym? Walcem drogowym? Bo już konno byłoby szybciej.

Wólnicki w głębi duszy pochwalił go bez namysłu. Słusznie się wtrącił, wbrew regulaminowi, ale skutecznie. Sam nie miał zielonego pojęcia, gdzie znajdują się te Siedliska, zamierzał sprawdzić to później, sierżant najwidoczniej miał lepsze rozeznanie.

– Samochodem – powiedziała obojętnie koniara.

– Długo trochę. Dlaczego tak...?

– Korek na wjeździe do Piaseczna.

Sierżant nie skomentował, wycofał się na właściwą dla siebie, podrzędną pozycję. Wólnicki poczuł, że teraz jego kolej, korespondował mu ten wtręt z wątpliwościami w kwestii czasu, chętnie rozwinąłby temat, ale o telefonicznych informacjach służbowych nie zapomniał. Ważne były, gryzły go i poganiały, znów szarpnęła nim straszliwa potrzeba podzielenia się na kilka nadludzko aktywnych części.

– Czy znała pani Mirosława Krzewca? – wyrwało mu się z ust w pośpiechu.

– Nie.

Nie oczekiwał innej odpowiedzi, nie zaskoczyła go negatywna, zdziwiły go za to lekko dane personalne. Marta Głowacka, córka tych dwojga, którzy tu siedzą i nijak nie reagują. Osobliwe. Na ogół każda matka i prawie każdy ojciec awanturują się i żądają zostawienia ich dziecka w spokoju, a ci nic. Jak obcy. Wojna w rodzinie czy co?

Szczerze pożałował, że nie ma teraz czasu na takie wnikliwe dociekania, bez słowa zwrócił Lewkowskiej dowód osobisty i oddał się próbom rozdwajania.

☆ ☆ ☆

– Jakim cudem, na litość boską, nie zwrócił uwagi na twoje zdjęcie w tych wszystkich śmieciach? – powiedziałam do Julity, niepomiernie zdumiona, pozbywszy się już zgrozy. – W pierwszej chwili prawie zdrętwiałam. Przecież nigdzie nie jesteś podobna do siebie w tej chwili!

– Bo chłop – zaopiniowała krótko Małgosia i podniosła się z kanapy.

– Bo przecież prawie nie spojrzał, Anią się zajął. I miałam wtedy krótsze włosy – odparła równocześnie Julita – i zobacz, światło tak padało, że kolor źle wyszedł. Można uważać, że czarne, a wyszły na jasne, albo że jasne, a wyszły na ciemne.

– Pokaż – zainteresowała się Ania.

Małgosia zaczęła wyłazić zza stołu, zbierając naczynia. Zaprotestowałam.

– Zostaw przynajmniej kieliszki!

– Czy ktoś może mi teraz powiedzieć, o co tu właściwie chodzi? – spytała Marta i przeszła z jadalni do salonu. – Ogólnie się orientuję, ale nie rozumiem szczegółów. Wiem tylko, że Julita jeździła dziś w Bobrowcu na Sandorze i parkowała za akacjami, ale nie mam pojęcia dlaczego. I nikt mnie o to nie pytał. Co mam teraz zrobić?

– Nic na razie. Na moje oko jeszcze się do ciebie przyczepią – przepowiedziałam złowieszczo. – Coś mi się widzi, że im nabruździł rysopis.

– Czy ja mogę zostać i posłuchać? – spytała Ania, zwracając Julicie dokumenty. – Moje mięso już i tak albo szlag trafił, albo je uratowali i zjedli, więc nie mam się do czego śpieszyć. Bardzo mnie ciekawi ta cała afera i cieszę się, że z ofiarą nie miałam do czynienia. Mam iść czy nie muszę?

Nie musiała, oczywiście, im więcej głów, tym lepiej. Witek bystrym wzrokiem obrzucił stół i otworzył kolejną butelkę wina, przypomniałam sobie, że gdzieś mam słone krakersiki, a w zamrażalniku bób, zakąski wręcz doskonałe, od razu udałam się po garnek. Julita usiłowała wyjaśnić Marcie sprawę wyłączonej komórki i swojej metamorfozy zewnętrznej.

– No właśnie, wydawało mi się, że inaczej wyglądasz, ale z grzeczności nie chciałam nic mówić – wyznała Marta. – Owszem, napiję się wina, skoro wszyscy jadą Grześkiem, to i ja mogę, a z końmi już dziś nie będę miała do czynienia. Zamierzałam się uczyć.

– Na naukę człowiek ma całe życie – stwierdził beztrosko Witek i wyjął z szafki kieliszek dla córki.

– A tak naprawdę, dlaczego tyle czasu jechałaś z Siedlisk? – spytała podejrzliwie Małgosia, rezygnując chwilowo ze sprzątania ze stołu. – Rzeczywiście w Piasecznie był taki korek?

– Wcale nie, ale chyba powinnam wam o tym powiedzieć, zanim powiem policji, bo mi się kojarzy z ogrodnikiem...

– Nic nie mów! – wrzasnęłam z progu kuchni. – Ja też chcę słyszeć! Zaraz wrzucę bób i wracam, woda już jest gorąca!

– Posoliłaś...?

– No pewnie. I przykręcę. Witek jest na wylocie, przyniesie nam na łyżce do spróbowania.

– Jeśli trafię do łyżki – mruknął Witek i dolał sobie whisky.

Czynności kuchenne trwały minutę, wróciłam na kanapę, na wszelki wypadek postawiwszy obok garnka malutką kompotierkę. Nigdy w życiu wprawdzie nie widziałam Witka pijanego, ale zawsze może nastąpić ten pierwszy raz, a bobu zostały mi jeszcze zaledwie dwa opakowania, więc wolałam nie ryzykować rozproszenia go po całej kuchni. Przecisnęłam się na kanapę.

– No, to teraz mów. Co było?

– Cała awantura. Tam są plantacje, szkółki, krzewy, drzewa, szklarnie i tak dalej. Zatarasowali drogę, kłócili się, zrozumiałam, że w grę wchodził jakiś szkodnik drzew liściastych, kompromitacja okropna, bo zamiast spalić zarażone rośliny, rozprowadzili je po ludziach. Nie wiem kto, szukali winnego. Sprawcy. Ja ich znam, biorą nawóz spod koni...

– Spod koni to raczej do pieczarek?

– Nie tylko. Mieszają z krowiakiem. Do pieczarek z kurzym. Z końskiego i krowiego robią różne odmiany, kwaśne, zasadowe, różne odżywki i tak dalej, koński od nas biorą, gdzie są konie, tam i nawóz. Awanturowali się, rodzaj grzybicy się zalągł i ktoś to puścił do sprzedaży, jakiś facet się upierał, żeby dojść do źródła, pobili się chyba, bo przewrócili furgonetkę. Trochę potrwało, zanim utorowali drogę.

– Nie awanturowali się przypadkiem o bez? – spytałam w natchnieniu.

– Skąd ciocia wie? Głównie o bez, bo podatny na tę grzybicę. Nie wiem, czy to grzybica, może coś innego, tak mi się tylko skojarzyło.

Mnie też się skojarzyło, ale wtrącił się Witek.

– Policji przy tym nie było?

– Na końcu przyjechali, jak już ludzie usunęli ten bałagan. I ja wtedy przepchnęłam się i odjechałam.

– Mówisz, że ich znasz...?

– Dokładnie trzech. Osobiście i z nazwisk. To ogrodnicy. Mam o tym powiedzieć policji?

Popatrzyliśmy wszyscy na siebie wzajemnie. Afera nam się rozrastała.

– Bezwzględnie tak – zadecydowała stanowczo Małgosia. – Nie jestem nadopiekuńczą matką, ale nie zgadzam się, żeby ona miała tu coś kręcić. Nijak jej to nie dotyczy, a wplącze się, nie daj Boże, w jakieś świństwo.

Poparłam ją natychmiast.

– Jestem tego samego zdania, bo już wiem, że nieboszczyk siedział w roślinnych zarazach, a będą ją maglować jeszcze ładne parę razy. Z wyglądu zewnętrznego temu gliniarzowi pasuje, to w oczy bije, bo sami się zastanówcie, co ta siostra megiera mogła powiedzieć? Jak Julita wyglądała wczoraj? Z twarzy nie są podobne wcale, ale kolorystycznie jakby się umówiły...

– Wiek... – bąknęła Julita.

– E tam, wiek. Masz gdzieś zmarszczki, siwiznę i przygarbione plecy? Gdyby Marta miała dwanaście lat, nie wchodziłaby w rachubę, ale jest pełnoletnia, ciężko teraz rozróżnić, czy dziewczyna ma osiemnaście lat, czy trzydzieści osiem. To już prędzej paznokcie, nie ma czerwonych. Ale zgubiła się gliniarzom dokładnie w godzinie zbrodni, uczepią się jak rzep psiego ogona, gwarantowane. Ktoś z tych trzech znajomych z tobą rozmawiał? – zwróciłam się gwałtownie do Marty.

Marta, wciąż kamiennie spokojna, podetknęła właśnie Witkowi kieliszek do napełnienia.

– Wszyscy. I paru innych, znamy się trochę z widzenia.

– Nie wyprą się ciebie?

– Dlaczego mają się wyprzeć? Nie mamy zadrażnień.

– No to z głowy. Jeśli cię spytają, powiedz im wszystko. Do tej pory nie zełgałaś, mianem korka można określić każdy zator na drodze. W żaden żywy sposób nie zdążyłabyś wykosić pana Mirka, pomijając już to, że nie widzę powodu. Prędzej już ten, co mnie pytał o bez z czerwoną obwódką...

Bez z czerwoną obwódką zainteresował nagle wszystkich. Może tak zaznaczono zarażone drzewka?

Zdenerwowany człowiek szukał aktualnego posiadacza, żeby coś zrobić, ostrzec go, względnie zabrać dowód niedopatrzenia? Drzewka, krzewy, plantacje, roślinna zaraza, zamordowany ogrodnik, wszystko razem jedna dziedzina, elementy ściśle ze sobą powiązane!

Czym prędzej przekazałam im informacje uzyskane od rozgoryczonej ogrodniczki, pan Mirek w przekrętach tkwił na mur, ale jakoś dotychczas nie słyszało się o tak bardzo przyrodniczych motywach zbrodni. Chyba że w grę weszła wielka forsa. Czy można zbić majątek na roślinności ozdobnej?

– Wnioskując z tego, ile z ciebie zdzierał, chyba można – mruknęła zgryźliwie Małgosia.

– Próbował zedrzeć – skorygowałam surowo.

– Z niezłym skutkiem – zauważył Witek i porzuciwszy stół jadalny, ze szklanką w ręku przeszedł do części salonowej. – Ale ja bym tu chciał ustalić, o co właściwie chodzi, bo wy wszystkie macie chyba źle w głowie. Czego konkretnie szukamy? Mordercy ogrodnika czy twojej zapalniczki?

Na krótką chwilę zamurował nas dokładnie. Rzeczywiście, miałam przecież odnaleźć zapalniczkę, a nie wdawać się w śledztwo! Ktokolwiek kropnął pana Mirka, nie był to nikt z nas, sprawca zatem nikogo nie obchodził, niech go sobie policja szuka samodzielnie. Zważywszy tak ogrodniczą, jak i podrywczą działalność ofiary, istniały tu zapewne ogromne okoliczności łagodzące i na dobrą sprawę zabójca, płci obojętnej, wydawał się usprawiedliwiony. Złapią go czy nie, cudzy problem, nie nasz.

– Ja się czuję winna – ogłosiła nagle Julita i podniosła się z kanapy jakoś tak, jakby miała wygłosić co najmniej orędzie. Nawet postała chwilę wyprostowana, w bezruchu, i przez moment wszyscy z wielkim zainteresowaniem czekali, co powie. Okazało się jednak, że nie miała w planach uroczystego przemówienia, zgarnęła tylko wszystkie popielniczki i poszła je opróżnić.

– Nie, to ja jestem winna – stwierdziła energicznie Małgosia. – Zobowiązałam się pilnować wszystkiego i gówno dopilnowałam. Niech ona tam nie zmywa, ja to zrobię. Nikt inny nie wchodzi w grę, on podwędził zapalniczkę, co oni widzieli u niego w domu? Kawałek jednego pokoju, a może ją trzymał przy łóżku? Albo schował gdzieś w szafie?

– A może dał komuś w prezencie? – podsunęła delikatnie pani Ania.

– Jakiejś dziewczynie – poparł ją Witek wsparty na obramowaniu kominka i wpatrzony w czarny ekran telewizora. Najwidoczniej whisky wspomagała mu pomysłowość i rozbudzała fantazję. – Albo facetowi. Nawalił z czymś i musiał osobę przebłagać, może potrzebny mu był prezent imieninowy dla kogoś, on nie z tych, co kupują za własne pieniądze. Spojrzał, zobaczył...

– I zwyciężył – wyrwało się Małgosi.

– I podpieprzył. Widział już, że ma ostatnią okazję, bo ciotka rozum odzyskała, więc przydzielił sobie nagrodę pocieszenia. To nie wy jesteście winne, tylko ja, od początku wiedziałem, że to palant i trzeba było wyraźnie powiedzieć. I na ręce mu patrzeć, chociaż na kwiatkach się nie znam.

– Czy ja też mam się czuć winna? – spytała niepewnie pani Ania. – W końcu to mój mąż pilnował pani spraw...

– Nie, pani nie – przerwałam jej stanowczo i sprawiedliwie. – Pan Tadeusz wyłapał te sfałszowane rachunki, gdyby nie on, zapłaciłabym jeszcze więcej. Więc przeciwnie, wy macie zasługę.

Wróciła z kuchni Julita z wytartymi do sucha popielniczkami. Uparła się przy swoim.

– To ja. Przy mnie tu był. Zawiniłam i muszę to odpracować...

– Nie, to ja – wskoczyła jej w słowa Małgosia.

– Nie, to ja – wkroczył Witek.

– Nic podobnego, ja z pewnością!

– Nie ty, tylko ja!

Nie zdążyli się pokłócić, bo brzęknął gong u furtki, wiedziałam, że jest otwarta, więc nawet nie drgnęłam, szczęknęły drzwi, wszedł pan Ryszard.

– O, dzień dobry. Chciałem spytać, jak się sprawa przedstawia, bo wie pani co, ja się czuję winny, w końcu byli tu moi ludzie i ja też byłem, mam na myśli tę pani zapalniczkę...

Całe miasto zaczynało się składać z winowajców. Sama zaliczyłabym się do ich grona, gdyby nie to, że mnie nie było. Wyjątkowo zupełnie czułam się niewinna jak dziecko.

– Znam wszystkich – kontynuował swoją ekspiację pan Ryszard. – Z Marcinkiem i Romanem pracuję już ładne parę lat, zresztą sama pani wie, tu nocowali i pilnowali wszystkiego, reszta w zasadzie też sprawdzona, ale jeśli nikt inny, to ja tego tak nie mogę zostawić. Zawsze może przyjść do kogoś jakiś kumpel, kuzyn, ktokolwiek, taki Henio tu był, kierowca, kotłowali się przez chwilę przy piecu, no, nie kradnie żaden... Ja byłem za domem... I nie dość na tym, człowiek weźmie do ręki, użyje, potem odstawi nie wiadomo gdzie i da się zabić, że nic podobnego, bo sam tego nie pamięta.

Ta ostatnia supozycja wydała nam się całkiem rozumna, a zarazem dość przerażająca. Wszyscy wiedzieli, co wynika z bezmyślnego odłożenia czy odstawienia czegoś nie wiadomo gdzie. Tak właśnie giną różne rzeczy.

– To już sam nie wiem, co gorsze – zaopiniował z niesmakiem Witek. – Włamywać się do ludzi i przeszukiwać im mieszkania czy tutaj przegrzebać cały dom, garaż, ogród i wszystkie komórki.

– I torby – przypomniałam smętnie. – I pudła. I drewno pod domem, bo przypominam wam, że wiosną w drewnie znalazła się ta duża lupa z rączką, podświetlana. Więc wszystko może być wszędzie.

– Po co ci była w drewnie duża lupa? – zdziwiła się Julita.

– Oglądaliśmy z panem Ryszardem wschodzące coś, co miało w sobie małe, białe robaczki i należało to wyrwać, a bez powodu było szkoda, więc chcieliśmy się upewnić.

– I wyrwaliście?

– No pewnie – powiedział pan Ryszard, pełen wahań w obliczu napojów, bo był samochodem, a póki jeździł, alkoholu do ust nie brał. – To się mogło rozleźć, świeżo się dowiedziałem.

– No i wyrwaliśmy... to znaczy, był podział zajęć, pan Ryszard wyrywał, a ja mu na ręce patrzyłam ze łzami w oczach... a lupę się odłożyło gdziekolwiek. Widocznie padło na drewno. No i znalazła się dopiero, kiedy resztę drewna pani Henia przekładała do kąta... Nie, odrobinę wcześniej, jak brałam do ostatniego suszenia.

– Boże mój, Boże – powiedział Witek jakoś daleko w przestrzeń, wpatrzony w wazonik z suchym zielskiem nad telewizorem.

Przypomniałam sobie, że mnie nie było.

– Ale tym razem to nie ja!

– A może to zaraźliwe...? – zaniepokoiła się Julita.

– Nie dla mnie – rzekła sucho Małgosia. – Jeśli nie zaraziłam się od Alicji, nie zarażę się i od ciotki. Znaczy, jestem odporna. Prędzej już Witek, bo ma skłonności.

– Nie palę – przypomniał cierpko Witek.

– Ale bierzesz do ręki – mruknęłam pod nosem. – Jak każdy mężczyzna, bierze co popadnie i bawi się tym.

Witek czym prędzej rzucił na kominek i odepchnął od siebie gasidełko do świec, po czym z energią zaprotestował. On nic nie bierze i niczym się nie bawi! Zrezygnował z wielkopańskiej lokalizacji, przeszedł do części jadalnej i wsparł się łokciami o bufet. Usiłowałam szybko przypomnieć sobie co tam leży, ale nic mi z tego nie przyszło.

– Coś w każdym razie trzeba zrobić – ciągnęła Małgosia. – Przeszukać dom tego całego pana Mirka będzie łatwiej niż ten tutaj, bo ja wątpię, czy on oglądał robaczki przez lupę. Poza tym... zaraz. Spójrzmy prawdzie w oczy.

Nie bardzo wiedząc, co ona ma na myśli i gdzie jest ta prawda, podejrzliwie spróbowaliśmy wszyscy spojrzeć jej w oczy. Pan Ryszard nawet niespokojnie obejrzał się za siebie.

Małgosia kontynuowała jakoś dziwnie ostrzegawczo.

– Tu przyszła od niego taka sama zapalniczka...

Przyszła! Rzeczywiście. Piękne określenie!

– ...tyle że bez dedykacji, więc jednak nie twoja. Sama mówisz, że czegoś takiego od lat już nie można dostać. To skąd on ją miał? Identyczną?

No fakt. Skąd miał...? Znów mi zamigotało idiotyczne skojarzenie z żółtymi kurczątkami, wysiliłam się, bez skutku, skojarzenie zgasło. Pytanie Małgosi okazało się retoryczne, mówiła dalej.

– Ale widać, że miał, więc chodzi mi o to, że mógł myśleć, że ta, tutaj, jest jego. Więc ją zabrał. Nie wiem, co myślał oprócz tego, może nic, a może wpadło mu do łba, że ktoś mu ukradł i przyniósł do ciebie, wspólny znajomy albo co. Albo że sam przyniósł i zostawił przez pomyłkę. W każdym razie uważam, że prędzej się znajdzie w jego domu niż w twoim. Czy tam u niego w ogóle ktoś mieszka?

Argumenty Małgosi wszystkim przypadły do gustu, ale nagle okazało się, że stanu rodzinnego ofiary nikt z nas dokładnie nie zna i nie mamy pojęcia, jak gęsto zaludniony lokal zajmował. Jedna tylko Julita, przeczekawszy rozważania na ten temat w milczeniu, z wahaniem wydusiła coś z siebie.

– Nie wiem, czy mu można wierzyć... No dobrze, poproszę jeszcze trochę wina... Tak sobie przecież rozmawialiśmy parę razy... Mówił, że jest rozwiedziony...

– Oni zawsze są rozwiedzeni albo żona ich nie rozumie...

– I że mieszka sam... Siostra mu prowadzi gospodarstwo, ale mieszka oddzielnie. To znaczy, tak mi wyszło z jego gadania... Może się mylę...

Ożywiłam się nadzieją.

– A może nie? Jeśli rzeczywiście mieszka sam, chałupę mu zaplombowali, można by tam wejść i spokojnie przeszukać. Pusty dom zbrodni plombują zawsze, jeśli istnieją jacyś spadkobiercy, choćby z głodu konali, muszą poczekać. To okazja!

– Będziesz zdzierać plomby? – zainteresował się Witek.

– A dlaczego nie? Zaraz sprawdzę w kodeksie karnym, co za to grozi...

– Podobno on ma brata – dołożyła Julita. – Tak mu się jakoś wyrwało...

– I gdzie ten brat?

– Nie wiem. Też tu nie mieszka. Gdzieś za granicą...

– Zaraz. A dzieci? Rozwiedziony, miał żonę, a dzieci?

– O dzieciach nie słyszałam ani słowa...

– Rozwiedziona żona może być gorsza niż cała reszta rodziny razem wzięta – zaopiniowała ostrzegawczo pani Ania. – Jeśli ta zapalniczka tam jest i pani chce ją odzyskać, moim zdaniem trzeba się pośpieszyć. Ale do kodeksu karnego chyba warto zajrzeć...

Marta postanowiła, że nigdzie nie idzie, bo bardzo jej się tu podoba, a uczyć się będzie kiedy indziej, pan Ryszard zrobił sobie najpierw kawę, a potem herbatę, i nadzwyczajnie zainteresowany tematem przez telefon odmówił komuś jakiegoś spotkania, pani Ania stwierdziła, że jej rodzina potrafi przyrządzić sobie nie tylko obiad, ale nawet kolację, po czym wszyscy razem rzuciliśmy się na lekturę dzieł prawniczych. Najlepiej pasowały nam słowa: „zaciera ślady przestępstwa" i, kontrastowo poniekąd: „umyślnie niszczy lub usuwa znaki ustawione przez instytucję państwową", jedno do pięciu lat, drugie w najgorszym wypadku grzywna. Zważywszy, iż nikt z nas nie zamierzał zacierać żadnych śladów, przyłożyliśmy sobie to drugie, pochodzące z kodeksu wykroczeń, uznając, że ryzyk-fizyk, trudno, grzywna nam niestraszna. Złożymy się na nią wspólnymi siłami.

Po czym wybuchła okropna kłótnia, bo wszystkie osoby winne uparły się popełnić wykroczenie osobiście, do nich zaś dołączyłam ja, wprawdzie wyjątkowo tym razem niewinna, ale za to silnie zacięta. Kołaczące się w naszych umysłach resztki rozumu kazały wziąć pod uwagę trudności poszukiwań w obcym domu i wytypować dwie osoby, co w końcu zostało dokonane drogą losowania.

Zła byłam jak piorun, bo nie na mnie padło, a miałam wielką ochotę raz bodaj wkroczyć czynnie w to złodziejskie świństwo. Dosyć już dyskryminacji okradzionych i bezkarności dla złodziei, nie będą się długo cieszyć swoim wrednie zdobytym łupem! Mściwie chciałam sama, a tu co? Chała.

Szczęśliwe losy wyciągnęli Julita i pan Ryszard.

– Jest jakaś sprawiedliwość na świecie – ogłosiła Julita uroczyście.

Pan Ryszard ją poparł.

– Może to i rzeczywiście przeznaczenie, jesteśmy najbardziej podejrzani, to już bądźmy konsekwentnie. Tyle że lepiej byłoby nie dać się złapać za szybko.

– Wobec tego musicie się zabezpieczyć – zadecydowałam stanowczo i ruszyłam kryminalną część mojego umysłu.

Wymyśliłam, co następuje:

Pan Ryszard za kobietę się nie przebierze, bo zwracałby na siebie powszechną uwagę, ale Julita za chłopaka może. Przebranie nie powinno być przesadnie rażące, żeby w razie złapania nie budzić zbyt silnych podejrzeń. Baba w zasadzie może się ubrać we wszystko, ale na przykład strój samuraja to już byłoby chyba za wiele. Odpada także zbroja rycerska i długa, siwa broda. Zwykłe dżinsy, adidasy, czapeczka... Taka dla idiotów, daszkiem do tyłu. Ciemne okulary mogą być.

Wyrzec się własnego obuwia. Zbyt dobrze wszyscy wiemy, co to są mikroślady, na akcję muszą zdobyć coś jednorazowego, obojętne, znaleźć w jakimś śmietniku, kupić w sklepie używane, za grosze, kupić nowe, najtańsze jakie istnieją i zaraz potem wyrzucić, z rękawiczkami to samo, chirurgiczne najlepsze, spalą się chyba w moim kominku bez przeszkód? Dobrze byłoby i portek się pozbyć...? No, to rzecz do rozważenia.

Wykroczenia dokonać w biały dzień. Żadnych świateł w pustym domu, żadnych pobłyskujących latarek, żadnych świec, żadnego udawania pokutujących duchów. W dzień wszystko widać bez świecenia, a w nocy wręcz przeciwnie.

Na czas przeszukania gliny zostaną zajęte, żeby im przypadkiem nie wpadło do głowy oglądanie miejsca zbrodni. Do zajmowania posłuży Marta przy moim współudziale...

– Ja chętnie – powiedziała w tym momencie Marta. – Tylko jak?

– Opowiemy im o tej roślinnej awanturze pod Piasecznem, a ja się włączę bzem z czerwonym paskiem. I nie ma obawy, będziemy na ten temat ględziły tak długo, że zdążyliby przeszukać Pałac Kultury, a nie tylko ludzkie mieszkanie...

– Domek...

– Wielki mi domek w takiej ciasnocie. Nie wiem tylko, na co on jest zamknięty, mam na myśli rodzaj zamków, da się to otworzyć wytrychem? Zna ktoś jakiegoś złodzieja...?

Okazało się, że ze złodziejami też jest kłopot. Nikt z nas nie miał odpowiednich znajomości, co za ludzie idiotyczni, a ja w ich gronie. Nie trzeba to było zaprzyjaźnić się z tymi, którzy nie tak znów dawno i mnie okradli, i pana Tadeusza? Podwędzone mienie i tak nam przepadło, a zostałaby chociaż użyteczna znajomość.

W chwili największego zakłopotania objawił się ostatni winny. W pośpiechu wpadł Tadzio.

– Noc mam dzisiaj, przywalili mi dodatkowy dyżur w trybie awaryjnym i do roboty jadę, po drodze wpadłem – oznajmił. – Ale wie pani, to niby takie nic, a może ja tu jak ślepy siedziałem? No, zawiniłem, tak mi się wydaje, więc trzeba coś zrobić. Ja bym jednak przeszukał jego dom.

Ucieszył wszystkich niewymownie.

W błyskawicznym tempie dało się uzgodnić poczynania. Podjęłam straszliwą decyzję i postanowiłam jechać do dentysty, złapie mnie za zęby czy nie, trudno, jakoś to zniosę, a tam wszystkie domy są jednakowe, wystarczy obejrzeć jeden, żeby poznać i resztę. Nigdy dotychczas, przerażona wizytą, nie interesowałam się zapleczem budynku, a istnieje tam może jakieś drugie wyjście, drugi kawałek ogródka, podwóreczko? Bo gdzie trzymają na przykład zapas drewna do kominka...?

W kwestii zamków Tadzio okazał pełne lekceważenie, zobowiązując się przy pomocy kumpli i przyrządów o całkowicie obcych nam nazwach otworzyć wszystko, cokolwiek jest zamknięte na świecie. Po czym poleciał do pracy.

Ciąg dalszy został odłożony na jutro.

☆ ☆ ☆

Komunikat, który oderwał Wólnickiego od przyduszania podejrzanej szajki, dotyczył upragnionej i niezbędnej wiedzy o denacie. Nie można było trzymać się wyłącznie samochodu Gwiazdowskiego i czarnowłosych dziewczyn, skoro zewsząd pchały się nowe wieści.

Do nieboszczyka Krzewca dobijały się telefonicznie trzy osoby. Facetka o imieniu Eliza, facet nazwiskiem

Kowalski i drugi facet, niejaki Szrapnel, wściekły i gburowaty. Szrapnel, ksywa zapewne, komisarz Wólnicki i tak już węszył jakiś swąd wokół denata, a ten Szrapnel mniemanie potwierdzał.

Dotarcie do osób posługujących się telefonami nie stanowiło dla policji wielkiego problemu i już po godzinie Wólnicki wiedział, iż Eliza Wędzik, laborantka w pracowni analitycznej, mieszka na Służewcu w wynajętej kawalerce i właśnie zrywa z narzeczonym, który z zerwaniem nie chce się pogodzić, ów jakiś Kowalski ma na imię Albert, pracuje w drukarni na kierowniczym stanowisku i usiłuje założyć sobie ogród przy domu w Powsinie, Szrapnel zaś składa się co najmniej z czterech osób. Telefony, z których dzwonił, dwa stacjonarne i trzy komórki, należały do warsztatu mechanicznego Tomasz Pacioch, magazynu opakowań różnych Damian Szmerc, taksówki bagażowej Marian Wiśniak i plantacji roślin Irena Dębicka. Ostatnia komórka zarejestrowana była na Magdalenę Bolejaca, pilotkę biura turystycznego, aktualnie przebywającą w Egipcie, co w pewnym stopniu zaciemniało sprawę. Była ta Magdalena Szrapnelem, czy nie?

W każdym z tych telefonów Szrapnel przedstawiał się jako Szrapnel i bardzo się złościł brakiem kontaktu z panem Krzewcem. Wólnicki nie był kretynem i doskonale zrozumiał, iż prowadzi cholernik ruchliwy tryb życia i gdziekolwiek się znajdzie, łapie cudzy telefon, jaki mu wpadnie pod rękę. Z Magdaleną Bolejaca może tylko mieć kłopot... Właściciele telefonów jednakże z pewnością go znają, a któryś z nich może w ogóle być nim samym.

Pchnął ludzi dwiema metodami, poleceniem służbowym i skamlaniem prywatnym, sam zaś pośpieszył do Elizy Wędzik, której oporny narzeczony od razu stworzył mu wielkie nadzieje. Bo może dziabnął konkurenta, o czym Eliza jeszcze nie wie...? I ten cały Szrapnel okaże się całkiem niepotrzebny, a jego aferę niech szlag trafi i diabli wezmą.

Zgodnie z przypuszczeniami Eliza Wędzik była jeszcze w pracy i dała się obejrzeć przez dużą szybę, schylona nad mikroskopem. Do wnętrza pomieszczenia za szybą komisarzowi wejść nie pozwolono, komunikując sucho, że musiałby być watahą mafiozów z głowicami jądrowymi w dłoniach i wymordować cały personel, żeby się tam dostać. Nikt żywy go nie wpuści. Poczekał zatem dość cierpliwie, szczególnie, iż widok schylonej Elizy nie sprawiał mu najmniejszej przykrości, aż młoda dama przeszła od mikroskopu do komputera, po drodze zaś jakąś metodą zdalaczynną została powiadomiona o gościu. Coś tam na komputerze zapisała i wyszła ze strzeżonej komnaty.

– Pani zna Mirosława Krzewca? – spytał Wólnicki, odpracowawszy pośpiesznie formalności.

Eliza Wędzik zdenerwowała się od razu. Oburzyła się także. Rozgniewała. Nadęła się na sztywno.

– Pan występuje w charakterze posłańca? Może pan powiadomić przyjaciela, że ja do takich metod nie przywykłam! Zasłanianie się cudzą twarzą, też coś! Ciekawe, jaki argument może mi pan tu przedstawić, ja w każdym razie przez posły rozmawiać nie zamierzam!

Najwyraźniej w świecie komunikat, iż Wólnicki prezentuje sobą nie pana Krzewca personalnie, tylko instytucję państwową, umknął jej uwadze. Po pierwszych dwóch sekundach zdumienia komisarz też się rozzłościł.

– Osobiście z panem Krzewcem raczej pani porozmawiać nie zdoła – wdarł się zimno w wartki strumień widocznej obrazy. – Chyba że na seansie spirytystycznym.

Eliza na moment zaniemiała.

– Co...?

– Nic. Pan Krzewiec nie żyje, został zamordowany, a ja, może pani nie dosłyszała, jestem z policji i nie godzę zwaśnionych kochanków, tylko prowadzę dochodzenie.

Następne dziesięć minut zostało poświęcone przywracaniu Elizy Wędzik do przytomności, którą wprawdzie utraciła zaledwie połowicznie, ale wystarczająco, żeby próby kontaktu służbowego zdechły w zaraniu. Wólnicki trochę popluł sobie w brodę, później jednakże przestał mieć do siebie pretensje, otrzeźwiona Eliza bowiem straciła wszelki umiar w zwierzeniach. Pozbywszy się niebotycznie zaintrygowanych pracowników, a także zatroskanych lekarzy, oddał się pogawędce najzupełniej prywatnej i wręcz wstrząsająco użytecznej służbowo.

– To ona...! – łkała Eliza. – To ona...! Jestem pewna...! Nie chciała go z tych szponów wypuścić! Udawała! Wolała zabić...! Pozbył się, nieprawda, a mówiłam, wisiała nad nim jak ta hiena, harpia, hydra, hetera pazerna...!

Na ułamek sekundy Wólnickiego w podziw wprawiła taka ilość inwektyw na samo h, ale szybko odzyskał równowagę.

– Kto? – spytał z naciskiem. – Ta ona, to kto?

– Jak to kto, Krystyna! Ta jego żona! Już dawno nie żona! Nie chciała, nie chciała, nie chciała się odczepić...!!!

W ciągu wysoce owocnych trzech kwadransów Wólnicki zdołał dowiedzieć się, że:

Narzeczony Elizy Wędzik nie ma tu nic do rzeczy, jest bowiem niedojdą łagodnym i namolnym, który tylko jojczyć potrafi, czepiać się jak rzep i skałczeć, a czyny męskie i stanowcze są mu równie obce jak na przykład język chiński.

Rozwiedziona żona denata tajemniczymi sposobami zmuszała go do ustawicznych kontaktów i, zamiast w upragnionym towarzystwie przeżywać romantyczne chwile, musiał lecieć i jej służyć jak jakiś pachołek.

Wydarła mu pieniądze, które wcale jej się nie należały.

Nasyłała na niego jakieś brutalne, chamskie istoty, zgłaszające wyimaginowane pretensje w celu zepsucia mu opinii w środowisku, żeby pozbawić go zleceń i środków do życia, żeby musiał u niej żebrać o kawałek chleba.

Zawarła pakt z jego obrzydliwą siostrą i z wszelkimi uczuciami musiał się przed tą wredną siostrą ukrywać.

Nie mogła znieść ścisłego związku Mireczka z nią, Elizą, i tego, że tylko ona jedna, Eliza, dla Mireczka była niebem, azylem, rajem i podstawą wszystkiego, na nią jedną, Elizę, mógł liczyć, do niej przylatywał ze wszystkim, a ona, nie bacząc na konsekwencje, narażała się dla niego do utraty tchu! I milczała jak grób!

Tu rozpłakaną Elizę nieco zatchnęło, ale Wólnicki koniec nitki zdążył już uchwycić. Co też takiego nagannego adoratorka dla Mireczka robiła...?

– A dlaczego pani tak dzisiaj do pana Krzewca dzwoniła? – spytał z delikatnym współczuciem.

– Zrobiłam mu analizy. Sam mówił, że to pilne!

– Jakie analizy?

– Pasożyta... To nie grzyb...

Zaszlochała nagle rozpaczliwiej chociaż krótko i przez łzy popatrzyła wreszcie na Wólnickiego uważniej. Komisarz był chłopcem przystojnym, o męskiej, nieco surowej, ale bardzo szlachetnej twarzy, i właściwie każdej kobiecie popatrzenie na niego mogło sprawić przyjemność. Eliza Wędzik nie stanowiła wyjątku.

– Ale pan tego nikomu nie powie? – zaniepokoiła się błagalnie. – Ja może nie powinnam, bo to roślinne, nie ludzkie, ale zachowałam naprawdę wszystkie środki ostrożności! Oddzielnie robiłam! I już nigdy więcej... nigdy więcej... Mirek nie żyje... nigdy więcej...

Na nowo podjęła żałosne łkania, ale Wólnicki teraz już nie popuszczał, kryjąc starannie służbową zachłanność i eksponując podstępne współczucie.

– Często pani robiła te... roślinne analizy?

– Ach, nie! Skąd! To ostatnio tylko... ze trzy... najwyżej cztery razy! Nie powinnam, ja wiem... Jeśli pan powie, wyrzucą mnie z pracy! Ja nie chcę! Ja to umiem! I lubię! I już nigdy, nigdy więcej...!

Zważywszy zejście pana Mirka i przeżyty wstrząs, można było mniemać, iż Eliza Wędzik odżegna się od wszelkich nielegalnych propozycji na bardzo długo, a kto wie czy nie na zawsze. Komisarz nie mógł jej poprzysiąc wiecznego milczenia, ale przynajmniej obiecał, ile zdołał.

– Tylko w wypadku, gdyby to było absolutnie niezbędne, ale chyba nie będzie. I wyłącznie do celów służbowych. Policja nie rozpowszechnia plotek po instytucjach. Ale wyniki swoich badań musi nam pani dostarczyć, to już konieczne, nie da rady inaczej. Ma pani to przy sobie, wydrukowane, czy może tylko w komputerze?

– Co też pan, w komputerze wykasowałam! Mam wydruki... Wszystkie...

Wciąż niepewny, w jakim stopniu zdobycz okaże się użyteczna, przyjął z rąk zapłakanej Elizy grubą kopertę i przy okazji, bez nacisku, spytał o nazwisko niemrawego narzeczonego. Uzyskał je bez trudu razem z adresem, po czym, ani na chwilę nie spocząwszy na laurach, ruszył dalej z rozpędem.

W drodze do rozwiedzionej z denatem Krystyny Krzewiec uzyskał informację o kolejnym niedoszłym rozmówcy telefonicznym. Albert Kowalski złapany został w chwili, kiedy podjechał pod swój dom, najwidoczniej wracając z pracy. Pomiędzy otwartą bramą a wejściem do budynku spotkali się ów Kowalski, wywiadowca i dama, która najpierw tylko wyjrzała z drzwi, a potem wyszła na zewnątrz, jak się od razu okazało, pani Kowalska, małżonka podejrzanego... No nie, zaraz, niekoniecznie podejrzanego, może tylko świadka... A może w ogóle klienta, który o niczym nie wie.

Wszyscy odezwali się równocześnie.

– No i co? – wykrzyknęła niecierpliwie dama.

– Pan do mnie? Słucham pana? – rzekł pan Kowalski.

– Pan dzwonił dzisiaj do Mirosława Krzewca? – spytał bez wstępów wywiadowca.

Pan Kowalski znalazł się w mniejszości, dwa pytania skierowane zostały do niego. Żona swoje powtórzyła z większym zniecierpliwieniem, zaczął zatem od niej, czemu nikt nie powinien się dziwić.

– I nic. Nie dodzwoniłem się.

– Jak to?! To niemożliwe! Przecież to firma! Nikt w firmie nie odpowiadał...?

– Odpowiadał. Sekretarka automatyczna. Że go nie ma. A raz jakiś pacan spytał, o co mi chodzi, więc powiedziałem, że, do diabła, o drzewa! Ale to kretyn, żadnej informacji nie umiał udzielić...

– A na komórce?

– To samo. Nie może podejść i o co mi chodzi. Mówię, o te dwa drzewa, ile mam czekać, bezpośrednio mu chciałem...

– Jakie dwa drzewa?! A te krzaki...? To łachudra, mówiłam ci! Po co ty mu dałeś zadatek...?

Pan Kowalski zdenerwował się wyraźnie i gwałtownie.

– Co mówiłaś, jakie mówiłaś, to ja ci mówiłem, że to pętak i łachudra! Picuś glancuś, bryluje, pieprzy, krótko mówiąc, a ty nie! Że ci wizje roztacza! Sama kazałaś mu dać zadatek...! A mówiłem...!

– Co mówiłeś?! Co mówiłeś?! Srebrnymi świerkami ci po oczach walił! Tu zakątek, tam śmątek, rozpływałeś się jak to masło na słońcu! Z olejem jadalnym!

– I to może jeszcze pierwszego tłoczenia, co...?!

– A pierwszego! Pierwszego...!

– I ja mu kawkę, ja mu herbatkę, ja mu koniaczek...?

– Głupi jesteś i tyle!!! – wrzasnęła dama i cofnęła się w głąb domu, potężnie trzaskając za sobą drzwiami.

– W końcu futrynę rozwali – mruknął pan Kowalski, ocierając pot z czoła. – Gówno prawda, żona mu uwierzyła, a ja miałem wątpliwości... Tak, słucham pana?

Te wątpliwości zabrzmiały jakoś tak wątlutko i słabiutko, że wywiadowca, co nieco już zorientowany w osobowości denata, za grosz w nie nie uwierzył. Wykasowany z tego świata Krzewiec zdążył, zdaje się, owinąć sobie wokół palca i żonę, i męża, być może każde na nieco innym tle, ale równie silnie. Przytomnie rozpoczął przesłuchanko od pełnego zrozumienia i solidarności z poszkodowanym.

Niewiele czasu kosztowało go uzyskanie informacji, że pan Krzewiec, znaleziony przez ogłoszenie w prasie, zobowiązał się dostarczyć i posadzić określone rośliny w określonym czasie, po czym, dostarczywszy z całej długiej listy zaledwie trzy sztuki, i to nie całkiem takie, jak było przewidywane, jął się dziwnie migać. Piąty dzień już nawala, obiecuje i przeprasza, a na przedwczoraj wyznaczył taki naprawdę ostatni termin. No i co? No i chała. A doły na dwa większe drzewa już są wykopane, wysycha to wszystko, a ile go będzie kosztowało, lepiej nie mówić. Zrezygnowałby z niego, gdyby nie żona, która się przy palancie uparła, no i ten zadatek...

Wywiadowca przez chwilę się wahał. Pozbawić pana Kowalskiego resztek nadziei czy rzucić go na pastwę złudzeń? Nie, to nieludzkie zgoła, a jeśli państwo Kowalscy rąbnęli tego całego, pożal się Boże ogrodnika, wywiadowca widział przed chwilą parę aktorów, którzy dawno już powinni pławić się w chwale licznych Oskarów i milionów w Kalifornii. Prędzej uwierzy, że sam go kropnął niż oni...

Panu Kowalskiemu zatem złudzenia zostały odebrane i wywiadowca teraz sumitował się Wólnickiemu, przepraszając za swoje ludzkie odruchy. Nie został zbytnio skarcony.

Wólnicki zaś dopadł chciwie Krystyny Krzewiec.

Była w domu i najwidoczniej rozpoczynała jakieś zabiegi toaletowe, bo na sobie miała szlafrok, na głowie ciasno okręcony ręcznik, a twarz świeżutko umytą, bez żadnego makijażu. Otworzyła drzwi i popatrzyła pytająco.

– Pani Krystyna Krzewiec?

Na bezbarwnej nieco, ale bardzo ładnej twarzy ukazał się wyraz niechęci.

– Spóźnił się pan – padła lodowato zimna odpowiedź. – Od pięciu dni Krystyna Krzewiec nie istnieje.

O, cholera, umarła...? Złośliwie...? Ale nie, niemożliwe przecież, żeby zainteresowane nią osoby, chociażby eks-szwagierka albo Eliza Wędzik, przez pięć dni o tym się nie dowiedziały. Ponadto co to znaczy nie istnieje, istnieje jako zwłoki, ewentualnie, nawet po skremowaniu, w postaci prochów w urnie. Zdematerializowała się jakoś...?

– Mam nadzieję, że nie umarła? – spytał równie chłodno.

– Nie. Zmieniła personalia. Teraz istnieje Krystyna Korupska. Robi to panu jakąś różnicę?

– Ależ skąd, najmniejszej. Czy zatem pani jest Krystyną Korupską?

– Ja. O co chodzi? Nie jest pan listonoszem, hydraulikiem ani, mam wrażenie, żebrakiem. Słucham. Sprzedaje pan coś?

– Niestety nie. Janusz Wólnicki, komisarz policji, wydział zabójstw. Zrobi mi pani wielką uprzejmość, jeśli zechce pani ze mną przez chwilę porozmawiać. Woli pani w mieszkaniu czy tu, na progu?

Krystyna, była Krzewiec, obecnie Korupska, nie była przesadnie gadatliwa. W milczeniu cofnęła się i wpuściła Wólnickiego do wnętrza, które okazało się przestronne i elegancko urządzone. Bez przepychu, a za to z dużym gustem.

– Wróciła pani do panieńskiego nazwiska?

– Dziwię się. Policjant, żeby tak źle zgadywał...? Pozwoliłam sobie wyjść za mąż.

– A... Serdeczne gratulacje. Nie wstrząśnie panią zatem informacja, iż pani poprzedni mąż, Mirosław Krzewiec, nie żyje...

Krystyna spojrzała na Wólnickiego jakoś dziwnie, wzruszyła ramionami i usiadła, gestem wskazując mu fotel po drugiej stronie niskiego stolika. Jeszcze przez chwilę milczała, a komisarz cierpliwie czekał.

– Niech mu ziemia ogrodnicza lekką będzie – odezwała się wreszcie. – Rozumiem, że zamordowany? I bez głupich pytań proszę, zawałami, rakiem i zapaleniem płuc policja się nie interesuje. Co pan chce usłyszeć ode mnie?

– Jak długo państwo byli małżeństwem?

– Pięć lat i cztery miesiące.

– Mogę wobec tego mieć nadzieję, że poznała pani zarówno męża, jak i jego otoczenie, znajomych, przyjaciół, klientów...

– I wrogów – podchwyciła cokolwiek jadowicie Krystyna. – Bo chyba na wrogach zależy panu najbardziej?

Jasne, że właśnie na wrogach Wólnickiemu najbardziej zależało. Jednego, miał wrażenie, widział akurat przed sobą. Ściśle biorąc, wroginię. Nie zdziwiłby się, gdyby to ona właśnie trzasnęła byłego męża, ale niestety, jako sprawczyni zbrodni odpadała, niemożliwe bowiem, żeby siostra denata mogła jej nie poznać. Chociaż... kto wie...? Ta zasłonięta twarz...

– Mimo wszystko, jedno głupie pytanie muszę pani zadać. To formalność, na którą nic nie poradzę. Gdzie pani była wczoraj pomiędzy godziną osiemnastą trzydzieści a dwudziestą trzydzieści?

Zadając pytanie, uświadomił sobie nagle, że od chwili wykrycia zabójstwa nie upłynęła jeszcze nawet jedna pełna doba, on zaś już tyle roboty zdążył odwalić, i aż mu się zrobiło przyjemnie. Skutków, co prawda, na horyzoncie na razie nie było widać, ale materiał do badań rósł. Ośmielił się w duchu pochwalić sam siebie.

– To o tej porze go zabito? – zainteresowała się Krystyna. – I zaledwie wczoraj? No, no... Zaraz, gdzie ja byłam... A, to przecież wczoraj! U znajomej, na Żoliborzu, zaraz panu podam nazwisko i adres, bo z pewnością takich rzeczy jest pan spragniony, razem nas było cztery baby i jeden chłop, mąż tej znajomej. Nie grałyśmy w brydża, tylko oglądałyśmy próbki materiałów tekstylnych, o szóstej przyjechała z nimi taka przedstawicielka różnych firm, całe zwały towaru miała, przepiękne! W zasadzie dekoracyjne, ale niektóre nadawały się i na suknie. Na kostiumy, płaszcze... Gdzieś po siódmej mąż po mnie przyjechał, ale musiał poczekać, bo żadna z nas nie mogła się od tego oderwać, zdaje się, że obaj mężowie siedzieli w kuchni, wyszliśmy dopiero po dziewiątej i jeszcze po drodze do domu wstąpiliśmy na kolację. Rozumiem, to już dla pana za późno, kolację ma pan w nosie.

Na wspomnienie tekstyliów wyraźnie się ożywiła, aż jej się zaróżowiła bezbarwna dotychczas twarz i Wólnicki ze zdumieniem stwierdził, że jest to piękna kobieta. Torebkę miała pod ręką, pogrzebała w niej, wyjęła notesik.

– Adela i Mariusz Nowakowie. Tu mam adres. Zapisze pan sobie?

Na wszelki wypadek Wólnicki zapisał, chociaż zmowa tylu świadków wydawała mu się mocno wątpliwa. Mignęło mu niejasno, że czegokolwiek w tym dochodzeniu dotyka, wszędzie pałęta się obfitość świadków, którzy wszyscy w czambuł, jak jeden mąż, musieliby łgać z nadprzyrodzonym zgoła telentem, a przecież nie wlazł w środowisko aktorskie...?

Nie poświęcił tej myśli uwagi. Atmosferze jakoś ulżyło, wrócił do zasadniczego tematu i pozwolił sobie na wtręt bardziej osobisty.

– A... przepraszam bardzo, zapewne to nie ma nic do rzeczy, ale jeśli zechce pani odpowiedzieć... Dlaczego państwo się rozwiedli?

Krystyna zlodowaciała na nowo.

– Z zupełnie prostych przyczyn. Za dużo miałam towarzystwa. Pan Krzewiec raczył obdarzać względami każdą osobę płci żeńskiej, jaka mu w ręce wpadła, a ja nie lubię takiego tłoku. Poza tym nie chciał mieć dzieci. A ja chcę. I będę miała!

Zabrzmiało to tak wyzywająco i buntowniczo, jakby Wólnicki już od progu i od pierwszego słowa przeciwko dzieciom protestował. Czym prędzej wyznał, że nadzwyczajnie lubi dzieci, co nie było zupełnie szczerą prawdą, i że sam, jeśli się ożeni, też koniecznie chce je mieć, co już pod prawdę nieco podchodziło. Lód na Krystynie stopniał.

Bez żadnego oporu wprowadziła komisarza w szczegóły sytuacji finansowej i rodzinnej denata do chwili rozwodu, bo później już jej to nie interesowało. Ostatnie dwa lata znał kto inny, nie ona, zapewne siostra, obdarzona przez eks-bratową mianem wścibskiej megiery, gorszej niż wszystkie teściowe świata, razem wzięte. Zgadzało się to mniej więcej z tym, co komisarz wykrył do tej pory, ruszył zatem wreszcie upragnionych wrogów.

– Myślę, że mógłby pan spokojnie posłużyć się książką telefoniczną – rzekła Krystyna z niesmakiem. – Prawie każdy, z kim miał do czynienia, wychodził na tym jak Zabłocki na mydle. Czarować potrafił świetnie, sama się na to narwałam... Wmówił człowiekowi wszystko, a rezultaty, z uwagi na rodzaj towaru, wychodziły na jaw po roku albo dwóch latach, po zapłaceniu rachunków. Wie pan chyba, czym się zajmował...? Pomijam już różnych mężów, narzeczonych oraz te liczne rozczarowane panie. Nie znam i nie znałam ani jednej osoby, która nie miałaby do niego najzupełniej słusznych pretensji, a mnie, słowo daję, wstyd było przed ludźmi oczami świecić!

W gniewie Krystyna zdecydowanie zyskiwała na urodzie i Wólnickiemu pomyślało się gdzieś na uboczu, że przynajmniej tyle ma z tego, że widok kojący.

– Podejrzewa pani kogoś szczególnie?

– Jak go zabito? – spytała rzeczowo po chwili milczenia.

– Dostał w głowę, a potem został... jak by tu... zadźgany zdewastowanym sekatorem. Cztery ciosy. Wykrwawienie z tętnicy.

– W takim razie wykluczyłabym premedytację. Ktoś w nerwach. Ktoś, kto przyleciał z awanturą. Dziewczyna albo klient. Żaden bandzior dla rabunku, z bandziorem by się dogadał i może nawet zaprzyjaźnił. Ktoś oszukany, wystawiony do wiatru, albo jak mówię, energiczna kobieta. Może bardzo młoda i zrozpaczona, względnie starsza, wściekła, która już w niego zainwestowała.

– Może pani wytypować...?

– Nie. Pojęcia nie mam, co się z nim działo przez ostatnie dwa lata. Z dawniejszych... – zawahała się. – Czy ja wiem... Kilku robiło awantury, nazwisk nie pamiętam, ale po prostu zrywali z nim umowy i niczego już nie chcieli, brali kogoś innego. Te... adoratorki... Nie wiem o żadnej, która by ulokowała w nim uczucia razem z oszczędnościami. Na pana miejscu szukałabym wśród kontaktów z ostatniego roku. Dwukierunkowo.

Wólnicki sam zdążył dojść do identycznego wniosku. Poczuł jednak, że czegoś nie rozumie.

– Zaraz. Moment. Ja się na ogrodnictwie nie znam. Na czym to polegało, że klienci pani męża...

– Byłego – przypomniała Krystyna z potężnym naciskiem.

– Tak, byłego, przepraszam. Byli oszukiwani... Jak oszukiwani?

Znów przez chwilę milczała.

– Ja też się na ogrodnictwie nie znam. Dziwiłam się... Nie miałam pojęcia... No, krótko mówiąc, on im dostarczał... czy ja wiem... sadził chyba...? Rośliny... Nie, źle mówię... No nie, dobrze, nie zwierzęta przecież, więc to chyba wszystko rośliny? Krzaki, drzewa, małe, większe... Cebule, o! Cebule, bulwy, kłącza... Niedobre.

– Jak niedobre? W jakim sensie niedobre?

– Chore. Czymś zarażone. Wyschnięte. O, przypomniał mi się termin: przesuszone. Nie wiem, na czym to polega i nic mnie to nie obchodzi. I podobno źle sadził. Raz słyszałam, że za płytko. I w nieodpowiedniej ziemi. Mówię, że się nie znam, tak mi z awantur wynikło, poza tym to coś, co sadził, okazywało się czymś innym niż klient chciał i zamawiał, sama nie wiem, jak panu wyjaśnić, no, przykładowo, umawia się pan z fachowcem, że panu posadzi czerwoną różę i maliny, a po roku wyrasta panu dzwonek alpejski i karłowata wiśnia. No i co?

Wólnicki, który był policjantem z wyobraźnią, poczuł się zdecydowanie skołowany. Już ujrzał oczyma duszy tę czerwoną różę z malinami, a tu mu nagle zamajaczył dzwonek alpejski, który w dodatku nie wiedział, jak wygląda, a wiśni, tak się składało, nie lubił. Zdenerwowałby się chyba...?

– Chce pan mieć lipę – ciągnęła Krystyna, w której głosie pojawiła się mściwość, pomrukująca zadowoleniem jak kot – a na wiosnę rusza panu miłorząb japoński. Chce pan mieć ostrokrzewy, a on w pana wmówi srebrne świerki. I już pan to ma, przepadło, i bij człowieku głową w ścianę. Takie nagietki pan wyrzuci w cholerę, ale z drzewem trudniej. Z krzewami też, z berberysem, na przykład, on kłuje...

Do reszty go ta była żona ogłuszyła i bujna roślinność przed oczami na moment przebiła obowiązki zawodowe. Otrząsnął się z wielkim wysiłkiem.

– Sądzi pani, że ktoś mógł...?

Krystyna wzruszyła ramionami.

– Nie wiem. Wyjaśniam panu, na czym polegały kanty. Tyle zrozumiałam. W dodatku za te porąbane rośliny starał się brać podwójną cenę, liczył je, jakby były ze złota. Jeśli trafił na idiotę, doił go bez problemów, jeśli ktoś się połapał, nie czepiał się, wycofywał z wdziękiem. Ach, pomyłka, i tyle. Tak to wyglądało, a z dziewczynami bardzo podobnie. Miał naprawdę zdumiewające powodzenie!

– Może o kimś, choćby i sprzed dwóch lat, zdoła pani coś powiedzieć? Podsunąć jakieś nazwisko? Powiedzmy, osoba porzucona może znać swoją następczynię i tak dalej, tym sposobem dałoby się zaktualizować informacje...?

Krystyna poprawiła ręcznik na głowie i w zadumie wpatrzyła się w okno. Po czym skrzywiła się lekko, a rumieniec znikł jej z twarzy.

– Głupio mi – wyznała. – To byłoby chyba rzucanie podejrzeń? Ale... Kiedy braliśmy rozwód... Mam wrażenie, że zrywał wtedy bliskie kontakty z osobą, której zabrakło pieniędzy na urządzanie ogrodu, więc przestała go interesować... Zdaje się, że była uparta i natrętna. Na szczęście nie znam jej nazwiska, imię miała jakieś dziwaczne, Wioletta czy Wilma, coś w tym rodzaju, wydało mi się nawet, że ona się na nim odegra i odczuwałam satysfakcję. Teraz mnie to nic nie obchodzi. Sądzę, że może ją pan znaleźć wśród rachunków, jeśli się zachowały, osoba, z której zdarł najsolidniej. I z pewnością wie o nim więcej niż ja...

Na tym źródło informacji Wólnickiemu wyschło, bo Krystyna rzuciła okiem na zegarek i oświadczyła, że bezwzględnie musi przystąpić do dalszego ciągu zabiegów kosmetycznych. Inaczej wyłysieje i policja będzie jej płaciła odszkodowanie.

Nic z tego wszystkiego nie pasowało do zeznań Elizy Wędzik, ale Wólnicki nie miał czasu na wnikliwe analizy. Teraz na pierwsze miejsce wysunął mu się Szrapnel.

☆ ☆ ☆

Do dentysty mogłam sobie chodzić do upojenia, nawet trzy razy dziennie, ale włamaniu do Krzewca w najmniejszym stopniu to nie pomagało. Front domu w ogóle nie wchodził w rachubę, nawet gmerając prawdziwymi kluczami, Julita i pan Ryszard widoczni byliby jak na patelni i cała ulica mogła ich zapamiętać. Pojechałam tam jednakże na rekonesans, własnym samochodem, bo dentysta w pełni mnie usprawiedliwiał, poświęciłam się do tego stopnia, że nawet weszłam do stomatologa i wyszczerzyłam zęby, ale na szczęście nie byłam umówiona i poważniejsze zabiegi chwilowo odpadały. Mogłam bardzo szybko wyjść.

Wyszłam chętnie. Dojechałam do końca jezdni i jęłam symulować próby parkowania i zawracania tak przeraźliwie nieudolnie, że powinni mi odebrać prawo jazdy. Czyniłam to dostatecznie długo, żeby Witek z Małgosią zdążyli wrócić.

Towarzyszyli mi. Jako przynależni do grona winnych, sami się przy tym uparli. Witek na wszelki wypadek zostawił swój samochód obok stacji benzynowej i dalej pojechali ze mną, ponieważ w stanie otumanienia kompletnego wydawało nam się, że tylko ja mam prawo bywać w tym miejscu bez budzenia podejrzeń. Wysiedli od razu pod domem dentysty i udali się w plener, ja te cholerne zęby szczerzyłam, a oni badali topografię terenu, bo wszyscy mieliśmy nadzieję, że tyły domów okażą się bardziej przydatne niż front.

No i rzeczywiście!

– Żaden problem – zaopiniowała Małgosia, wsiadając po powrocie z oględzin. – Ogródkami można przejść, żywopłociki mają, nic poważnego. Policzyłam budynki, ogrodnik jest ósmy, przed schodkami uschnięte sosenki leżą i stoi parasol plażowy. Zamknięty, ale widać, że żółto-czerwono-niebieski.

Witek wsiadł z drugiej strony.

– A ten parkan zasłania od ulicy – uzupełnił. – Może się tam mordować wzajemnie czterdziestu rozbójników i nikt tego nie zauważy.

– O ile nie będą za głośno krzyczeli – dołożyła Małgosia.

– Obejrzeliście drzwi?

– Zwyczajne. Klucz i tyle. W dodatku oszklone...

– Ale małymi szybkami!

– Nie szkodzi. Rękę wetkniesz, nie? Gwiazdowski da sobie radę. To jak, ściągamy ich?

Mogłam już przestać udawać, że nie umiem wyjechać.

– To od razu, póki wcześnie i wszyscy ludzie w pracy, a dzieci w szkole. Dobrze, że zaczęliśmy o wschodzie słońca. Zaraz, Tadzio potrzebny...

Wetknęłam Witkowi komórkę i kazałam wypukać Tadzia. Był już w domu i nawet zdążył się przespać po nocnym dyżurze, właściwe przyrządy miał przy sobie, zabrał z pracy na wszelki wypadek. Witek poinformował go o sytuacji i umówił za pół godziny pod stacją benzynową. Równocześnie Małgosia ze swojej komórki mobilizowała pana Ryszarda i Julitę.

– Paski są? – spytałam, podjeżdżając pod pompę.

– Jakie paski? – spytał Witek.

– Te od pieczęci policyjnych.

– Są – powiedziała Małgosia.

– Nie wiem – powiedział Witek.

– Są – powtórzyła niecierpliwie Małgosia. – Specjalnie popatrzyłam.

– To trzeba im powiedzieć, żeby jaki nóż wzięli. Scyzoryk, nożyczki...

Niepotrzebnie zajmowaliśmy się wyposażeniem włamywaczy, bo pan Ryszard przytomnie zadbał o wszystko, Julita zaś miała przy sobie nożyczki do manikiuru. Tadzio razem z wytrychami podrzucił na wszelki wypadek specjalny przecinak do sklejki. W baku zmieściło mi się wszystkiego raptem jedenaście litrów.

Rozjechali się wszyscy, każdy w swoją stronę, i do Krzewca udała się wyłącznie para przestępców.

☆ ☆ ☆

Sobiesław Krzewiec, cokolwiek zdenerwowany dziwnymi i niezbyt jasnymi komunikatami od siostry, i tak akurat zmierzający do ojczystego kraju, przyleciał na Okęcie około dziewiątej rano, wypożyczył samochód i do tejże siostry się udał, nie próbując już nawet kontaktu telefonicznego. Trafił na chwilę, kiedy wychodziła z domu.

Podrzucił ją do aktualnego miejsca pracy, po drodze uzyskując rozmaite informacje. Dowiedział się, że jest odrażającym typem, niegodnym czyścić butów swojego brata, że tenże brat nie żyje, że niech nie próbuje nigdzie wyjeżdżać, dopóki wszystko nie zostanie załatwione, że suka i strzyga okropna trzasnęła brata, a siostra nijak nie może jej porządnie opisać, tyle że czarna i czerwona, że może by się wreszcie raz na coś przydał i że bez jego podpisu, względnie ustnej zgody, rodzinny grób będzie niedostępny. Ponadto dom zamknęli, zaplombowali, to gliny takie podłe, i cokolwiek Mireczek posiadał, nawet tego zobaczyć nie można, a świńskie ryje, to znaczy ludzie, szkalują go wszelkimi siłami.

Z tego całego gadania nie wiadomo co bardziej zgniewało Sobiesława, śmierć brata czy zaplombowanie domu, który jakby nie było w jakimś stopniu należał do niego.

– Mam gdzieś ich plomby – powiedział, rozzłoszczony. – Spać mogę byle gdzie, ale moje kasety tam są, negatywy, dyski, mnie to potrzebne, nie zamierzam czekać miesiącami na jakieś postępowanie spadkowe. Muszę wszystko odzyskać, po to w ogóle jechałem, nie będę tracił zleceń! Masz zapasowe klucze?

Z lekkim oporem Gabriela przyznała, że ma.

– Moje zapasowe zabrali, ale twoje leżą. Ten trzeci komplet. Razem z tym od ogrodu.

– Gdzie leżą?

– W kuchni. W szufladzie.

– Daj mi swoje klucze. Wrócę i wezmę, skoro ty nie masz czasu. Jeśli chcesz, twoje mogę ci odwieźć od razu.

Mimo głębokiej urazy i rozgoryczenia Gabriela myślała organizacyjnie.

– U Mireczka nie zamieszkasz, możesz u mnie. Weź od razu i moje zapasowe, te mi oddasz, a zapasowe sobie zostawisz, bo ja nie wiem, kiedy wrócę. I te moje zaraz mi przywieź, niech ja nie czekam w nerwach. Tu wysiadam, o, tu. Do furtki zadzwonisz, sama do ciebie wyjdę.

Nie z miłości do młodszego brata taką gościnność okazała. Decyzję podjęła błyskawicznie, mając go u siebie, zdoła pilnować. Inaczej znowu zniknie jej z oczu, a co od Mireczka weźmie, lepiej wiedzieć. I bez niego ani spraw spadkowych się nie załatwi, ani nawet tego grobu na Bródnie, a grób po pradziadkach, przedwojenny jeszcze, łaska boska że jest, i w dodatku wymurowany. Musi zgodę wyrazić...

Sobiesław o grobach i spadkach na razie nie myślał, załatwił co trzeba, dla świętego spokoju zwrócił siostrze klucze od razu i zajął się swoimi sprawami. Miał u brata materiały, nie tylko dyski, ale także stare negatywy, obecnie mu niezbędne, pamiętał o kilku drobiazgach, niegdyś zaniedbanych, dziś wręcz na wagę złota, bo chociażby, dla przykładu, drugi raz na takie dziwo nie trafi, przyroda nie zrobi mu grzeczności i nie zaprezentuje ponownie układu chmur, jaki nie miał prawa zaistnieć pod tą akurat szerokością geograficzną. Przytrafiło mu się jak ślepej kurze ziarno i teraz okazywało się bezcenne, musiał to znaleźć natychmiast. I nie tylko to.

Śmierć brata rąbnęła go nieźle, chociaż skłóceni już byli od lat. Nie tyle może skłóceni, ile wzajemnie sobie przeciwni, Sobiesław potępiał czyny brata i nie chciał mieć z nim nic wspólnego, Mirosław zaś miał pretensje, że młodszy brat nie aprobuje i nie pomaga, prawie się nie widywali, chociaż do połowy domu Sobiesław miał prawo, dołożył się kiedyś do kosztów. Na szczęście dla siebie rzadko bywał, przeważnie pętał się po świecie. Ale pomiędzy Syberią a Gibraltarem, Rodezją a Grenlandią jakoś Warszawę zawsze miał po drodze i stąd wziął się magazyn u brata.

Z policją postanowił skontaktować się później, najpierw odzyskać to co najważniejsze. Mirkowi żaden pośpiech już życia nie wróci.

Wjechał w znajomą, ciasną uliczkę i zaparkował prawie na końcu, o cztery domy dalej. Po drodze zdążył się zastanowić, że zaplombowanego domu ktoś może strzec, diabli wiedzą jak tam było z tą zbrodnią, Gabriela wygadywała głupoty i na jej gadaniu nie należało się opierać. Znał dom, znał teren, postanowił dokonać swoich nagannych czynów od tyłu, od tej miniatury ogródka.

Wysiadł i przez cudze trawniki bez wahania podążył pod dom brata, zły jak diabli i ponury. Nie musiał liczyć budynków, trafił pod właściwe drzwi, odruchowo stwierdził, że ten cholerny parasol plażowy jak stał od zeszłego roku, tak stoi nadal, po czym popatrzył uważniej. Drzwi jak drzwi, też się nie zmieniły, tyle że widniały na nich paski papieru z jakimś oficjalnym nadrukiem.

Wszystkie były przecięte.

Przez chwilę Sobiesław usiłował sobie przypomnieć, co wie o postępowaniu policji w takich wypadkach. Jeśli z jakiegoś powodu wchodzą do zaplombowanego domu albo mieszkania, zrywają te swoje parszywe paski czy nie? Tak zwyczajnie, szarpnięciem? Czy może przecinają je równiutko i delikatnie, jak tu...?

I w ogóle po co wchodziliby tędy? Dla nich prościej chyba od frontu?

Klucze nie brzęknęły mu w ręku, zawahał się, zanim spróbował je włożyć do zamka, nacisnął klamkę.

Drzwi okazały się otwarte.

Cichutko, bezszelestnie Sobiesław wszedł do środka, wstrzymał oddech i posłuchał. Z góry dobiegały jakieś nikłe dźwięki. Złodzieje...? Korzystają z pustki w domu...? Policyjne plomby mają w odwłoku, to pewne...

Zaniepokoił się, bo jego rzeczy leżały właśnie na górze, i wciąż bezgłośnie jął wchodzić po schodach. Dotarł na podest. Dźwięki było słychać w pokoju gościnnym, za pokojem gościnnym zaś znajdowała się jego własna ciemnia, prywatne, osobiste sanktuarium. Tam ktoś był. Delikatnie popchnął uchylone drzwi, stanął w progu i ujrzał złoczyńcę.

Pochylony nad szafeczką przy tapczanie, gmerał w niej pośpiesznie. Młody, to było widać. Szczupła sylwetka w jakichś dziwnych, zapewne starych, zbyt obfitych, obrzęchanych, niebieskich dżinsach, w grubym, wełnianym, wyraźnie za dużym, brązowawym swetrze, w idiotycznej, zielonej czapeczce na głowie, kretyński zestaw kolorów... Tyle Sobiesław zdążył stwierdzić, złoczyńca wyprostował się, odwrócił, wypuszczając z ust sylabę „pa...", dostrzegł postać w drzwiach i zamarł.

Sobiesław również zamarł, śmiertelnie zaskoczony. Na ułameczek sekundy to „pa" skojarzyło mu się z pożegnaniem, złodziej na widok właściciela kradzionych przedmiotów beztrosko mówi „pa, pa, do widzenia", powinien może jeszcze rączką pomachać, usuwając z pola widzenia głupiego natręta... Skojarzenie znikło, zaskoczenie zostało.

☆ ☆ ☆

Julita i pan Ryszard udali się na miejsce przestępstwa dwoma samochodami, każde z nich swoim, tak na wszelki wypadek, bo nie mieli czasu uzgadniać szczegółów. Zaparkowali tylko w różnych punktach, w pewnej odległości od domu ofiary i dalej poszli piechotą. Bez trudu odnaleźli stary parasol plażowy i drzwi z paskami.

Klucze od Tadzia, bardziej zasługujące na miano wytrychów niż kluczy, okazały się znakomite, zamki w drzwiach nie stawiły żadnego oporu. Paski przecięła Julita, zgodnie ze swoim charakterem równiutko i czyściutko. Bez przeszkód weszli do środka.

Nikt tam specjalnie nie starał się sprzątać, miejsce zbrodni zatem woleli omijać wzrokiem, patrząc raczej ku górze. Metodyczne przeszukanie kuchni, szaf w przedpokoju, salonu i gabinetu nie dało pożądanych rezultatów, zapalniczki nigdzie nie było. Spenetrowali maleńką piwniczkę prawie pozbawioną zakamarków, też bez skutku. W końcu weszli na górę.

Sypialnię pana domu łatwo było rozpoznać. Także garderobę, łazienkę i jeszcze jeden pokój, robiący wrażenie zapasowego. Niewątpliwie gościnny. Wszędzie stały jakieś meble, szafki, regały, komódki, półki na książki, książek w ogóle w całym domu było dość dużo, nie brakowało także wazonów, doniczek z kwiatami, ozdobnych pudełek i szkatułek, dwa barki, jeden na dole, a drugi na górze, zawierały w sobie liczne napoje. Julita i pan Ryszard, racjonalnie podzieliwszy przestrzeń pomiędzy siebie, zaglądali wszędzie tam, gdzie cholerna zapalniczka mogłaby się zmieścić. Pokój gościnny został im na koniec.

– Tu są jakieś drzwi – oznajmił pan Ryszard, popukując w wytapetowaną ścianę. – Kawałek poddasza chyba wykorzystali. Zajrzę tam, a pani tutaj...

Drzwi do kawałka poddasza okazały się zamknięte, co wydawało się o tyle dziwne, że policja powinna była wszak przeszukać cały dom zbrodni. Widocznie jednak nie wydawało im się to niezbędne, bo te zamknięte drzwi zostawili w spokoju. Sprawca czynu z pewnością tam nie siedział.

Pan Ryszard pomęczył się chwilę przy dwóch zamkach, po czym owe drzwi otworzył.

– Ciemnia fotograficzna – zaraportował tuż za progiem. – Gdzie on tu, palant, ma normalne światło...?

Julita zostawiła mu ciemnię i zmartwiona i zdenerwowana jęła grzebać w umeblowaniu ostatniej nadziei. Szafka na odzież, półki, wieszaki, szufladka... nic. Nic, jeśli nie liczyć jakichś resztek, paski damskie i męskie, wiszące na drzwiczkach, na sznurku, który się właśnie urwał i wyleciał jej z palców, paski zjechały na podłogę, pobrzękując klamerkami. Klosz od lampy luzem, Julita zajrzała do niego i na nogi posypały jej się jakieś małe, lekkie, suche bryłki, jakby pestki brzoskwiń albo zaschnięte na kamień wiśnie. Albo kawałki kory. Klosz był ich pełen.

Rozczarowana, zajrzała do ostatniej szafki, małej, niskiej, przy kanapie. Gliniany garnek, pusty i wyszczerbiony. Popielniczka. Ranne kapcie bez pięt, chyba męskie, bo duże. Mechaty pasek od szlafroka. Dwa pudełka zapałek, pół świecy, kalendarzyk kieszonkowy, nawet nie spojrzała, z którego roku, bo zapalniczki z pewnością w sobie nie mieścił. Zwinięta w kłębek damska halka z czarnej koronki. Nic poza tym. Kanapa. Zaraz, kanapa...

Pod kanapą i za kanapą było pusto, jeśli nie liczyć wielkiej, zdechłej muchy, ale Julicie przyszło na myśl, że może ta kanapa jest otwierana. Zawiera w sobie pościel, w pościeli można schować dowolny przedmiot. Trzeba ją otworzyć, pan Ryszard jej pomoże.

Wyprostowała się szybko ze słowami „panie Ryszardzie, czy może mi pan pomóc?" na ustach, ale z całego zdania pozostało jej tylko to „pa", a i to wybiegło z rozpędu. Reszta zamarła.

W drzwiach pokoju stał nieboszczyk. Zamordowany, prawie w jej oczach, pan Mirek. Julicie odebrało głos i wszelkie inne zdolności.

Nieboszczyk poruszył się pierwszy, uczynił krok do wnętrza. Padło na niego jaśniejsze światło i uwidoczniło pomyłkę, to nie był pan Mirek, tylko ktoś bardzo do niego podobny, ale Julita nie zdążyła tego zarejestrować. To znaczy oko jej i umysł owszem, ale reszta fizjologii pozostała spóźniona.

Pan Ryszard właśnie stwierdził, że oświetlenia ciemni nie może znaleźć, i zdecydował się poprosić Julitę o zapalniczkę, sam nie miał, bo nie palił. „Pa" nie usłyszał. Wyszedł z tapetowanych drzwi dokładnie w momencie, kiedy Julita zachłysnęła się, postąpiła gwałtownie krok do tyłu i z całej siły wlazła mu obcasem stępora na nogę.

Rozdzierający okrzyk pana Ryszarda zagłuszył inne dźwięki i w mgnieniu oka nastąpiło okropne zamieszanie. Mimo iż uczestniczyły w nim tylko trzy osoby, przypominało coś w rodzaju wybuchu, potężne uczucia zawarczały w powietrzu, gniew i oburzenie

Sobiesława, zaciętość, przydusić złodziei, śmiertelne przerażenie Julity, wymieszane z natychmiastową ulgą, że to jednak nie trup, i eksplozją paniki, że może gliniarz, ale dlaczego taki podobny do trupa, skomplikowane doznania pana Ryszarda, wzbogacone dolegliwością czysto fizyczną, do tego pełna sprzeczność zamiarów, poglądów i chęci. Uciekać błyskawicznie, tu przeszkoda w postaci przydeptanej nogi, pan Ryszard uciekać mógłby tylko w podskokach, zatrzymać, strzelić w ryja, odebrać łupy, schować się, wyjaśnić, załatwić polubownie, poddać się, przeciwnie, walczyć! Każda z trzech osób dysponowała ogromem emocji wystarczającym dla osób dziesięciu i wszystko to razem zderzyło się ze sobą.

Nikt jednakże nie znajdował się w tym domu legalnie i dodatkowo zadziałał odruch, dla wszystkich ten sam. Można powiedzieć, ziarenko zgody. Nasionko porozumienia.

Oba przyrodnicze elementy wykiełkowały ekspresowo.

Bezwiednie wszyscy ściszyli głos, dzięki czemu jeszcze przez długą chwilę trudno im było wzajemnie się zrozumieć. W odbieraniu łupu Sobiesław napotkał trudność nieprzezwyciężoną, mianowicie żadnego łupu złodzieje nie mieli. Gorzej, chłopak w dżinsach okazał się piękną dziewczyną, zaś od walnięcia dziewczyny ręka by mu uschła. Tego drugiego, owszem, mógłby, facet solidnej postury, ale chyba poszkodowany, z bolesnym wyrazem twarzy trzyma się za stopę, nie kopie się leżącego!

Julita, mimo wybuchu paniki, połapała się w sytuacji, trudno jej było tylko ubrać myśl w słowa. W szeptanej awanturze na plan pierwszy wybiło się gorączkowe zdanie:

– To ten brat, panie Ryszardzie, to ten brat! Jezus Mario, co robić, to ten brat! Mówię panu, to ten brat! Jestem pewna, to brat!

W tle brata, niejako w charakterze podkładu muzycznego, brzmiały wypowiedzi przeplatające się wzajemnie:

– Hieny cmentarne, cicho, nic nie mówmy, wszystko jest przeciwko nam, niech mnie gliny łapią, a nie popuszczę, ani słowa, nawiewać, o Boże, przepraszam pana, czego tu, moja własność, co pani mówi, żywego okradacie, dokumenty niech pokaże, jazda, dowody pokazywać, skoro brat, to ja nie wiem...

Między słowami zrozumiałymi plątały się wymamrotane i wysyczane fragmenty niezrozumiałe, ale nimi już nikt się nie przejmował. Komunikat o bracie górował nad resztą i wreszcie wygrał batalię.

– O co chodzi z tym bratem?! – wysyczał gniewnie Sobiesław. – Zgadza się, podobno mój brat tu został zabity, to jego dom!

– Pan tu jest nielegalnie – stwierdził surowo pan Ryszard i wreszcie puścił swoją nogę. – My też, nie ma co ukrywać. Rzeczywiście jest pan bratem ofiary?

– Rzeczywiście jestem. Sobiesław Krzewiec, fotografik, do usług...

– Julita Bitte, wydawca – powiedziała odruchowo dziko zdenerwowana i dobrze wychowana Julita.

– Ryszard Gwiazdowski, przedsiębiorca budowlany...

Burza z piorunami przeistoczyła się nagle w wersalskie przyjęcie. Sobiesław poczuł, że coś tu nie tyle nie gra, ile gra inaczej.

– Jak na złodziejską szajkę, zawody mamy nietypowe – wyrwało mu się mimo woli.

– W roli złodziejskiej szajki to jest nasz pierwszy występ – wyjaśnił ze smętnym westchnieniem pan Ryszard. – Chyba nie bardzo udany. Nie wiem, jak pan...?

Sobiesław też westchnął.

– Ostatnie, co ukradłem, to były kartofle z cudzego pola, do pieczenia. Miałem wtedy dwanaście lat. Poza tym nie przyszedłem okradać brata pośmiertnie, tu leżą moje rzeczy i muszę je zabrać. Nie żadne koszule i skarpetki, tylko materiały fotograficzne. Tam są – uczynił gest w kierunku tapetowanych drzwi. – A przynajmniej mam nadzieję, że są...?

Pan Ryszard odsunął mu się z drogi.

– Nie wiem, nie umiałem tam zapalić światła. Tylko taka mała, czerwona żaróweczka się zaświeciła. Jeśli czegoś panu brakuje, z góry uprzedzam, że to nie my, pani Julita nawet tam nie weszła.

Praca dla Sobiesława była najważniejsza, zlecenia miał podpisane, nie mógł czekać na zezwolenia oficjalne. Machnął ręką i wszedł do ciemni.

– Tu się zapala, o! – powiedział, bezwiednie niwecząc tym w nielegalnych gościach chęć natychmiastowej ucieczki. – Specjalnie mam ten kontakt ukryty, żeby mi nikt nie wlazł i znienacka nie zaświecił. To jeszcze z dawnych czasów, kiedy przeważnie tu pracowałem na światłoczułych kliszach.

Julita i pan Ryszard milczeli, przytłoczeni niepewnością. Sobiesławowi nagle przyszło coś do głowy i obejrzał się na nich.

– Uprzejmie proszę, żeby państwo patrzyli mi na ręce. Swoje biorę i niech każdy widzi, co. Żeby w razie czego nie było kretyńskich podejrzeń.

Wytrącony z równowagi znacznie bardziej niż sądził, przystąpił do pakowania swojego dobytku, dość dużo tego było, nie tylko dyski, negatywy i odbitki, ale także stary sprzęt, powiększalnik, kuwety, filtry, nie wszystko oczywiście, wyłącznie rzeczy najważniejsze, ale i tak trwało to dostatecznie długo, żeby dwoje złoczyńców zdążyło oprzytomnieć.

Własnego celu nie osiągnęli, cholernej zapalniczki nie znaleźli, a za to ujawnili się przed członkiem rodziny nieboszczyka pana Mirka. Nic gorszego! No, może jeszcze policja, ale kto powiedział, że członek rodziny nie poleci do policji natychmiast? Powiedzieć mu zatem całą prawdę czy przeciwnie, zełgać coś artystycznie, zełgać byłoby bezpieczniej, tylko co...?!

Rzuciwszy niepewnym wzrokiem na Julitę, pan Ryszard z całego serca pożałował jej przebrania. Zamiast powypychanych dżinsów, swetra potwora, idiotycznej czapeczki i obuwia gatunku stępory... szczególnie obuwie napełniło go silnym rozgoryczeniem... powinna mieć na sobie twarzowy strój, dopasowany do figury, nie kryjący tak starannie urody. Piękna dziewczyna z każdym facetem wszystko załatwi i wszelkie trudności przełamie, a jakże pod tym okropnym nabojem on ma odgadnąć piękną dziewczynę? Klęska na całej linii, niech to jasny szlag trafi.

Julicie ten niezbyt długi czas wystarczył, żeby doznać licznych przeżyć wewnętrznych, licznych zmian uczuciowych i dokonać mnóstwa przemyśleń.

Rzecz jasna, przyznać się do nich znacznie później, w tym momencie jednak wyglądały one mniej więcej następująco:

Jaki podobny do brata... ale chyba przystojniejszy...? Mniej diaboliczny, no i co z tego, jeśli i charakter ma podobny, w żadnym wypadku nie należy mówić mu prawdy, wykorzysta ją przeciwko wszystkim...! I wcale nie wszedł nielegalnie, paski już były przecięte!

Może udawać, że myślał, że już można i tak dalej...! Poleci z donosem...! Uwieść go jakoś, oczarować, poderwać...? Ale przecież cudzą zapalniczkę ukradli, no to mu zwrócą, Jezus Mario, nie można decydować bez Joanny...!

Rzuciła okiem na pana Ryszarda. Spojrzenia im się skrzyżowały, ruszyli ku drzwiom...

Za późno. Sobiesław z pudłem w rękach już wyszedł z ciemni.

Przez chwilę trwały bezruch i milczenie.

– No tak – rzekł z gniewnym rozgoryczeniem. – I pomyśleć, że ja wam, jak idiota, uwierzyłem...

Tego było stanowczo za wiele, honor kwiknął, uczciwość pisnęła oburzeniem i w ostatecznym rezultacie wszyscy razem, obarczeni kilkoma pudłami, zgromadzili się przy samochodzie Sobiesława, stojącym najbliżej. Pan Ryszard pomógł mu w transporcie i upchnięciu mienia w bagażniku.

Po czym bardzo spokojnie, acz nieco smętnie, obydwoje razem powiadomili go, że niczego więcej nie wyjaśnią bez najważniejszej osoby. Sprawa, ogólnie biorąc, jest wściekle skomplikowana i upiornie głupia, najważniejsza osoba stanowi jej źródło i zasadniczą przyczynę, aczkolwiek sama w sobie nie zawiniła kompletnie niczemu, przeciwnie, została pokrzywdzona. Do tej najważniejszej osoby muszą jechać od razu. Mogą jechać razem albo oddzielnie, jak sobie pan Krzewiec życzy, chyba że wcale sobie nie życzy i woli lecieć do glin, powodując jeszcze większe zamieszanie. Więc proszę bardzo...

Nie mając najmniejszego pojęcia, o co tu właściwie chodzi i kim może być najważniejsza osoba, Sobiesław na wszelki wypadek zdecydował się jechać do niej oddzielnie, swoim samochodem. Możliwe, że podjąłby odmienną decyzję, gdyby nie gwałtowne zainteresowanie przebraną za głupkowatego chłopaka dziewczyną, której jakoś, nie wiadomo dlaczego, nie chciał tracić z oczu. Policja nie zając, nie ucieknie.

Wyraził zgodę na wizytę u najważniejszej osoby. Wsiedli, każdy do siebie, i pojechali.

☆ ☆ ☆

W drodze powrotnej z tej cholernej ulicy Pąchockiej, zostawiwszy grupę przestępczą na miejscu wykroczenia, czym prędzej, jeszcze z samochodu, wykorzystując czerwone światło, zadzwoniłam do komisarza Wólnickiego i nakłamałam strasznie.

– Dopiero po pańskim wyjściu myśmy sobie skojarzyli, a możliwe, że to dla pana ważne, Marta, ta od koni, o niczym pojęcia nie miała i nic jej do głowy nie przyszło, a tam była awantura ogrodnicza. Przez tę awanturę był korek. Coś mi tu śmierdzi, zabity został przecież ogrodnik, nie? I węszę jakieś kanty, chyba powinien pan o tym wiedzieć, może od razu do pana przyjedziemy, Marta i ja. I byłoby dobrze, gdyby i ten pański sierżant słuchał, bo zdaje się, że on ma w tym jakieś rozeznanie...

– Zaraz – przerwał mi komisarz. – Pani jest w domu?

– W domu – zełgałam i właśnie zmieniło się światło, dzięki czemu zabrakło mi ręki. Zdołałam wrzucić dwójkę na zasadzie sięgania lewą ręką do prawego ucha.

– To ja zaraz do pani przyjadę, bo jestem w pobliżu. Ta Marta od koni też jest?

– Też – zełgałam silniej i od razu zostałam ukarana, bo natychmiast musiałam łapać Martę. Zabrakło mi nie tylko trzeciej ręki, ale także trzeciego oka. Wykorzystałam rozklekotaną ciężarówkę i starannie udając, że nie umiem jej wyprzedzić, wypukałam Martę na komórce.

– Natychmiast do mnie przyjeżdżaj, ten gliniarz za chwilę będzie!

Marta właśnie wybierała się na wykład, jeszcze nie odjechała spod domu, miała do mnie blisko. Nawet dość chętnie zrezygnowała z uczelni. Odczepiłam się od ciężarówki, przydusiłam trochę, zdążyłam do domu pierwsza, Marta w chwilę po mnie, ledwo udało mi się zamknąć garaż i zmienić obuwie, pojawił się komisarz. Z sierżantem na szczęście. Miałam wielką nadzieję, że uda nam się zająć ich przez dostatecznie długi czas, żeby Julita z panem Ryszardem zdążyli przeszukać dom ogrodnika i opuścić bez przeszkód miejsce zbrodni.

Zaczęłam, rzecz jasna, od kawy, herbaty i rozmaitych innych objawów gościnności, ale w końcu należało przystąpić do zeznań.

Na pierwszy ogień poszła Marta. Przełamując swoje upodobanie do milczenia, możliwie rozwlekle i szczegółowo opisała wydarzenia na drodze, skwapliwie wyjawiając nazwiska wszystkich obecnych tam znajomych i dokładając pełnię wiedzy o związku końskiej mierzwy z pieczarkami. Przy mierzwie komisarz się załamał i stracił cierpliwość.

– Tak, rozumiem, pieczarki to może akurat w grę nie wchodzą, ale czy tam, na tej szosie, była mowa o denacie? Miał coś wspólnego z całym zamieszaniem?

– Tam nie – odparła Marta przytomnie, przerzucając teraz ciężar konwersacji na mnie. – To znaczy nie wiem, ale była mowa o zarazie, pasożycie czy grzybicy, w odniesieniu do roślin, i jak o tym powiedziałam, ciocia skojarzyła...

Jej gest był wymowny, już się zdążyłam nastawić na ciąg dalszy. Postanowiłam donosić dyplomatycznie. Komisarz nawet nie miał kiedy zadać mi pytania.

– Otóż sam pan był świadkiem, o czym pan nawet nie wie. W czasie pierwszej wizyty panów miałam telefon i jakiś facet spytał mnie o sadzonki bzu z czerwonym paskiem pod gałązkami. Pojęcia nie mam, kto to był, nie przedstawił się, ale z bzem od pana Krzewca u mnie samej były straszne kłopoty...

Jeszcze bardziej szczegółowo i rozwlekle niż Marta, zdaje się, że po raz trzeci, opisałam moje bzowe perypetie, co przyszło mi o tyle łatwo, że istotnie przez ten bez cholera mnie brała i moje emocje szalały. Po czym, tu właśnie dyplomacja miała wkroczyć w szranki, napomknęłam o sklepie ogrodniczym, podobno siedzibie pana Krzewca...

Z miejsca odgadłam, że komisarz już tam był i z ogrodniczką rozmawiał. Słowem o tym nie napomknął i cierpliwie słuchał całego mojego gadania, ale najwidoczniej służby specjalne go nie szkoliły i błysku w oku pohamować nie zdołał. Twarz nic, kamienna, oko jednakże go zdradziło.

Głowę mogłam na pniu położyć, że wyrolowana facetka połowy prawdy mu nie wyjawiła, a może nawet poprzestała na jednej czwartej. Nie z uwagi na honor nieboszczyka, bo skoro zszedł z tego świata, na honorze już mu nie musiało zależeć, ale ze względu na własną twarz. Któraż kobieta tak chętnie się przyznaje, że pozwoliła z siebie zrobić zakochaną idiotkę...?

Zwykła damska solidarność zmusiła mnie do wykręcania kota ogonem, jeśli nie całkiem, to chociaż troszeczkę. Jak w kaczy kuper waliłam w jej trudności terytorialne, w ograniczoną przestrzeń, w przeprowadzkę ogrodnictwa z jednego miejsca w drugie, w punkt kontaktowy, bo w końcu pan Krzewiec jakąś lokalizację musiał posiadać, chociaż rzadko tam bywał, no i w ostateczne rezultaty. Skąd brał do pioruna to coś, co ludziom proponował, nie od tej ogrodniczki przecież, co za rzęchy wybrakowane sadził, zarażony bez z czerwonymi paskami, iglaste z przesuszonymi korzeniami, zdychające krzewy, z trudem odratowane, cebulki z odpadów. Z odpadów, do diabła, ja akurat przypadkiem wiem, jak powinny wyglądać tulipany!

Komisarz tylko słuchał, sierżant okazywał pełne zrozumienie. Przerzuciłam się na rachunki, poświęcając się i ujawniając własne zidiocenie, trudno, niech już robię za rozwścieczoną kretynkę, skoro alibi mam nieskalane. Gdybym była na miejscu, z całą pewnością stałabym na czele podejrzanych, zabójstwo w afekcie, gwarantowane! Chociaż nie, może jednak zajmowałabym odrobinę dalszą pozycję z uwagi na porę roku, nie czas obecnie na rozkwitanie bzu i tulipanów.

No, a połapałam się w kantach pana Mirka jeszcze przed wyjazdem, na początku lata, odmówiłam zapłacenia ostatniego rachunku, przez zemstę to on mnie powinien zabić, a nie ja jego.

Zużycie mnóstwa czasu przyszło mi z łatwością, możliwe, że komisarz chwilami chciał mi przerwać, ale równie dobrze mógłby powstrzymać górską lawinę, względnie wybuch czynnego wulkanu. Bez żadnego łgarstwa i całkiem uczciwie szlag mnie trafił i stres bezwzględnie musiałam z siebie wyrzucić.

– I sądzi pani – rzekł podejrzliwie, kiedy mnie wreszcie zatchnęło – że istniały inne osoby, tak samo potraktowane jak pani i równie zdenerwowane?

Opamiętałam się.

– Czy równie zdenerwowane, nie dam głowy, ja mam emocjonalny stosunek do wszystkiego. Ale oszukane mogły się przytrafić. Przy czym... wie pan, chyba nawet panu współczuję... bo tu na dwoje babka wróżyła. Namiętność ogrodnicza i namiętność ludzka, pan Krzewiec budził wielkie uczucia. Nie, nie, nie we mnie, on niewiele starszy od moich synów, do kazirodztwa nie mam skłonności, ale przecież widzę, co się dookoła mnie dzieje. Dokładnie taki sam skutek mogło mieć oszukanie dziewczyny, jak oszukanie maniaka ogrodniczego w starszym wieku, dziewczyny na tle uczuciowym, maniaka na tle, na przykład, berberysu. Wiek i płeć może pan sobie wymieniać dowolnie. Ulgę sprawia mi myśl, że nie znajduję się na pańskim miejscu.

I w tym momencie zadzwoniły mi dwie komórki równocześnie.

– Przepraszam – powiedziałam. – Niech pan to wszystko przemyśli, ja nie odmawiam odpowiedzi na żadne pytania.

Po czym na jednym ekraniku ujrzałam napisik, wskazujący, że to Julita, a na drugim, że pan Ryszard. Rany boskie, dzwonią obydwoje w tej samej chwili, coś się musiało stać...!

Na wszelki wypadek wolałam przejść gdziekolwiek dalej. Wybrałam pracownię, bo tam mogłam udawać, że rozmawiam służbowo. Obie komórki przyłożyłam do uszu.

– No? Co...?

– Tam był – powiedziała zdławionym głosem Julita – i zastał nas tam brat pana Mirka. Fotografik. I zabrał... swoje służbowe... zawodowe... potrzebne rzeczy... I nie wiemy...

– Pani Joanno, mały kłopot – rzekł mi w drugie ucho pan Ryszard. – Ten brat się zjawił i posądził nas o kradzież...

Nie czekałam na dalszy ciąg.

– Cicho bądźcie! Gliny są u mnie. Ale już kończymy konferencję. Przyjeżdżajcie natychmiast, naradzimy się, w ostateczności oddam mu tę cholerną, pomyloną zapalniczkę, bo to właśnie ona jest naszym gwoździem do trumny. Tylko popatrzcie z daleka, czy gliny odjechały!

Julita cichutko jęknęła, pan Ryszard wyłączył się bez słowa. Wróciłam do salonu z niemiłą świadomością, że znów coś przed komisarzem ukrywam, tym razem pojawienie się brata. Diabli nadali, akurat kiedy wszyscy jesteśmy niewinni, jak te lilijki białe, w zeznaniach musimy kręcić i robić glinom koło pióra. A właściwie dlaczego musimy...? A, bo w taką idiotyczną prawdę żaden policjant nie uwierzy...

Komisarz przyduszał pytaniami Martę. Spojrzał na mnie, już otwierał usta i znów zadzwoniła moja komórka. Spojrzałam na ekranik, Małgosia.

– Jest tam Marta? – spytała, zanim zdążyłam się odezwać.

– Jest.

– To my zaraz przyjedziemy.

Wyłączyła się. Komisarz patrzył na mnie jakoś dziwnie, ponownie otworzył usta i nagle zrezygnował z dalszego ciągu. Przysięgłabym, że tknęła go jakaś odkrywcza myśl, zerwał się, nie próbując nawet ukryć pośpiechu, oznajmił, że jeszcze tu wrócą i w minutę później już ich nie było.

Marta spojrzała kolejno na trzy zegarki, które miała w polu widzenia, jeden duży i dwa małe.

– Na drugi wykład już i tak nie zdążę. Mogę zostać chwilę? Tu superszoł się rozgrywa, ciekawa jestem, co teraz będzie.

– Twoi rodzice będą – powiadomiłam ją i zadzwoniłam do pana Ryszarda. – Już ich nie ma, odjechali, możecie docisnąć. Gdzie jesteście?

– Za dziesięć minut będziemy, tu korek...

Poczułam się trochę jak dworzec kolejowy, rozkład jazdy mi się gmatwał. Na wszelki wypadek kluczem otworzyłam furtkę, którą sierżant niepotrzebnie zatrzasnął. Przezornie popatrzyłam w obie strony, czy komisarz przypadkiem złośliwie nie wraca, Marta przez ten krótki czas zdążyła sprzątnąć ze stołu objawy mojej gościnności. Dolałam wody do czajnika, pstryknęłam.

Małgosia z Witkiem pojawili się po czterech minutach, teoretycznie zostało sześć na udzielanie informacji, w praktyce wyszło tylko cztery i pół. Wieści udzieliłam w szalonym streszczeniu.

– Jeśli ma charakter po nieboszczyku braciszku... – zaczął złowieszczo Witek.

– Trzeba z nim pogadać jakoś bardzo dyplomatycznie – stwierdziła stanowczo zaniepokojona Małgosia.

– Pewnie, że trzeba dyplomatycznie. Rozgryźć faceta...

Przed ogrodzeniem zatrzymały się jeszcze trzy samochody.

Przez ułamek sekundy byłam przekonana, że do mojego domu wchodzi ogrodnik, świętej pamięci pan Mirek, nieboszczyk. Sylwetka, ruchy, karnacja, też ciemny, może oni się pomylili, Julita i pan Ryszard, to nie jego zwłoki tam leżały...? Ale nie, już w połowie dziedzińczyka ujawniło się coś innego, wyraz twarzy...? Coś ze środka...?

Brat nieboszczyka wszedł, przywitał się grzecznie, przedstawił i patrzył pytająco. Pan Ryszard i Julita wchodzili tuż za nim, żadne z nich nie zdążyło się odezwać.

Świadoma powagi sytuacji tym razem naprawdę zamierzałam stanąć na wysokości zadania, wspiąć się na dyplomatyczne wyżyny, ocenić faceta i podstępnie, wyjawiając niektóre tajemnice, zataić niebezpieczną dla nas prawdę. Wplątać go jakoś w tę całą aferę bez szkody dla zdrowia. Grzecznie i przyjacielsko. Taktownie...

No i wyskoczyła ze mnie dyplomacja klasy szczytowej.

– Czy pan jest przyzwoitym człowiekiem, czy też może również oszustem? – spytałam wdzięcznie i nader taktownie od razu w przedpokoju.

Zdaje się, że na wszystkich uczyniłam wrażenie piorunujące. O, wielkie mecyje, co prawda wbrew zamiarom, ale nie pierwszy raz w życiu przecież!

Brat pana Mirka tępakiem nie był, to pewne, żachnął się lekko, sens pytania jednakże złapał w mgnieniu oka i wcale nie udawał, że nie.

– Możliwe, że okażę się skończoną świnią – powiedział gniewnie, wciąż jeszcze w tym przedpokoju – ale to żadna przyjemność, garb rodzinny na sobie nosić. Własnego brata szkalować, i to pośmiertnie, też obrzydliwe. Co z tego, że od piętnastu lat próbuję się odciąć, za wyrodka jestem uważany, uciekam od tego. Wśród obcych ludzi, z daleka, a, to owszem, znają tylko mnie i uważają za człowieka jako tako uczciwego, ale tu proszę, jednak na mnie spadło. I co ja mam zrobić? Nie chcę odpowiadać za mojego brata! I co, pytam, mam zrobić? Udawać idiotę?

Musiało w nim nieźle bulgotać, skoro mu się z miejsca tak ulało. Jeśli o kantach pana Mirka wiedział i zniesmaczały go całe życie, jak miał dać temu wyraz? Szczerość przemówienia biła w oczy, rzeczywiście miał problem.

Coś z tym fantem należało zrobić.

– Nie, idiotę nie – zapewniłam go ze skruchą. – To ja przesadziłam, bardzo przepraszam, wyrwało mi się. Chciałam tak od razu... no, może za szybko...

Brat pana Mirka opanował doznania.

– Nie wiem, kim państwo są i dlaczego musiałem tu przyjechać, spotkaliśmy się w okolicznościach dosyć dziwnych... – rzucił okiem na Julitę, na pana Ryszarda nie mógł, bo miał go za plecami, więc na Julicie poprzestał – o śmierci brata tyle wiem, że podobno został zamordowany przez jakąś dziewczynę. Tak twierdzi moja siostra, z policją jeszcze nie rozmawiałem.

Znów patrzył na nas pytająco. Zawahałam się, jak rzadko kiedy. Czym prędzej spróbowałam wyobrazić sobie siebie na jego miejscu, obce osoby, obecne na miejscu zbrodni, wmawiają we mnie jakieś brednie... Wyobraźnia usłużnie ruszyła, zgadza się, właśnie tak, gdyby mi wszystko uczciwie powiedzieli, uwierzyłabym, gdyby usiłowali kręcić, wypierać się, coś ukrywać, prychnęli jakąś obłudą... A w życiu nie! No tak, ale ja pod tym względem zawsze byłam rekordowo głupia...

– Panie Ryszardzie, co pan na to? – spytałam niepewnie, nie precyzując, co na co.

Pan Ryszard jednakże odgadł.

– Ja się czuję na siłach wybronić – rzekł mężnie. – Mam na myśli, że w razie czego. Pani Julita chyba też? Ryzyk-fizyk, powiedziałbym prawdę.

– No to usiądźmy gdziekolwiek...

– W salonie – podsunęła Małgosia zachęcająco. – Z widokiem na koty. Koty działają zdrowotnie.

W salonie siedziała samotna Marta, bo Małgosia i Witek również znaleźli się w przedpokoju, gdzie zrobiło się trochę ciasno. Po chwili przy salonowym stole też zrobiło się ciasno. Jedyną nadzieję ulżenia atmosferze stwarzały koty, obecne na tarasiku za oknem.

Różnił się ten Sobiesław od Mirosława. Pan Mirek już by brylował, już by się starał robić dobre wrażenie, już by udawał, że świetnie się czuje i chce koniecznie uszczęśliwić wszystkich i podobać się każdemu. Już by ukomplementował co najmniej Martę i Julitę, a możliwe, że nawet mnie, nie wspominając o Małgosi. Sobiesław milczał i czekał w cierpliwym skupieniu.

Poszłam do pracowni, przyniosłam cholerną zapalniczkę i postawiłam na stole, od czego wszyscy nieco zdrętwieli.

– To jest kość zgryzoty, źródło zarazy, przyczyna kretyństwa i robak w naszym wspólnym ciele – oznajmiłam uroczyście. – Przedmiot bezwiednej kradzieży. Gliny o nim nie wiedzą.

Sobiesław patrzył na wspólnego robaka bez żadnego widocznego wrażenia.

– Byłbym szczęśliwy, gdyby udało mi się cokolwiek zrozumieć – wyznał jakoś dziwnie beznadziejnie.

– Ciotka, opamiętaj się – powiedziała Małgosia. – Pan nas ma za wariatów.

– I wcale mu się nie dziwię – mruknął Witek znad salonowego bufetu.

– Początek afery – uparłam się. – Uważam, że należy zacząć od początku, bo od końca się nie da. Na końcu robimy za złoczyńców, a na początku za pokrzywdzonych. To znaczy, za pokrzywdzoną ja, a wy jak sobie chcecie.

Zostałam grzecznie poproszona o zamknięcie gęby i zapewne słusznie. Ciężar pierwszych wyjaśnień wzięła na siebie Małgosia, później wtrąciła się Julita, następnie pan Ryszard. Kiedy dopuszczono mnie do głosu, Sobiesław patrzył już zupełnie inaczej i słuchał z żywym zainteresowaniem, podszytym lekką zgrozą. Wziął do ręki zapalniczkę i obejrzał ją ze wszystkich stron.

– Więc to państwo go znaleźli... – popatrzył na Julitę. – Siostra opisywała panią chyba jakoś inaczej... I rzeczywiście, rozumiem, wmieszali się państwo w zbrodnię wyłącznie przez ten przedmiot...

– I w dodatku to wcale nie jest ten przedmiot, tylko inny – przypomniałam z irytacją. – Skąd to się w ogóle wzięło u pańskiego brata? To nie jest rzecz na każdym kroku spotykana.

– Nie mam pojęcia. Stało chyba na regale już od ładnych paru lat, sześciu albo ośmiu, wpadło mi w oko, jak się Mirek domem chwalił, pokazywał, co i gdzie urządził. Zły byłem wtedy, nie chciałem patrzeć, więc ledwo zauważyłem, ale wiem, że stało. Kupił może...?

Zaprotestowałam energicznie.

– Mowy nie ma. Żaden z was, ani pan, ani pański brat, za młodzi jesteście obaj. Doskonale pamiętam, ze trzydzieści lat temu, ja też wtedy byłam młoda, sprzedawali to w Illum, w Kopenhadze. Sprzedawali...! Za duże słowo, raz sprzedali i cześć, w Illum miewali wyłącznie przedmioty artystyczne, po parę egzemplarzy, a niekiedy tylko po jednym, na przykład meble Jacobsena, to najdroższy sklep w całej Danii. Moda na stołowe zapalniczki panowała wtedy dość krótko, a takiej jak ta nie widziałam nigdzie.

– Może dostał od kogoś w prezencie...?

– To możliwe. W końcu ja też swoją dostałam w prezencie.

Sobiesław obracał w dłoniach zapalniczkę, a reszta towarzystwa wpatrywała się w niego jak sroka w gnat. Spróbował ją zapalić, bez rezultatu, odstawił wreszcie na stół.

– Nie, pochodzenia tego nie zgadnę, za mało wiem o własnym bracie. Ona się nie zapala?

– Chyba nie ma gazu. Nie próbowałam jej napełniać, na wszelki wypadek, bo swoją napełniałam mnóstwo razy, rzadko wprawdzie, ale jednak, jako stała klientka, w takim specjalnym sklepie, bardzo dobrym. Tej wolałam nie. Może pan ją sobie zabrać.

Sobiesław pokręcił głową.

– Szczerze mówiąc, nie chcę. Nie mam do niej serca, a skoro zniknęła z domu brata, co z całą pewnością moja siostra zauważyła, nie powinna się chyba teraz nagle odnaleźć? Mieszkam chwilowo u siostry, nie mam gdzie tego schować.

– Czy to znaczy – zaczęła z determinacją Julita – że na policję...?

– Co na policję?

– Pan nie pójdzie...?

– Pójdę, oczywiście. Nie obejdzie się bez tego. Jeśli nie pójdę, sami mnie wezwą.

– Ale... Czy pan im powie...

Małgosia straciła cierpliwość.

– Niech pan mówi wprost, czy pan pójdzie zawiadamiać o podejrzanych, których pan zastał w domu, na miejscu przestępstwa! Nas to wszystkich interesuje.

Sobiesław z wyraźnie widoczną niechęcią oderwał wzrok od Julity.

– Musiałbym się przyznać, że też tam byłem, nie? Nie zabiłem własnego brata, są dowody, że mnie nie było, ale teraz mataczę, prawda? Uczepią się, jak rzep psiego ogona, a ja nie mam czasu na głupoty!

– To właściwie dlaczego zgodził się pan jechać z nami? – spytał z grzecznym zainteresowaniem pan Ryszard.

– Bo nic nie mogłem zrozumieć. Państwo mi jakoś pasowali i równocześnie nie pasowali... – tu Sobiesław zakłopotał się nagle. – Może chciałem sam do czegoś dojść... Pan by nie chciał? Zły pan na brata czy nie, ale zawsze to brat! I ktoś go kropnął, to co, usiądzie pan na przypiecku i warkocze będzie zaplatał?!

Wyobrażenie pana Ryszarda, siedzącego na przypiecku i zaplatającego warkocze, było tak wstrząsające, że na dobrą chwilę odebrało nam mowę. Musiałby przedtem zwariować i znaleźć się w Tworkach. Czy w Tworkach mają przypiecki...? I, na litość boską, skąd wziąłby warkocze...?!

Nieskłonny do paranoi pan Ryszard pierwszy odzyskał równowagę.

– No nie, rozumiem, też bym spróbował powiercić. W złą stronę pan zaczął...

– To już widzę.

– A nad nami głupi problem ciągle wisi. Rozumie pan, denerwuje człowieka. Niby nic, drobiazg, ale tu ofiara zabójstwa, tu podejrzeniami aż grzmi, cała afera, a drobiazgu ciągle nie ma. Jak taki kleszcz siedzi, no i co? Nie wydłubać? Pani Joanna ma rację, źródło zarazy, ja do końca życia będę miał zgryzotę...

– Kamień w nerkach – podsunął uczynnie Witek znad bufetu.

Pan Ryszard nie chciał nerek, wolał kamień w woreczku żółciowym. Nie wnikaliśmy w przyczyny jego upodobań, ale wszyscy poparli poglądy. Co, do tysiąca piorunów, stało się z tą cholerną zapalniczką? Nie spodobało jej się u mnie i sama gdzieś poszła?

Rozzłościłam się nagle.

– Do diabła z takim wymiarem sprawiedliwości! W końcu o co chodzi? Zabiliście go? Nie. I nikt z nas! Ukradliście mu coś...?

– Zapalniczkę...

– Gówno! Odebraliście moją! I teraz też, paski, pieczęcie, niech szlag trafi paski i pieczęcie! To jest w ogóle nic, w normalnym kraju powiedziałoby się o tym policji i policja by odbierała ukradzione, nikt tu żadnego przestępstwa nie popełnił...!

– Toteż właśnie...

– No to przecież właśnie mówię! U nas się łapie niewinnego, życie będziemy mieli zatrute, każdy świadek tydzień traci, żeby przez pięć minut zeznawać, że nic nie wie! A jeśli jeszcze, nie daj Boże, będą jakieś naciski odgórne, areszt mamy jak w banku, co najmniej czterdzieści osiem godzin albo nawet lepiej, nie zabezpieczą śladów, ta jakaś ślepa komenda uprze się przy numerze samochodu, pańska siostra rozpozna Julitę... a tam Julitę, mnie, Małgosię, Martę, Anię Lewkowską, każdą osobę, którą jej podstawią, prokurator się ucieszy, że to nie mafia, da nakaz, sędzia wyda byle jaki wyrok, żeby się pozbyć sprawy, i już mamy przechlapane. Skąd mam wiedzieć, na kogo trafimy...

– Ten komisarz na idiotę nie wygląda – wtrąciła delikatnie milcząca dotychczas Marta.

– Nie wygląda, ale jakiś zacięty. Awans chce dostać albo co. Czy ja wiem...

– Ale przecież znasz tego jakiegoś, który ma więcej rozumu...

– Ale go nie ma! I nawet nie spytałam, gdzie się podziewa!

– Dlaczego nie spytałaś?

– Żeby nie budzić podejrzeń – wyznałam ponuro po chwili zastanowienia. – Niewinny protekcji nie szuka. Górskiemu powiedziałabym prawdę... No dobrze, spytam o niego przy najbliższej okazji, a dopóki go nie ma, siedźmy cicho.

Na razie cicho siedział Sobiesław, przysłuchiwał się rozmowie, spoglądał na Julitę i milczał. Julitę nagle ruszyło, najwidoczniej tajemniczy fluid latał od niego do niej i odwrotnie, bo zerwała się z miejsca i z niezwykłą stanowczością zaproponowała jakieś napoje, kawę, herbatę, wino, piwo, koniaczek, serki może, oliwki...?

Patrzyłam na nią w zdumionym podziwie, bo pierwszy raz wykazała taką energię w moim domu. Wprawdzie z reguły młodsze dziewczyny zajmowały się u mnie pożywieniem i lepiej niż ja wiedziały, gdzie się co znajduje, zostawiałam im to ze zwyczajnego lenistwa, ale Julita przez całe lata z uporem zachowywała nieznośny umiar i takt. Mogła coś delikatnie podsunąć, zostawiając decyzję pani domu, a tu znienacka, w zastępstwie mnie, wpadła w zuchwałą i natrętną wręcz gościnność.

Małgosia ją podtrzymała. Krakersiki stały w misce, sera miałam pełną lodówkę, do tego świeżo zrobione śledzie w oliwie i szmalec. Nie dość na tym, przypadkiem znalazł się także razowy chlebek i dwa jajka na twardo, o poranku przeze mnie ugotowane w wybuchu jakiejś rozszalałej fanaberii. Oliwki, korniszonki, majonezik i chrzan istniały u mnie trwale. Z wielkim zainteresowaniem przyglądałam się teraz, jak w dziesięć minut zrobiły całe przyjęcie, które zresztą w pełni poparłam. Towarzystwo z salonu przeniosło się do stołu jadalnego.

No i fluidy niezbicie udowodniły swoje istnienie. Sobiesław był głodny straszliwie, z czego przez cały czas nie zdawał sobie sprawy, zdał dopiero na widok produktów spożywczych. Nie rzucił się na nie jak zwierz dziki, dobre wychowanie działało, ale widać było, że organizm już dawno okrzyki wydawał.

Nim wzięłam udział w dalszym ciągu konwersacji, zdążyłam uświadomić sobie dokładnie, że gdyby na miejscu Sobiesława znajdował się pan Mirek-ogrodnik, a Julita ruszyłaby na tę pokarmową ścieżkę, każdy kawałek suchego chleba wydarłabym jej z rąk. Ukryłabym śledzie i jajka na twardo. Pożałowałabym herbaty...!

No tak. Nie było już co myśleć. Ogólna sytuacja uczuciowa ustabilizowała się sama z siebie.

– Nie mam bladego pojęcia, co tu się przytrafiło z tą zapalniczką, ale jestem po waszej stronie – oświadczył Sobiesław pod koniec posiłku. – W końcu mieliśmy kiedyś jakichś wspólnych znajomych, Mirek i ja. Nie wiem, kto mu został, a kto odskoczył, spróbuję się zorientować. Ludzie plotkują między sobą, a wydarzenia ostateczne wyzwalają szczerość.

– Ma pan na myśli próby dwustronne? – upewniłam się. – Kto mógł mu to ofiarować i komu mógł dać moją, o ile ją zabrał?

– Przecież tak właśnie państwu wyszło? Że on ją zabrał?

– Nikt inny nie wchodzi w rachubę.

– No nie wiem, może to głupie, ale czuję się jakoś za niego odpowiedzialny. Będę szukał. W naszym domu też jej nie było?

Julita poruszyła się nagle.

– Ach, zaraz! Jeszcze jedno miejsce zostało, właśnie tam na górze. Kanapa! Ona jest otwierana, chciałam zajrzeć do środka akurat, jak pan wszedł. Chciałam zawołać pana Ryszarda do pomocy!

– Ona wcale nie jest otwierana, tylko rozkładana – sprostował Sobiesław. – W środku nic się nie mieści. Ale otwierany jest fotel.

– Który fotel?

– Taki największy, stary, w gabinecie Mirka stoi, cały kąt zajmuje...

– Ciemnobrązowy?

– Zgadza się, skórzany. Ma w sobie schowek na poduszkę, koce...

– To nam nie przyszło do głowy, żeby tam zajrzeć – rzekł z żalem pan Ryszard. – Nie wyglądał na otwierany. To tak jest, jak się człowiek zabiera do tego, czego nie potrafi.

– Na złodziei się nie nadajecie – zaopiniował Witek z naganą.

– Rzeczywiście, chyba nie – zgodziła się skruszona Julita. – Ale to może...?

Sobiesław nie wahał się ani chwili.

– Pojedziemy sprawdzić. Razem! I to od razu dzisiaj, może tam jeszcze nikt nie zauważył tych idiotycznych pieczęci, kretyńskie określenie, kawałek papieru i to ma być pieczęć. A w dodatku tak ładnie przecięte, że z daleka nic nie widać.

Poparliśmy jego myśl, istotnie, chwila wydawała się najwłaściwsza. Póki widno, ciągle ta sama ostrożność, niech nikt nie widzi światła w oknach! Witek co prawda przypomniał, że ciemność sprzyja wszelkim bandyckim poczynaniom, ale na głupkowatą złośliwość nikt nie zwrócił uwagi. Propozycja została przyjęta.

Pojechali w końcu. Zostaliśmy sami z Witkiem, Małgosią i Martą, która teraz już stanowczo stwierdziła, że dzień przerwy w studiach z pewnością jej nie zaszkodzi. Małgosia przypomniała sobie, po co w ogóle przyjechali.

– Zostawiłaś w domu wszystkie dokumenty – zwróciła się do córki. – Kartę rejestracyjną, prawo jazdy, dowód, cały portfel, o, masz! Cud boski, że cię po drodze gliny nie złapały, bo jeszcze by nam tylko tego brakowało, dobrze, że od razu pojechaliśmy do domu i akurat leżały na wierzchu, wpadły nam w oko...

Witek właśnie spoważniał i zamyślił się.

– Nie wiem, czy to nie był wygłup z naszej strony – rzekł z troską. – Tak mu wywalić całą prawdę o tej cholernej zapalniczce? Nie wytrzyma i do glin coś chlapnie, z samego zdenerwowania nas za kuper wezmą.

Małgosia oderwała się od Marty z dokumentami. Popatrzyłyśmy na siebie.

– Nie wezmą – mruknęła.

– Nie chlapnie – zapewniłam Witka.

– Bo co?

– Bo zaskoczył do Julity. Nie widziałeś?

– Nic nie widziałem. Skąd wiesz?

Pokiwałyśmy głowami z politowaniem.

– Zaiskrzyło mu do niej – wyjaśniła Małgosia. – Tylko ślepy głąb mógł tego nie zauważyć. A jej do niego, zdaje się, też?

Przyświadczyłam.

– Do pana Mirka podobny, już pan Mirek wpadł jej w oko, a braciszek ma charakter chyba mniej rozrywkowy. Żadne z nich na razie szkody nie przyczyni.

– Ewentualnie może jeszcze skoczą razem na jaką kawę albo co...

☆ ☆ ☆

Wólnickiemu rzeczywiście coś w umyśle wybuchło. Ta baba miała rację, należało szukać dwutorowo. Łapiąc gorączkowo ludzi i już węsząc między nimi sprawcę, zaniedbał milion spraw. Ten wątek roślinny, możliwe, że przestępczy, to jedno, a drugie dowody rzeczowe, a w końcu i ślady, i te papiery wetknięte unieruchomionej ciążą Kasi Sążnickiej mogły dużo wyjaśnić. O ile oczywiście obarczona wszelką dokumentacją przez całą komendę Kasia zdążyła do nich bodaj zajrzeć... Do czego należał wciąż niedostępny Szrapnel...? No, nie do dziewczyn chyba, pasował raczej do afery...

Połapał wywiadowców, przygniótł ich Szrapnelem i na sygnale wrócił do komendy. Coś już powinni dla niego mieć!

Mieli, dlaczego nie. Ceramiczna doniczka, kształtem zbliżona do dzbana, nie była zbyt porowata, znalazły się na niej bardzo wątpliwe odciski palców co najmniej dwóch osób, z czego tylko jeden odcisk jednego palca był wyraźny i nadający się do identyfikacji. Na sekatorze również, ślady fragmentaryczne i rozmazane, ale ich układ świadczył o sposobie trzymania narzędzia. Zarówno palce, jak i reszta dłoni wskazywały niezbicie, że coś tym sekatorem dziabano, nie zaś cięto. Dziabano, jasne, zgadzało się, dziabana była ofiara zbrodni.

Teraz należało już tylko znaleźć właściciela tego jednego wyraźnego palca.

Przekląwszy sam siebie, że nie załatwił tego od pierwszego kopa, Wólnicki z pewnym trudem zatrzymał umykające resztki przytomności umysłu. Z góry zrezygnował z wzywania do komendy wszystkich podejrzanych, doskonale wiedząc, jak takie wzywanie wygląda. Jeden się spóźni, drugi nie przyjdzie wcale, trzeci nie odbierze wezwania, czwarty przyśle zaświadczenie lekarskie... Zwyczajna daktyloskopia zajmie mu trzy tygodnie, a sprawca przez ten czas zdąży wyjechać do Australii. Czy tam do jakiejś Gwadelupy, z którą nie mamy umowy o ekstradycję. Żadne takie, trzeba inaczej.

W objazd potencjalnych sprawców wysłał technika, zaleciwszy mu pobrać tyle odcisków palców, ile tylko zdoła, poczynając od Gwiazdowskiego, który się wypiera samochodu, poprzez całe to jego towarzystwo, poprzez cały personel warsztatu Gwasza, aż do ostatniej dziewczyny, wchodzącej w grę, z byłą żoną ofiary włącznie. I mężem żony. I narzeczonym dziewczyny. I w ogóle wszystkich osób, które miały kontakty z zabitym ogrodnikiem. I w ogóle niech zaczyna od razu, bo tylko patrzeć, jak tych osób namnoży się pięć razy więcej.

Był to wybuch doskonale bezrozumnej nadziei.

Technik pomyślał, że może po prostu wyjdzie z komendy i zacznie łapać każdego, kogo spotka na ulicy, pobierając od niego odciski palców, w kolejce ich do siebie ustawi, ale nic nie powiedział i ruszył w drogę z walizeczką śledczą w ręku.

Ślady na drzwiach i oknach wykluczyły włamanie, tak furtka jak i drzwi zostały otwarte zwyczajnie, kluczami, i Wólnicki, wnioskując z obuwia denata, wydedukował sobie, że może przyszli razem, ofiara i sprawca. Sprawczyni. Nogi wytarli, na podłodze śladów błota nie zostawili. Wynikałoby z tego, że się znali, chociaż oczywiście ten cały Krzewiec mógł wpuścić i obcego, potencjalnego klienta. Ktoś tam już na niego czekał, względnie szedł za nim i od pierwszego słowa wyraził chęć urządzenia swojego ogrodu...

Zaraz, głupio trochę. Bo niby co, obcy wszedł i bez dania racji z miejsca walnął donicą? I rzucił się z sekatorem na faceta, który jeszcze nie zdążył mu zrobić nic złego? Bzdura kompletna. Nie, musiała to być osoba znajoma, denat pozwolił jej wejść do domu, może niechętnie, ale jednak, awantura zaś wybuchła w środku, a nie na zewnątrz.

Chociaż... A jeśli to któryś narzeczony...? Symulował zainteresowania ogrodnicze, denat go w życiu na oczy nie widział...

I znów Wólnicki pożałował, że nie kazał sprawdzić całego domu, bo może te wybrakowane odciski palców znalazłyby się na przykład w sypialni albo w łazience? Na dole nigdzie więcej ich nie było, niczego sprawca nie dotykał, wyłącznie donica i sekator, i cześć. Szklane kufle zleciały, bo Krzewiec, padając, runął na regał, próbował się go przytrzymać, jeden ślad o tym świadczył, nie zdołał, upadł, już podziabany, a cholerny sprawca zostawił pobojowisko i uciekł.

Nie zginęło nic poza owym przedmiotem, określonym przez siostrę mianem zapalniczki stołowej. Po tę zapalniczkę przyszedł czy co? I musiał zabić Krzewca, żeby mu ją zabrać? Przecież nie była, do diabła, zrobiona ze złota!

Dał spokój technice, która tak skandalicznie poskąpiła mu pomocy, i przerzucił się na papiery.

Kasia Sążnicka odwaliła potężną robotę, aż się Wólnicki zdumiał. Prawie nie uwierzył własnym oczom. Nie był wszak jedynym dostarczycielem lektury, zaskoczył go zapał, z jakim pogrążyła się w tym całym ogrodniczym śmietniku, odsuwając na bok wszelkie inne dokumenty. Kasia miała dobre serce, widząc wyraz twarzy Wólnickiego, dobrowolnie i bezzwłocznie jęła wyjaśniać sprawę.

– Nie zauważyłeś, co mi dajesz? Tu zdjęcia są, cała kupa. Chłopak jak brzytwa, ja mam słabość do takich, przyjrzyj się, Mefisto! Diabeł mu z twarzy wychodzi, ale powiem ci, że sztuczny, taki trochę na siłę robiony, znam się na tym, bo mój mąż też z tych samych, tyle że on prawdziwy. Z natury. Iskier sobie nie musi dokładać, a ten twój denat przysięgnę, że wygląd wykorzystywał i przemocą z siebie ognie krzesał, bo dziewczyny na to lecą. Też bym poleciała, gdyby nie to, że dorwałam sobie własnego i już nie muszę. Z ciekawości się za tę makulaturę złapałam i proszę, mądrzejsza jestem niż myślałam, dobrze zgadłam. Kanciarz rekordowy, oko bieleje, kit wciska na wszystkie strony, a prawdą by się chyba udusił!

Z całego serca i z wielkim ogniem pochwaliwszy gust Kasi, Wólnicki chciwie zażądał rezultatów szczegółowych. Zostały mu przekazane w słowach możliwie prostych, dostępnych najtępszemu nawet umysłowi.

– Na płci podzieliłam. Chciałeś, nie?

Chcieć Wólnicki chciał, ale z niejakim osłupieniem popatrzył na dziewięć stosików i stosów rozmaitej wielkości, które Kasia starannie wyrównywała na swoim biurku. Zajmowały całą jego powierzchnię, choć każdy wyglądał mizernie. Na litość boską, wydawało mu się, że płci jest dwie, chyba że Kasia uwzględniła także kochających inaczej, ale to i tak do dziewięciu byłoby daleko.

Kasia nie skąpiła wyjaśnień.

– Korespondencja prywatna, baby, faceci. Rachunki, on płacił, rachunki, jemu płacono, oddzielnie baby, oddzielnie faceci. Służbowe. Rachunki domowe. Naukowe czy jak to nazwać, analizy z gatunku botanicznych. Skandal. To właśnie z tego wychodzi mi cholerne świństwo. Popatrz sam, nic tu nie jest kompletne i porządne, to strzępy i moim zdaniem pozostawione przez niedbalstwo, ale można się z nich połapać, o co chodzi. No, szczęśliwie działał na małą skalę.

Wólnicki natychmiast przypomniał sobie zapłakaną laborantkę Elizę i ucieszył się, że mniej więcej rozumie sedno rzeczy. Kasia potwierdziła okropne przypuszczenia, ze wszystkiego wynikało, że nieboszczyk uprawiał nader osobliwą działalność ogrodniczą, nazywało się to usuwaniem bezużytecznych i niszczeniem szkodliwych roślin, a de facto było czymś idealnie odwrotnym. Zarabiał na tym podwójnie, za usuwanie i niszczenie płacono mu wprawdzie skromnie, ale za to klienci, którym owej szkodliwości dostarczał, bulili niezły szmal. Kameralna afera, jak w pysk strzelił! Kant wychodził na jaw najwcześniej po roku, a bywało, że po dwóch i trzech latach, zaś roznoszenie zarazy miało swój paragraf w kodeksie karnym. Przez moment Wólnicki czuł ulgę, iż roznosiciel nie żyje, bo z paragrafami dotyczącymi przyrody nie miał dotychczas do czynienia i nie wiedziałby nawet, do kogo z tym lecieć. Wydział zabójstw nie zajmował się florą.

– Korespondencji prywatnej tyle, co kot napłakał – streszczała nadal Kasia. – Ludzie teraz nie piszą na papierze, tylko mailują, esemesują, dzwonią i w ostateczności faksują, ale trochę jest. Głównie na zdjęciach, o, popatrz, tu dziewucha w doskonałym stanie, kocha go, a tu zdechła irga, aż się dziwię, bo to mocna krzewinka. Powiększenie, jakiś pasożyt po niej lata, z tyłu groźba karalna, ten ktoś mu tego nie daruje, ale bez podpisu, też się dziwię, że to trzymał, bo powinien był od razu zniszczyć. Więcej mówią rachunki, a najwięcej notatki, jakaś Wiwien przez wu najobficiej się plącze, nazwiska nie ma, ale są telefony...

W wielkim skupieniu Wólnicki poczynił sobie dwutematyczne zapiski, w jednej rubryce dziewczyny, w drugiej płeć męska, przy czym płci męskiej dotyczyły wyłącznie rachunki, z czego można było wnioskować, iż uczucia świętej pamięci pana Mirka nie prezentowały żadnych zawirowań. Wśród dziewczyn natomiast wątpliwości budził wiek i żadna pewność w kwestii rodzaju kontaktu nie istniała, taka na przykład pani Dobromira Wojtczak równie dobrze mogła być spragniona gorących uścisków młodzieńca, jak i tawuły pojedynczolistnej, która jej zmarniała, zamiast bujnie wyrosnąć.

Kiedy uświadomił sobie, ile osób musi sprawdzić, zrobiło mu się trochę słabo. Odrobiną nadziei błyskały nazwiska, powtarzające się częściej, zorientowana świetnie w rodzaju roślin Kasia posłużyła pomocą, bo rzadsze i droższe miały prawo budzić większe namiętności, i na pierwszym planie znalazło się sześć osób. Trzy baby i trzech facetów. Od nich należało zacząć tę galerniczą pracę.

O, nie, nie dostał Wólnicki dostatecznego personelu. Taki drobiazg, jak jedno zabójstwo zwyczajnego faceta, ani to mafia, ani polityk, ani miliony w grę nie wchodzą, ani seryjny morderca, któż by dla głupstwa zupełnego zatrudniał tłum funkcjonariuszy! Ma sobie dać radę własnymi siłami i cześć.

Wólnicki spochmurniał, zaciął się i bez chwili zwłoki przystąpił do dawania sobie rady nadal własnymi siłami.

☆ ☆ ☆

W starym fotelu pana Mirka mojej zapalniczki nie znaleziono.

Pan Ryszard, zły i zmartwiony, wrócił do domu, Julita z Sobiesławem zostali sami.

Mieniem zgasłego w kwiecie wieku brata Sobiesław nie przejmował się wcale, spadek niewiele go obchodził, ale przedziwna kradzież denerwowała go niewymownie. Hipotetyczna kradzież, bo w końcu istniał cień wątpliwości, to całe towarzystwo mimo wszystko mogło się mylić i nie Mirek podwędził zapalniczkę klientki, tylko ktoś inny. Sobiesław przyjąłby zapewne taką wersję, wzruszył ramionami i nie zawracał sobie głowy głupim podejrzeniem, gdyby nie Julita.

Sobiesław był fotografikiem utalenowanym, miał rentgen w oczach, od pierwszej chwili wydało mu się, że zawartość bułowatego stroju kontrastuje z opakowaniem rażąco i stanowi coś ciekawego. Poczuł się żywo zainteresowany. No i wyszło to na jaw od razu, w środku rzęchów tkwiła dziewczyna, która z miejsca obudziła w nim zachwyt. Zachwyt niejako obiektywny, natury zawodowej, jak piękny przedmiot, piękny meszek na listku, piękny robaczek...

Uparcie nie zamierzał tracić jej z oczu i bez żadnego trudu sam w siebie wmówił gwałtowne pragnienie wyjaśnienia sprawy. Dwóch spraw nawet, zabójstwa brata i tej idiotycznej kradzieży. Koniecznie musiał poznać wszystkie szczegóły, bo przecież nie było go przy niczym, a ona właśnie wręcz przeciwnie, uczestniczyła w wydarzeniach osobiście, bardziej niż ktokolwiek inny, i tylko ona mogła udzielić ścisłych informacji...

Równie zręcznie Julita wmówiła w siebie obowiązek przekazania pełnej wiedzy bratu ofiary. Elementarna przyzwoitość wymagała od niej szczerych zeznań, nie łgarstw, jak dla policji, policja mogła się wypchać i szukać sprawcy bez jej udziału, ale tu wszak wchodziły w grę emocje prywatne, uczucia rodzinne i tym podobne doznania. Powinna oczywiście wszystko mu powiedzieć, ale, na litość boską, przecież nie w tej chwili! Nie może pokazać się między ludźmi z takim chłopakiem w takim stroju! Umyć się chociaż po grzebaniu w śmieciach i kurzu, przebrać, odzyskać własny wygląd!

Przez długą chwilę Sobiesław nie mógł zrozumieć, dlaczego ona tak gwałtownie protestuje przeciwko rozmowie natychmiastowej i uparcie domaga się dwóch godzin antraktu. Uległ w końcu, pomyślawszy, że i tak pewnie będzie musiał zostać tu dłużej niż przewidywał pierwotnie, co najmniej do pogrzebu Mirka, później zaś Gabriela wczepi się w niego pazurami ze względu na postępowanie spadkowe, w porządku, wobec tego wykorzysta ten czas wszechstronnie. Teraz odwali policję, potem się spotka z dziewczyną, udadzą się dokądś na wspólny posiłek, a na pracę zawodową będzie miał całą noc. Zdąży, nie ma obawy.

Dał jej zatem te dwie godziny, przezornie tylko odprowadziwszy ją do domu dla sprawdzenia, gdzie mieszka. Odprowadzanie wypadło o tyle osobliwie, że każde z nich pojechało oddzielnym samochodem...

☆ ☆ ☆

Wólnicki z rozpędu poszedł drogą najmniejszego oporu. Wziął na tapetę wszystkich, których mu Kasia z papierów wygrzebała, swoim trzem pomocnikom, zdobytym siłą i podstępem, nakazując pytać tylko o jedno: o niedzielny wieczór. O alibi. Alibi musiało być rzetelne, bo tylko całkowita pewność w tej kwestii pozwalała mu ograniczyć nieco straszliwy tłum potencjalnych sprawców. Później już na spokojnie mógłby się zająć tymi, którzy alibi nie posiadali.

Zastosowawszy metodę niejako geograficzną, bez względu na ciężar podejrzeń, grunt że jedno od drugiego blisko, w niewielkim, akurat mniej podejrzanym, ogrodnictwie na Dawidach, iglaki i krzewy ozdobne, dopadł niezbyt ważnej osoby, niejakiej Anny Brygacz, właścicielki. Zlekceważyłby Annę Brygacz, która w papierach denata mignęła ledwo jeden raz, gdyby nie to, że miał ją po drodze między ważniejszymi. W chwili kiedy jej dopadł, zadzwoniła mu komórka. Przyglądając się damie w średnim wieku o posturze żylastego krasnoludka, odebrał informację.

– Zgłosił się brat denata, Sobiesław Krzewiec. Jest w komendzie.

– Niech czeka – rozkazał bez namysłu. – Za pół godziny będę. Góra trzy kwadranse.

Anna Brygacz do roli wielbicielki Mirosława jakoś mu nie pasowała, ale drobne straty finansowe poniosła i siłę w ręku mogła posiadać. W obliczu iglaczków i krzewów posługiwanie się sekatorem musiała mieć nieźle opanowane, a coś w wyrazie twarzy wskazywało na zaciętość. Nie zamierzał zostawiać jej odłogiem, ani też drugi raz w dzikich korkach jechać na odległe peryferie miasta.

– Policja, wydział zabójstw, komisarz Janusz Wólnicki – przedstawił się pośpiesznie. – Gdzie pani była w ostatnią niedzielę pomiędzy godziną osiemnastą a dwudziestą?

Zdumienie Anny Brygacz wystrzeliło pod niebiosa.

– Tu byłam, to znaczy w domu, ja tu mieszkam – odparła, odruchowo czyniąc gest w kierunku budynku mieszkalnego, widocznego na skraju zieleni. – O co chodzi? Wydział zabójstw? Nikt tu u mnie nikogo nie zabijał!

– Kto to może poświadczyć?

– Nie wiem. Wszyscy. Zaraz, co poświadczyć? Że nikt nikogo nie zabijał?

Wólnicki uświadomił sobie nagle, że z pośpiechu działa metodą zaskoczenia i zawahał się. Metoda wydała mu się niezła, ograniczała jednak nieco zakres uzyskiwanej wiedzy. Szybko postanowił ją zmodyfikować.

– Poświadczyć, że pani była w domu.

– No to mówię, wszyscy. Brat z bratową przyjechali, kuzyn mi tu podlewał, moja pracownica, ona tu mieszka, ale nie, zaraz po szóstej do miasta pojechała, ale potem sąsiad przyleciał, krzewinki na grób mu obiecałam, razem wybieraliśmy. Wszyscy żywi do tej pory.

– Pani miała kontakty z Mirosławem Krzewcem...

Żylasty krasnoludek prychnął nagle wielkim gniewem.

– Kontakty, kontakty... Miałam, ale już nie mam. Wielkie mi kontakty, raz się zdarzyło, każdy się może narwać, nie? Pan mówi o co chodzi, bo mnie tu właśnie tuje przywieźli i muszę odebrać, na głupstwa nie mam czasu! Jeszcze mi tylko Krzewca brakuje!

Ton głosu pani Brygacz sprawił, że Wólnicki doznał wybuchu podejrzeń. Ponadto jej szybki obrót głowy, rzut oka w głąb zieleni, zaiskrzyły mu w umyśle.

– Skąd pani w ogóle wzięła tego pana Krzewca?

– Wandziu! – wrzasnęła pani Brygacz głośniej może niż było potrzeba.

Spośród krzewów wynurzyła się dziewczyna w portkach od dresu i podkoszulku, przegarnęła ramieniem włosy i zatrzymała się, spoglądając z niechęcią. Pani Brygacz wskazała ją gestem brody.

– Naraiła mi go. Niech panu sama powie, skąd jej się przyplątał. Nie wiem, na co on panu, ja z nim więcej do czynienia mieć nie będę i nikomu nie radzę. Pan sobie z nią pogada.

Wólnickiego zaskoczyła aparycja dziewczyny. W roboczej odzieży, bez żadnego makijażu, umazana nieco ziemią, nie była piękna, ale w jakiś tajemniczy sposób urodziwa. Wulgarnie urodziwa, nachalnie i agresywnie, miała w sobie coś wściekle kuszącego. Zapewne seks. Rwała oko. Nie pasowała do orszaku podrywacza, to raczej za nią powinien ciągnąć orszak ogłupiałych samców.

Wólnickiemu się nie spodobała, poczuł w sobie opór przeciwko orszakowi, także przeciwko rwaniu, może dlatego, że tak okropnie brakowało mu czasu. Wziął dobre tempo, błyskawicznie sprawdził dokumenty osób obecnych na miejscu, zapisał nazwiska wymienionych przez panią Brygacz świadków, stwierdził, że Wandzia na niedzielny wieczór nie ma alibi i przyprawił ją o atak nerwowy informacją o śmiertelnym zejściu Mirosława Krzewca. Okazjonalnie zdobyty komunikat, iż pan Krzewiec, jako ogrodnik, zawodził nadzieje, już go wcale nie zdziwił, aczkolwiek ciężko zszokowana Wandzia stanowczo temu przeczyła. Nic podobnego, poznała pana Krzewca już dość dawno w szkółce u takiego jednego i nikt o nim złego słowa nie mówił, a pan Krzewiec w ogóle był operatywny, o wszystko się umiał wystarać i dysponował szerokim wachlarzem towaru, i to niemożliwe, niemożliwe, żeby nie żył, to na pewno jakaś okropna pomyłka...!

Konieczność rozszarpania się na kilka części do reszty zawisła Wólnickiemu kamieniem u szyi. Już wiedział, że będzie musiał tu wrócić. Ta cała Wandzia zaświeciła nagle własnym blaskiem, pierwsza, która bez zastrzeżeń chwali denata, i to z jakim ogniem, bezwzględnie musi ją przesłuchać, tam już czeka brat Mirosława, zdawało się, że niedostępny, a tu proszę, znienacka się znalazł! Do sprawdzenia pozostaje alibi Anny Brygacz... No nic, znajdzie na to czas, nie przyśle sierżanta, sam to załatwi!

Zostawił na razie odłogiem zdenerwowaną Wandzię i ruszył do komendy.

☆ ☆ ☆

Sobiesław uciął sobie pogawędkę z policyjnym fotografem. Obaj z przypadkowego spotkania byli nadzwyczajnie zadowoleni, dla fotografa Sobiesław był mistrzem, dla Sobiesława fotograf ewentualnym źródłem poufnych informacji, obaj mieli nadzieję czegoś się od tego drugiego dowiedzieć.

Obu się w pewnym stopniu udało. Sobiesław bez żadnego oporu wyjawił koledze po fachu tajemnicę światła przy zbliżeniach, niby nic i powszechnie znane, ale jednak sam dokonał dodatkowego natchnionego odkrycia, fotografowi zaś z przejęcia i emocji wyrwało się trochę za dużo o podejrzanych. Samochód podobno na miejscu zbrodni widziano, jakiś Ryszard Gwiazdowski nim jechał, chociaż nie jest to pewne, bo samochód należy do warsztatu niejakiego Gwasza, poza tym na ulicy ten samochód był widziany, a nie pod domem zbrodni i w ogóle ciemno było...

Tu im się wzajemne zwierzenia urwały, ponieważ Wólnicki zdążył nadjechać. Sobiesław nie skomentował uzyskanej informacji ani jednym słowem.

– Dziś przed południem przyleciałem – odpowiedział na podchwytliwe pytania, nieco nimi rozzłoszczony. – Z siostrą widziałem się przez chwilę, nawet się rozpakować porządnie nie zdążyłem, proszę bardzo, ma pan tu bilet lotniczy i rachunki z hoteli. Prosto z Grenlandii lecę, z przystankiem w Kopenhadze. Nie wiem, czego panu jeszcze potrzeba, żeby uwierzyć, że mnie tu nie było, świadków może, co? Jest tego parę sztuk, ale tylko jedna osoba z nich mówi po polsku, proszę bardzo, może pan do niej zadzwonić nawet zaraz. Tu jest telefon.

– Kto to taki?

– Alicja Hansen. Polka z pochodzenia. Fotografią się interesuje amatorsko, a Grenlandią szczególnie. Tam i Duńczycy byli, ale z nimi pan się nie dogada.

Wólnicki Duńczyków miał w nosie, telefon do świadka zostawił sobie na później i spróbował się wcisnąć w szczegóły prywatnego życia denata.

– Od czternastu lat mnie tu już prawie nie ma – westchnął Sobiesław, tłumiąc irytację i zdobywając się na cierpliwość. – Rzadko przyjeżdżam, a wcześniej często wyjeżdżałem. Pojęcia nie mam, co się tu działo, znam mniej więcej charakter brata, orientuję się w jego poglądach, nigdy mi się nie podobały, specjalnie się odseparowałem, żeby w tym nie brać udziału, ale nic nie wiem o szczegółach. Pan w tej chwili z pewnością wie więcej ode mnie.

– Nie korespondował pan z nim?

– Nie. Życzenia świąteczne wysyłałem do siostry i tyle.

– A co się panu u niego tak nie podobało?

Sobiesław popatrzył na Wólnickiego i skrzywił się z niechęcią.

– Mam go szkalować pośmiertnie?

Wólnicki pomilczał chwilę, przyglądając mu się potępiająco.

– Ktoś pańskiego brata zabił, prawda? Może to był ktoś, komu on wyrządził jakąś krzywdę? Może ktoś, kto go nienawidził za jakieś sprawy sprzed lat? Może mściwa podrywka? Nie chce pan pomóc?

– Wątpię, czy potrafię. Sprzed lat, sprzed lat... Nawet nie pamiętam tych dziewczyn, które wystawiał rufą do wiatru, a zdaje się, że dużo ich było, on miał powodzenie. I przed laty... no, nie skończył tego SGGW, ale ogrodnictwem zaczął chyba zajmować się uczciwie, dopiero potem... czy ja wiem, jak to nazwać... jakieś krętactwo... Więcej w tym było atmosfery niż konkretów. Jedno wydarzenie tylko pamiętam, zdjęcia chciał, żebym zrobił, w ogrodzie botanicznym, zdjęcia roślin mam na myśli, a potem podał je za swoje, to znaczy nie, że zdjęcia jego, tylko rośliny. Swąd mi z tego zaleciał... No i, ogólnie biorąc, nie był solidny.

– Mieszkał pan u niego w czasie pobytów w Warszawie?

– Nie u niego. U siebie.

– To znaczy gdzie?

– U niego – odparł Sobiesław i uświadomił sobie, co mówi. – Mam na myśli w tym samym domu. W połowie jest to mój dom, nie wiem, czy pan już sprawdził...?

Owszem, Wólnicki sprawdził. Dom na Pąchockiej rzeczywiście posiadał dwóch właścicieli, Sobiesław zapłacił dokładnie połowę kosztów, istniały na to pokwitowania i sporządzony został akt notarialny, połowa nieruchomości zatem należała do niego. Druga połowa wchodziła w skład masy spadkowej.

– Wie pan coś o testamencie brata?

– Nie. Jeżeli ktokolwiek wie, to tylko siostra. Wątpię, czy napisał testament.

Wólnicki już wiedział, że nie i że teraz Sobiesławowi przypadnie trzy czwarte domu, a Gabrieli jedna czwarta i, jak znał życie, był pewien, że brat siostrę spłaci, ale nie zamierzał teraz się tym zajmować.

– Ale rozmawiał pan z bratem, kiedy pan tu bywał?

– Jasne, że tak. Niewiele, ale owszem.

– No więc musi pan o nim coś wiedzieć. O czym pan rozmawiał? Samo takie... co słychać, jak ci się wiedzie?

– W zasadzie tak – Sobiesław w zadumie spojrzał w okno, sięgnął do kieszeni i nagle jakby się przecknął. – Zaraz. Czy ja jestem o coś oskarżony? Albo podejrzany? Albo w ogóle zatrzymany?

Wólnicki ukrył zdziwienie.

– Nie, cóż znowu!

– To znaczy, w każdej chwili mogę stąd wyjść?

– W zasadzie tak. Jest pan świadkiem.

– No właśnie! – ucieszył się świadek. – To mój brat, mogę odmówić zeznań, jest coś takiego w kodeksie. No to oświadczam panu, że jeśli mi pan nie pozwoli zapalić, zbieram odwłok z tego mebla i wychodzę. To nie jest miejsce słodkiego relaksu, akurat wymarzone, żeby rzucać palenie!

Komenda to nie szpital ani też zakład kosmetyczny, większość zatrzymanych aromatem róż i fiołków nie wonieje, zakaz palenia mógł sobie istnieć, ale zarazem istniał też zakaz znęcania się nad przesłuchiwanymi. Nie wolno im odmówić wody, pożywienia, pomocy lekarskiej, a możliwe, że także różnych innych niezbędnych do życia elementów, ponadto metody przesłuchań bywają różne.

– Dla strony obcy, to w sądzie – mruknął pouczająco Wólnicki, westchnął ciężko i wyjął własne papierosy.

Sobiesław też wyjął i kiwnął głową.

– Przeważnie Mirek się zwierzał, ja mniej...

– Dlaczego?

– Moje sprawy go nie obchodziły. Wie pan, ogólnie nic ciekawego, za dziewczynami nie latam, aktorki, modelki, politycy, to nie dla mnie tematy, a zwierzęta, rośliny, minerały, detale w sztuce... żadna atrakcja. Ja maniak jestem, fotografia to nie tylko mój zawód, także moje hobby, w razie gdybym teraz na to wlazł, niech pan mnie skopie, inaczej zagadam pana na śmierć. A Mirek miał to gdzieś. Więc raczej on... Chwalił się. I coraz bardziej mnie zniesmaczało, bo na moje oko szedł w przekręty, satysfakcję mu sprawiało, jeśli kogoś wyrolował, rósł, można powiedzieć, we własnych oczach. Lepszy ode mnie, ja ten kretyn, artysta, a on szmal robi, proszę. A zaczęło się od domu, ja swoją połowę zapłaciłem gotówką, a on na kredytach jechał i to go cholernie bodło...

– Moment – przerwał Wólnicki. – Te przekręty właśnie. I ludzie. Jakieś szczegóły?

Sobiesław się skrzywił i również westchnął.

– Otóż to. Prawdę mówiąc, nie słuchałem. Piąte przez dziesiąte mi koło uszu przelatywało, bo powiem panu, głupio to brzmi, ale nic nie poradzę, mnie na pracy zależy. Na rezultatach. Forsa rzecz wtórna, w tej chwili już sama leci, a ja chcę osiągać swoje prywatne sukcesy, to też taka ambicja, moje ma być najlepsze. Miałbym paskudzić robotę i cieszyć się, że na tym więcej kasy zachapałem? Przecież by mi wstyd było przed samym sobą! A to, cholera, mój brat, wstyd mi było za niego, głupio jak diabli, z dwojga złego wolałem już temat dziewczyn, chociaż też mnie zbrzydzał.

– No właśnie, dziewczyny – ucieszył się Wólnicki. – Może bodaj cokolwiek pan pamięta? Jakieś jedno wydarzenie, jedną osobę...?

Sobiesław zmarszczył brwi i znów zapatrzył się w okno.

– Jedno... Zaraz. Ostatnim razem chyba, kiedy ja byłem...? Prawie trzy lata temu. Ejże, to może nawet dwa wydarzenia... Ale będzie mętnie – zastrzegł się.

Wólnicki z wielką skwapliwością zgodził się, że może być mętnie.

– Dziabnęło mnie i dlatego pamiętam. Jakiś wiekowy facet, na stare lata chciał w ogródku mieszkać... Tak mi wyszło. Nie znał się na roślinach... wszystko jedno, na drzewach, na kwiatkach... Mirek coś mu wetknął takiego... buble. Skórę z niego zdarł i natrząsał się, że gość zdąży wykorkować, zanim mu ta flora zdechnie. No, nie spodobało mi się to, a jeszcze bardziej mi się nie podoba, że teraz panu o tym mówię. Jeśli pan rozgłosi... O cholera, nagrywa pan?

– Drobnostka, my rzadko rozgłaszamy – zapewnił Wólnicki pośpiesznie, omijając kwestię nagrywania. – A nazwisko tego klienta?

– Nawet nie wiem, czy je wymienił. Ale urządzał go właśnie trzy lata temu. Ale, zaraz... czy to nie był ktoś znajomy? „To ten, wiesz...", takie słowa do mnie powiedział. Otóż nie wiem, nie wnikałem. I nazwisko nie padło. Nie mam pojęcia, kto to był.

– A to drugie? Mówił pan, że może nawet dwa wydarzenia?

– A, no właśnie, jedno przy drugim. Kontrastowo. Facetkę miał akurat, równocześnie, też starszawą, i nie mógł sobie z nią dać rady, kręciła nosem, awanturowała się, ledwo połowę towaru jej wtrynił i zły był, bo też miał nadzieję, że krótko pożyje, a on swoje zgarnie. Jakoś tak razem o tym słyszałem, no i tyle. Nazwiska facetki też nie znam.

– Wielkiego pożytku z pana nie mam. Szkoda. A co z tymi dziewczynami?

Sobiesław wzruszył ramionami.

– Akurat wtedy Mirek się rozwodził czy może świeżo rozwiódł, nie jestem pewien. Jego żona odeszła, miała dosyć. A dziewczyny...? Rany boskie, cały kalendarz tam się plątał, nie, przykro mi, nie pamiętam, nic wystrzałowego, jeden ogólny schemat z tego wychodził. Albo chwilowa podrywka, taka dla przyjemności, albo coś pożytecznego, miał chyba zwyczaj przez dziewczyny dopadać klientów. Każda mu dawała jakiegoś wujka, kuzyna, znajomych, reklamę mu robiły, łapał gościa i dziewczynę od piersi odstawiał. Wie pan – usprawiedliwił się nagle – ja nie postanowiłem się mścić na zabójcy brata. Może to obrzydliwe z mojej strony, ale mam wrażenie, że Mirek sam na swój koniec pracował. W afekcie go ten ktoś kropnął, tyle że, mimo wszystko, chyba przesadził...

Wólnicki zorientował się nagle, że świadka wypełniają przerażająco mieszane uczucia. Rozgoryczenie, pretensja do nieżyjącego brata, pretensja do jego zabójcy, wielki żal, silnie tłamszone poczucie sprawiedliwości, mnóstwo różnych innych doznań, których już nie próbował precyzować. Nie wydawało mu się, żeby ten cały Sobiesław coś istotnego ukrywał, a jego stan majątkowy, ostatecznie, był do zbadania. Siostra zresztą to samo mówiła, Sobek od rodziny odskoczył, gdzieś tam się pęta, prawie wcale go nie ma. Alibi... Na Grenlandię niezły kawałek drogi, telefon w Kopenhadze do sprawdzenia. Jedno, co mu się potwierdzało, wyłaziło na plan pierwszy i w co już musiał uwierzyć, to osobliwa działalność tego, pożal się Boże, ogrodnika...

Na wszelki wypadek jeszcze tylko zadał kilka pytań. Świadek nie musiał wiedzieć, iż chodzi o osoby podejrzane, z którymi jego brat ostatnio miał do czynienia. Nie znał ich. Do wymienianych przez komisarza nazwisk odniósł się obojętnie.

Nie, z brata ofiary pożytku nie było. Stanowczo większe nadzieje stwarzała Wandzia u Anny Brygacz...

☆ ☆ ☆

Sobiesław wyszedł z komendy i odetchnął z ulgą. Udało mu się ominąć wszystkie pułapki, ukryć dzisiejsze poczynania i znajomość z towarzystwem podejrzanych, okiem nie mrugnąć przy wymienianych przez komisarza nazwiskach. O całej reszcie kontaktów brata rzeczywiście nic nie wiedział, więc żadnym niebezpieczeństwem nie groziły, o własnych sprawach mógł ględzić do upojenia, ale pożytku to nie przysparzało. Drgnął w nim żal, wolałby, żeby Mirek żył, niechby nawet i na niego samego odium spadało, ale do jego zabójcy nie mógł jakoś żywić nienawiści. Cholera, tylu ludziom się ten głupi dupek ponarażał... Z drugiej strony wystarczyło może dać mu po mordzie, a nie zaraz zabijać! No trudno, przepadło. Zrobi co może, żeby chociaż na malutkim kawałku oczyścić jego pamięć, czas już na spotkanie z dziewczyną...

Natychmiast po wyjściu Sobiesława, Wólnickiego tknęło podejrzenie. Zaraz, przyleciał facet około jedenastej, spotkał się z siostrą, niech będzie, sam powiedział, że było to krótkie spotkanie. Do komendy przyszedł dziesięć po czwartej, krótkie z siostrą, powiedzmy, do pierwszej, rozpakować się nie zdążył, nie pił przecież, trzeźwy jak świnia, to co robił przez prawie trzy godziny? Kto go tam wie, jak było, nazwisko już sobie wyrabia, może braciszek kompromitował je tak, że należało się go pozbyć? Czemuż, do diabła, nie spytał go o to?

Zgłupiał chyba? Cholerna sprawa! I nawet nie ma się z kim naradzić. Grenlandia, Grenlandia, wielkie mecyje, przylecieć i odlecieć po godzinnej przerwie, niejeden już brat zabił brata, Kain i Abel chociażby, Romulus i Remus, zaraz, który tam którego...? Było nie latać na wagary, tylko uczyć się historii...

Czując wyraźnie, iż popada w przesadę, Wólnicki postanowił przynajmniej wyeliminować z grona złoczyńców tego całego Sobiesława. Telefon, świadek, po polsku... I natychmiast wraca na Dawidy, do jedynej prawdziwej, wiernej wielbicielki denata!

☆ ☆ ☆

Wandzia Selterecka siedziała w świeżo dowiezionych tujach i płakała rzewnymi łzami. Na skraju kłującego gąszczyku Anna Brygacz gniewnie wygłaszała karcące przemówienie.

– ...ofiaro głupia, ile sobie do ciebie gęby nastrzępiłam?! A mówiłam, że nieszczęście jakie z tego wyniknie! Romea sobie znalazła, królewicza na białym koniu, oślico jedna, jak ślepa, jak głucha, teraz chociaż ten pysk trzymaj zamknięty! Komuś ty go jeszcze nastręczyła, głąbie kapuściany, żeby nie twoja matka, dawno by cię tu nie było, ja tu odpowiadam i ze mnie krętacza robisz, łaska boska, że tego gówna dopadłam od pierwszej sadzonki! A i tak za późno! Won stąd, do domu jazda i przestań ryczeć w tej chwili! Jak do pnia mówić, jak do łajna krowiego, co się tobie majaczyło w tym pustym czerepie, najgłupsza kura świata ma więcej rozumu od ciebie! Co tam tak szeleści...? Och żeż ty zgryzoto ostateczna, ty flądro rozmazana, ty wody nie zakręciłaś...?!!!

Za plecami pani Anny stał w cieniu komisarz Wólnicki i z wielkim zainteresowaniem wysłuchiwał pouczeń życiowych. Ku wielkiemu jego żalowi urwały się, bo pani Anna skoczyła wokół długiej grzędy niczym konik polny i pluszczący szmerek ucichł. Kilka słów pod adresem niedbałej pracownicy jeszcze stamtąd padło, po czym, odwróciwszy się, ujrzała komisarza, ucięła przemówienie i resztę poglądów wtłoczyła w siebie z powrotem.

– A, to pan – rzekła. – Słucham, o co teraz chodzi?

Otwierając usta, Wólnicki uczynił gest w kierunku rozpłakanej Wandzi, ale nie zdążył nic powiedzieć. Pani Anna go ubiegła.

– Pan ją zostawi na razie. Zakochała się, idiotka, w nieboszczyku i sam pan widzi. Zaraz się uspokoi i też do domu przyjdzie. Proszę, proszę. No!

Gniewne i rozkazujące „No!" nie odnosiło się do komisarza, tylko do skulonej w tujach Wandzi, która załkała żałośniej. Anna Brygacz energicznym krokiem ruszyła ku domowi, a Wólnicki poszedł za nią z lekkim wahaniem.

Słusznie uczynił, bo w ciągu pięciu minut alibi pani Brygacz zostało potwierdzone, wymienione przez nią osoby znajdowały się na miejscu i nie kryły wcale, iż przywiodła je ciekawość. Nikt z nich akurat nie miał na sumieniu żadnych przestępstw ani nawet wykroczeń, nikt się gliniarza nie obawiał i wszyscy chętnie przystąpili do zeznań, dobitnie wskazujących, że niedzielny wieczór spędzili bogobojnie i pracowicie. W towarzystwie, tak jest, pani Anny.

Wólnicki głupi nie był, swędem mu żadnym nie zaleciało, alibi jednej z podejrzanych miał z głowy. Mógł się zająć szlochającą Wandzią.

Wandzia posłusznie odczepiła się od tuj i wkroczyła do domu. Na pytanie, gdzie była i co robiła w ową zbrodniczą niedzielę, odpowiedziała wprawdzie wzmożonym potokiem łez, ale wśród strumieni plątały się i słowa. W dyskotece była, tak sobie pojechała, dla rozrywki, skąd mogła wiedzieć, że taka straszna rzecz się stanie...

– Sama pani tak pojechała? – spytał podejrzliwie komisarz.

– Sa aa ma... – wyłkała Wandzia.

– I dlaczego tak, sama? Nie ma pani żadnego towarzystwa?

– Nie ee chcia aa łaam...

– Na księcia czekała – wysyczało się pani Annie na stronie.

Wólnicki poprosił o ciszę, ale uwagę podchwycił. Prawie już tracił cierpliwość, kiedy udało mu się wreszcie wyłowić z potoków jedną małą rybkę. Wandzia pojechała do dyskoteki sama, bo miała nadzieję na spotkanie tam pana Krzewca.

– Umówiła się pani z nim?
– Nie eee...
– A miał tam w ogóle być?
– Nie eee... Ale mógł...
Wólnicki się zdumiał, bo pan Krzewiec, jego zdaniem, wyrósł już z wieku dyskotekowego. Móc być, owszem, mógł, z jakiej jednakże przyczyny?
– Pan Krzewiec chodził po dyskotekach?
– Nie eee...
Po kolejnych wysiłkach udało mu się zrozumieć... Ściśle biorąc, uzyskał informację, ale jej nie zrozumiał... W dyskotece, gdzie Krzewiec nie bywał, Wandzia, wcale z nim nie umówiona, siedziała i, wpatrzona w wejście, wyobrażała sobie, że on się nagle w tym wejściu pojawi. Wyzute z sensu i nie do pojęcia.
Gdyby był młodą, beznadziejnie głupią i śmiertelnie zakochaną dziewczyną, ze zrozumieniem idiotyzmu nie miałby najmniejszych trudności. Nie był jednakże, dzięki czemu poczuł się nieco ogłuszony, a nieufność zakwitła w nim tropikalnym kwieciem. Czym prędzej wrócił na grunt ściśle służbowy.
– Ktoś panią tam widział? Spotkała pani kogoś znajomego?
Wandzi zaczynało już trochę brakować łez. Wzruszyła ramionami.
– A ja wiem...? Może i był kto...
– Tak pani siedziała sama i nikt pani nie podrywał? Ładnej dziewczyny?
– Przypierniczał się jakiś... Ale odpędziłam.
– Jeden tylko?
– A ja wiem...? Może i dwóch albo trzech... Nie patrzyłam, odpędzałam.
– I do której pani siedziała?
– Do wpół do jedenastej...

– Adres tej dyskoteki poproszę. I zdjęcie pani. Chyba że woli pani sama być ciągana na konfrontacje.

– Daj panu zdjęcie, ale już, bo tu robota czeka – rozkazała wściekle pani Brygacz. – Nigdzie się szlajać nie będziesz!

Siąkając nosem, Wandzia spełniła rozkaz. Wólnicki przystąpił do drugiej części programu.

– Skąd pani znała pana Krzewca i jak długo trwała ta znajomość?

Gdyby Wólnicki był pisarzem utworów, opiewających meandry ludzkiej psychiki, socjologiem, psychiatrą, badaczem uczuć młodego pokolenia, zyskałby materiał do pracy, wystarczający na resztę życia. Wandzia zaprezentowała mu wachlarz uczuć od horyzontu po horyzont. Pana Krzewca spotkała przypadkiem trzy i pół roku temu w takiej szkółce mirabelek, czerwoną hodowali, a przeważnie mają żółtą, odwiózł ją, tak na nią patrzył... tak patrzył... jak nikt! Wywiedziała się od niego, ile mogła, a potem tak się starała przypadkiem z nim spotykać, a on w końcu zakochał się w niej na śmierć i w ogóle. I taki był... taki był... jakiego na świecie nie było! No pewnie, że z nim spała, głupia musiałaby być i ślepa, żeby takiego... takiego... zaniedbać... albo jakie... no, w ogóle..! I kochał ją, ona wie, że ją kochał, obiecał jej, poprzysięgał, że to na zawsze, chociaż nie zaraz, cierpliwie czekała w nerwach i zawsze do niej wracał, a te zdziry na niego leciały, ale niechby sobie, ona dla niego najważniejsza była, żadna mu tyle nie dała co ona, kochała go i już!!!

Otumaniony nadmiarem namiętności Wólnicki przez chwilę nie wiedział, jak ma ten wybuch uczuć potraktować i wykorzystać. Doświadczenie zawodowe i zdobyta dotychczas wiedza podsunęły kilka błysków, które należało starannie przemyśleć. Przynajmniej zastanowić się nad nimi. Coś mu przecież z tego powinno wynikać...

Pani Brygacz milczała na uboczu i słuchała tych zwierzeń, mocno skrzywiona. Badawcze spojrzenie komisarza skwitowała niechętnym wzruszeniem ramionami i kółkiem, narysowanym na czole. Wólnicki odebrał to właściwie, nie on zwariował, tylko ta cała Wandzia, urodziwa i seksowna, ale głupia jak próchno.

W dwóch kwestiach zyskał pewność. Jedna, to że nie Wandzia kropnęła denata, gdyby jej nawet w szale uczuć ręka skoczyła, teraz by z niej wyszło. Żal, rozgoryczenie, ekspiacja, cokolwiek, sama sobie własne szczęście z pazurów wydarła, nie zdołałaby tak doskonale stłumić pretensji do siebie. I druga, że to właśnie kochająca Wandzia dostarczała ogrodnikowi klientów i robiła reklamę, wielka miłość wzmaga siłę perswazji. Rachunki i zlecenia leżą w komendzie w postaci śmietnika, Kasia Sążnicka już stwierdziła, że mnóstwo zostało zniszczone i powyrzucane, jedna Wandzia może wiedzieć, komu Krzewiec najbardziej się naraził, nie mówiąc już o tym, że przeczekiwane podrywki bez wątpienia stanowiły zmorę jej życia i zapadały w pamięć.

I Krystyna, była żona, napomykała coś o dziewczynie, imieniem... Jakoś na wu... Wanda...?

Chwilowo rzeczowa rozmowa z Wandzią okulała doszczętnie. Nie zawracając sobie głowy ściąganiem pomocników, Wólnicki dał spokój pani Brygacz i osobiście skoczył do podsuniętej dyskoteki.

No i wyszło na jaw, że tak. Owszem. Wandzia tam niekiedy bywała.

Zbyt wcześnie jeszcze było, żeby trafił na tłum, ale barman trwał na stanowisku, bramkarz również, stali goście już się gromadzili. Wandzia do stałych gości nie należała, z racji wystrzałowej urody jednakże dawała się zauważyć. Wbrew pozorom nie latawica żadna, oporna, na przypadkowe rozrywki nie szła, gburowata w ogóle i dosyć ordynarna, cztery osoby ją pamiętały i zgodnie zaświadczyły, iż wybredna zawsze była, na co mogła sobie pozwalać. Rzadko się pojawiała i z reguły ze swoim chłopakiem, takim jednym Heniem, przy czym widać było, że on na nią strasznie leci, a ona na niego średnio. Ta ostatnia informacja pochodziła, rzecz jasna, od osoby płci żeńskiej.

Owszem, w niedzielę Wandzia była. Sama przyszła, dziwne. A nie, właśnie nie sama, z tym Heniem, pokłócili się od razu i on wyleciał, a ona została. I tak siedziała przy coli i soku pomarańczowym, tańczyć nie chciała, a co się kto przyplątał, to go odganiała, z pięciu do niej startowało, jednemu nachałowi przyłożyła nawet, nie żeby bardzo, trochę tylko w ucho go trzepnęła. Kiedy wyszła? A cholera ją wie, o dziesiątej jeszcze siedziała, a po jedenastej już jej nie było.

O żadnym Heniu u pani Brygacz Wólnicki słowa nie słyszał, marginesowa postać. Tak mało ważna, że jego towarzystwa Wandzia nawet nie zauważyła. Reszta jej zeznania okazała się prawdą i tu zalśniła nadzieja, że tej prawdy wyjdzie z niej więcej. Prawdy o życiu denata, służbowym i prywatnym.

Wólnicki postanowił uczepić się Wandzi trwalej, jako najdoskonalszego źródła informacji.

☆ ☆ ☆

Cholerna zapalniczka spędzała mi sen z oczu, co się z nią mogło stać, w tym domu nie było żadnego złodzieja ani nawet kleptomana, to po pierwsze, a po drugie skąd się wzięła druga?

Nagle stwierdziłam, że właściwie życie mam zatrute. W wyniku ogólnoświatowych skłonności do oszczędzania prądu trzasnęły mi cztery żarówki, nieosiągalne dla mnie z racji wysokości, na jakiej zostały umieszczone. Zginęły mi wszystkie zdjęcia z pierwszej połowy wakacji, oraz jedna nocna koszula, używana w podróży. Nie mogłam dzwonić po hotelach i pytać, czy jej tam nie zostawiłam, ponieważ zdążyłam zapomnieć, gdzie mieszkałam. Dowiedziałam się, że moja pedikiurzystka poszła właśnie na urlop i dopadnę jej najwcześniej za trzy tygodnie. Zepsuł mi się zamek błyskawiczny od ukochanej domowej kiecki, w dwóch zegarkach równocześnie wysiadły baterie, a w kosmetyczce podróżnej stwierdziłam obecność dużej ilości szamponu do włosów. Okazało się, że zasobnik z szamponem tkwił do góry dnem i był niedokręcony. Byłam zmuszona odmówić czterem zaproszeniom na spotkania w odległych rejonach kraju i kolejnej propozycji występu w telewizji. Na biurku znalazłam dwa wydruki tekstów do natychmiastowej korekty, wywiady, z których niezbicie wynikało, że jestem absolutną i bezdyskusyjną kretynką. Może i słusznie...

I wszystko to od chwili przyjazdu, w ciągu dwóch dni. Z łatwością zniosłabym ten kataklizmek, bo w końcu daleko mu było do prawdziwego trzęsienia ziemi, brama, na przykład, nie wywaliła bezpieczników, nie urwało się pokrętło od kaloryfera, nie wykopali głębokiego dołu przed moją furtką... gdyby nie piekielna zapalniczka.

Siedziałam i myślałam, wykorzystując chwilę spokoju. Nie zdematerializowała się przecież ta zaraza, gdzieś musi być. Gdzie, do pioruna? Niemożliwe, żeby rąbnął ją któryś pracownik pana Ryszarda, nie zatrudniał złodziei, zbyt wiele rzeczy do ukradzenia znajdowało się w wykańczanych, remontowanych, często umeblowanych już i zamieszkałych domach, żeby mógł sobie na taką lekkomyślność pozwolić. Poza tym ona nie rzucała się w oczy, stała na stole salonowym, niejako w głębi pomieszczenia, i miała prawie taki sam kolor jak stół. Ciemny brąz. Nic jaskrawego.

No więc kto...? Ogrodnik, nikt inny. Rozzłoszczony zdemaskowaniem pan Mirek, któremu urwał się dochód. Co, do tysiąca zbuków z łońskiego roku, mógł z nią zrobić...?!

Dał komuś w prezencie? Sprzedał? Nie daj Boże, przehandlował na bazarze? Jeśli w grę wchodzi bazar, pamiątka przepadła ostatecznie, nie, dajmy spokój bazarowi, zostawmy sobie odrobinę nadziei. Dał albo sprzedał komuś znajomemu.

I skąd, o kurza, niemyta twarz, mam teraz wziąć znajomych pana Mirka...?!

W przypływie wściekłości doznałam błysku w umyśle. Brat! Pojawił się jak na zawołanie, zagustował w Julicie, zdziwiłabym się, gdyby nie, trzeba jej natychmiast powiedzieć, żeby wywlokła z niego tych znajomych, prywatnych, służbowych, jak leci, wykantowanych klientów, świeże podrywki, mogą być stare podrywki, porzucane, wszystko jedno, co popadnie. Osobiście pójdę do wszystkich, bo inaczej szlag mnie trafi!

I w tym momencie los się nade mną zlitował. Zadzwonił telefon.

– Siemasz – powiedziała Alicja. – Słuchaj, co to za heca tam się u was rozgrywa i dlaczego wasza policja do mnie dzwoniła? To twoja robota?

Ucieszyłam się wprost szaleńczo, bo od przeszło trzydziestu lat Alicja była dla mnie plastrem na wszystkie rany i pociechą we wszelkich życiowych przypadłościach. Już dawno z nią nie rozmawiałam i martwiłam się, że jest chora, ostatnio mamrotała coś o jakimś sanatorium. Nie zwróciłam nawet uwagi na jej pytanie.

– O, jak się cieszę, że dzwonisz! Jak się czujesz?

– Bardzo dobrze. Tylko już nie mogę pracować w ogrodzie. Plecy mnie bolą.

– Byłaś w sanatorium?

– A to było sanatorium? Mnie się wydawało, że szkoła przetrwania.

– Ale przetrwałaś! To sukces!

– I już nawet jestem w domu. O co chodzi z tą policją? Coś o tym wiesz?

Dopiero teraz do mnie dotarło i poczułam się zaniepokojona. Do tego stopnia jesteśmy podejrzani...?

– Czekaj, czy ja dobrze słyszę? Naprawdę do ciebie nasze gliny dzwoniły? Po cholerę? Co ty tu masz do rzeczy?

Alicja zachichotała.

– Podobno jestem świadkiem i ratuję niewinnego. Znasz takiego, który się nazywa Sobiesław Krzewiec? To fotografik.

– Znam. Od dzisiaj. Brat nieboszczyka, do którego jestem przyklajstrowana. A ty skąd go znasz?

– Z Grenlandii. Przecież ci mówię, że to fotografik! Genialny, gdzie moim zdjęciom do jego, do pięt mu nie sięgam! Ale mnóstwo się od niego nauczyłam. Kazali mi go teraz uniewinnić.

– I co?

– Nie wiem. Uniewinniłam chyba? Pytali, czy był w Danii w ostatnią niedzielę, mogłam zaświadczyć, że był, u mnie nocował, a w poniedziałek rano robił zdjęcia w moim ogrodzie. Po to specjalnie przyjechał, dawno się ze mną umawiał i musiałam pozaznaczać, gdzie mam jaką ziemię. Na różnej ziemi to samo wyrosło i była różnica, jeśli rozumiesz, co ja mówię.

Rozumiałam doskonale. U mnie również to samo wyrosło różnie na różnej ziemi, chociaż niczego nie zaznaczałam i o jakość gleby nie starałam się zbyt pieczołowicie. Ale Alicja na tym tle miała szmergla i dobrowolnie przeprowadzała rozmaite doświadczenia. Ów Sobiesław zapewne uwieczniał rezultat.

– No to uniewinniłaś go granitowo – zapewniłam ją. – Chociaż i tak nie pojmuję, dlaczego miałby zabijać brata...

– Jakiego brata?

– Swojego.

– Zabił swojego brata? Opowiadasz mi Biblię?

– Przeciwnie. Właśnie nie zabił brata. I ty to zaświadczyłaś.

– Nic nie wiem o żadnych braciach – odżegnała się Alicja stanowczo. – Słuchaj, o co to w ogóle chodzi? Pytania zadawali, ale nic nie chcieli powiedzieć. Skąd ty się w tym wzięłaś? Sobiesław cię wcale nie zna, gdyby znał, z pewnością coś by powiedział. Każdy mówi.

– Teraz już mnie zna – poprawiłam smętnie. – I zdaje się, że z mojej najgorszej strony. Ktoś rąbnął jego brata i jak rozumiem, sprawdzają alibi podejrzanych.

– Jesteś podejrzana?

– Niewątpliwie tak, chociaż alibi w zasadzie posiadam...

– Ale przecież mówisz, że go nie znałaś. Zabijasz nieznajomych?

Jęknęłam.

– Alicja, nie myl! Brata znałam, tego zabitego. To właśnie ten ogrodnik, który spieprzył mi ogród! Mówiłam ci o nim!

– A, rzeczywiście, mówiłaś. To znaczy, że miałaś motyw – zaopiniowała Alicja bezlitośnie. – Trzeba było nie brać ogrodnika, nie dziwiłabym się, gdybyś to ty go zabiła.

– Ale nie zabiłam! To nie ja! Gdybym go miała zabić, wolałabym strzelać, tak z bliska ja się brzydzę!

– To jakim cudem się w to wmieszałaś?

– Tym razem chyba naprawdę przez złośliwy przypadek. Nie, przez zapalniczkę. Miałam do ciebie dzwonić, ale jeszcze nie zdążyłam. Czekaj, powiem ci wszystko od początku, w skrócie...

Opowiedziałam jej wszystko, przy czym skrót mi wyszedł nie najlepiej. Alicja słuchała z wielkim zainteresowaniem, wyjątkowo nie zbijając mnie z tematu i nie pchając w dygresje.

– I to była ta zapalniczka z Illum? – upewniła się. – Ta, co cię tak do niej ssało przed wystawą? Ta, co ją później dostałaś od Karen?

– No proszę, jak świetnie pamiętasz! Może pamiętasz także, czy ona tam była tylko jedna, czy mieli więcej?

– Karen była jedna...

– Idiotka. Zapalniczka, pytam, czy była jedna!

– Nie wiem. Ale skoro mówisz, że znalazłaś drugą, musieli mieć więcej... – Alicja urwała nagle i zastanowiła się. – Zaraz, był z nami wtedy ktoś jeszcze. My obie, Karen i kto...? Ktoś przyjechał na Wielkanoc...

O, rany boskie, Wielkanoc...! No tak, oczywiście, wielkanocna dekoracja na wystawie! Nic dziwnego, że miałam to żółte skojarzenie, jajeczka, kurczątka, wśród nich zapalniczka, zachwyciłam się, zapalniczką, rzecz jasna, nie kurczątkami, Karen później zostawiła nas i wróciła do sklepu. To wtedy kupiła mi ją w prezencie, a jeszcze później ofiarowała w charakterze niespodzianki. I ten ktoś wrócił razem z nią, pewnie też kupił, do licha, kto to był? Sklerotyczka, nawet płci osoby nie pamiętam!

– Alicja, błagam cię, przypomnij sobie! Spytaj Karen...

– Oszalałaś! Na seansie spirytystycznym? Karen od czterech lat nie żyje.

– Ale może masz to gdzieś zapisane. W kalendarzyku. Kto to był ten ktoś, on od nas, dla mnie żadna znajomość, ale dla ciebie owszem, jestem pewna, że w ogóle mieszkał u ciebie! Może też kupił wtedy tę drugą zapalniczkę...?

– Może kupił – zgodziła się Alicja zgryźliwie. – Można wiedzieć, co ci z tego przyjdzie? Zabił ogrodnika, żeby mu ją odebrać?

– Nie, nie mógł. To myśmy odebrali. Czekaj, zaraz... Nie mógł kupować dla nieboszczyka, trzydzieści lat temu to był gówniarz, do szkoły chodził, kto kupuje gówniarzowi stołowe zapalniczki?! Ale dla kogoś kupił...

– Przypuszczam, że chcesz teraz znaleźć mordercę...

– Wcale nie chcę. Mam gdzieś mordercę. Chcę znaleźć moją zapalniczkę i mota mi się po głowie takie kretyństwo, ten jakiś zabrał moją, bo myślał, że to jego, albo myślał, że obdarowany zlekceważył prezent i oddał go mnie, więc odebrał dla siebie...

– I za karę go rąbnął. Świetny pomysł. Przecież dziś to już byłoby stare próchno.

– Jakie próchno? – obraziłam się. – W naszym wieku! Uważasz nas obie za stare próchno?

– Jeszcze jak! – westchnęła Alicja. – Siebie w każdym razie. Próbowałam wyrwać zielsko i teraz krzyża nie czuję. To znaczy czuję, aż za bardzo. No dobrze, znajdę kalendarzyki i sprawdzę, skoro tak ci na tym zależy...

Odłożyłam słuchawkę, żywo poruszona. Nie wiadomo dlaczego wydało mi się, że przypomnienie okoliczności przybliżyło mi zapalniczkę, ponadto przestało mnie dręczyć skojarzenie kurczątek z papierosami. Co za ulga!

I już za chwilę ulga znikła. Zaraz, Wielkanoc... Wielkanoc łączy się z wiosną, było gadanie o wiośnie, nie w sensie uczuciowym, tylko jako o porze roku właściwej dla siania i sadzenia roślin. Alicja już wtedy urządzała swój ogród, Karen, co tu ukrywać, milionerka, kichała na szczegóły i nie wdawała się w tę całą robotę, od tego miała ogrodnika, ale ta jeszcze jedna osoba...? To była baba, przysięgnę, działka pracownicza, ktoś jej przywiózł coś strasznie śmierdzącego, sprzeczała się o tę roślinę z Alicją...

Siedziałam przy salonowym stole, nie robiłam nic pożytecznego i usiłowałam analizować odczucia, bo trudno było te wewnętrzne doznania nazwać myślami. To jeszcze nie wszystko. Coś więcej... Wciąż te żółte kurczątka plątały się po mnie...

Ponownie zadzwonił telefon.

– Już wiem – powiedziała Alicja. – Znalazłam kalendarzyk od razu, bo mnie zaciekawiłaś. To była Brygida Majchrzycka, na tydzień przyjechała, mam zapisane.

Skrzywiłam się do samej siebie, rozczarowana.

– Nie znam żadnej Brygidy Majchrzyckiej.

– Znasz. To znaczy, poznałaś ją wtedy, ale rzeczywiście chyba słabo. Nasiona, mam tu przy niej zapisane i już sobie przypominam. Chciała przy okazji kupić rozmaite nasiona dla siebie i dla kogoś jeszcze. Jakiś krewny, zdaje się. Chyba dla niego kupiła tę zapalniczkę, taką samą jak twoja, bo coś było... O ile pamiętam, w grę wchodziło jakieś nieszczęście botaniczne, ktoś przywiózł ze Związku Radzieckiego potwornie śmierdzącą roślinę i rozsiał jej albo temu krewnemu na działce... Czekaj, chyba nawet ona sama to zrobiła, bo znała się na ogrodnictwie jak kura na pieprzu... więc chciała mu to jakoś wynagrodzić. Znalazłam wtedy tę roślinę w atlasie, ale zapomniałam nazwy i teraz mi się nie chce szukać.

– I to wszystko masz zapisane w kalendarzyku?

– Owszem, w skrótach. Zainteresowała mnie śmierdząca roślina i natknęłam się na nią później. Niewiele brakowało, a miałabym ją u siebie w ogrodzie, przypomniało mi się wtedy to wszystko i uniknęłam przyjemności.

No tak, oczywiście, tylko dzięki roślinie zostały jej tamte sceny w pamięci. Możliwe, że zarówno roślinę, jak i zapalniczkę przywiozła do Polski ta jakaś Brygida, ale co mi z tego?

– Nazwiska krewnego oczywiście nie znasz? – spytałam beznadziejnie.

– Nie. Nawet nie wiem, czy w ogóle je wymieniła.

– A jej adres?

– Adresu nie mam. Tylko telefon. 44-26-33.

– Mokotów. Ale to z dawnych czasów, zanim jeszcze wszystko pokręcili. No nic, dobre i tyle...

Nagle wyobraźnia zaczęła mi tworzyć obraz. Głupia Brygida przywozi podarunek, wiatr wyrywa jej z ręki torebkę z nasionkami, zawartość rozsiewa się po ogródku i okolicy, ogródek należy do maniaka botanicznego... Jaki wiatr, mylę wydarzenia, niepotrzebny był jej wiatr, sama rozsiała, kretynka. To mnie wiatr wyrwał z ręki torebeczkę z koperkiem...

Znałam śmierdzące zielsko, zetknęłam się z nim na rodzinnej działce, szalenie dekoracyjne, podobne było do powoju, tylko o wiele bardziej jadowite i zgoła nie do wyplenienia, przez trzy lata ludzie z nim walczyli, a przerażający odór wisiał nad całym Okęciem. Rozrastało się z dzikim uporem, owijało wokół wszystkiego, jeden przeoczony kiełek mógł spętać cały ogród. Ów nieszczęsny człowiek pieli, wyrywa, wykopuje, zdziera nieskończenie długie pędy z róż, jabłoni, porzeczek i jaśminów, śmierdzi mu wszystko jak szatan, następnego roku wojna ciągle trwa, na Brygidę facet patrzeć nie może, warczy i pluje na jej widok, skruszona Brygida błaga o przebaczenie, kupuje mu na przeprosiny wściekle drogi prezent... Może to był jakiś krewny, po którym spodziewała się dziedziczyć?

Kto to mógł być, ten pokrzywdzony spadkodawca, i gdzie u diabła znajdę Brygidę Majchrzycką?!

A cholerne kurczątka uparcie nie chciały mnie opuścić...

☆ ☆ ☆

Uzyskawszy i zebrawszy do kupy informacje od wszystkich wywiadowców, komisarz Wólnicki uznał, iż posiada jasny obraz sytuacji. Dokładnie mówiąc, dwa obrazy.

Jeden kwitł bujną roślinnością. Mnóstwo osób utrzymywało ogrodnicze stosunki z panem Krzewcem, przy czym znakomita większość tych osób wyrażała zdecydowane niezadowolenie. Cztery sztuki szczególnie były oburzone jego śmiertelnym zejściem, miały bowiem nadzieję wymóc na nim poprawki. Co uschło, niech posadzi cholernik na nowo, bo zapłacili za żywe, a nie za martwe i nie popuszczą. Świństwem okropnym z jego strony było dać się zabić i z pewnością pozwolił na to przez złośliwość, żeby nie korygować własnych zaniedbań.

Wólnicki nie był miłośnikiem roślin. Nie znał się na kwiatkach i warzywkach, aczkolwiek na piękną florę patrzył z przyjemnością, tak samo zresztą jak na inne piękne rzeczy. Nie mógł jednakże uwierzyć, żeby taka flora, choćby nawet zmarnowana, zdołała doprowadzić człowieka do morderczej furii, motyw zgoła niemożliwy do przyjęcia. Przestępstwo gospodarcze, ekologiczne, medyczne, możliwe, diabli wiedzą jak tam te pasożyty roślinne wpływają na ludzi, ścigane paragrafami, ale przecież nie powód zbrodni! Z największym trudem przyjmował do wiadomości ten pierwszy wizerunek.

Drugi obraz złożony był z licznych dam rozmaitego wieku i urody, wyrażających prawie wyłącznie żal, głębszy i płytszy. Wyjątek, oprócz byłej małżonki, stanowiły trzy, bardzo negatywnie do pana Krzewca nastawione, zawiódł bowiem ich wielkie nadzieje. Już się prawie żenił, adorował nad życie, prezentami obsypywał, o wspólną posiadłość się starał, egzystencję urządzał, a tu chała. Nagle chłódł w uczuciach, takich adorowanych pojawiało się więcej, on zaś znikał w sinej dali. I nawet porządnej awantury nie można mu było zrobić, bo wymykał się z rąk i zwyczajnie uciekał, stając się najdoskonalej nieuchwytny. Nie każda miała usposobienie Wandzi Seltereckiej, skłonnej do trwania na stanowisku narzeczonej bez względu na wszelkie przeszkody.

Zważywszy zeznanie Gabrieli i własne poglądy, Wólnicki skłaniał się raczej ku drugiej możliwości. Porzucona dziewczyna, o charakterze z gatunku ostrych, wyczekała chwili powrotu niegodnego amanta do domu, wdarła się za nim i rąbnęła. Tak to musiało wyglądać ogólnie, szczegóły stanęły mu w gardle kością zgryzoty.

Punktem wyjścia było cholerne alibi na niedzielny wieczór. Co najmniej trzy czwarte świadków łgało koncertowo, bez żadnych racjonalnych powodów, tak na wszelki wypadek, w dodatku w obie strony, zarówno na korzyść ewentualnej podejrzanej, jak i na jej niekorzyść. Konieczność sprawdzania każdego słowa społeczeństwa zgrzytała Wólnickiemu w zębach i przeraźliwie kradła czas, a tak strasznie chciał znaleźć sprawcę przed powrotem Górskiego...!

Wandzia Selterecka stanowiła podstawę rozważań. Wciąż zapłakana, rozgoryczona i nieszczęśliwa, niezdolna do krętactw, bez najmniejszego oporu wyjawiała nazwiska i adresy zarówno upolowanych dla Mireczka klientów, jak i obrzydliwych dziewuch, ciągnących go ku sobie bez żadnych pokus botanicznych. Korygowała osiągnięcia wywiadowców, wspomagała je wydatnie i z niej wreszcie Wólnicki wydoił nieuchwytnego Szrapnela.

– A, taki jeden się czepiał – rzekła. – Mirek miał z nim kłopoty. Tak się jakoś nazywał, Wybuch czy Niewypał, czy coś... Nie, już wiem, Raszpel!

– Szrapnel!

– Możliwe. Szrapnel.

– I co ten Szrapnel? – spytał chciwie komisarz, uświadamiając sobie z rozpaczą, że już kompletnie przestał zwracać uwagę na prawidłowość zadawanych pytań. To przez ten pośpiech upiorny!

Wandzia wszelkie prawidłowości miała w dalekich tyłach. Ich brak sprawiał, że rozmowa stawała się jej bliższa.

– A czepiał się, jak ta pijawka. Odpady brał na składowanie, na taki plac, no, jak mu tam, ekologiczny, a Mirek miał zabierać z marszu. Pazurami pilnował, bo inaczej szło na ogień, na zmarnowanie, znaczy, żeby za długo nie leżało, żeby nikt nie zobaczył. Sam tak wykombinował i Mirka nakręcił, jeszcze prowizje z niego zdzierał. Opłacało mu się, dusiciel taki!

Wydoiwszy, Wólnicki uświadomił sobie, że teraz już potrzebny mu ten Szrapnel jak dziura w moście. Zrozumiałe stały się jego liczne telefony, ale gdyby zabił Krzewca, nie dzwoniłby przecież do nieboszczyka! Jako sprawca odpadał.

Dopadł go jednakże dla świętego spokoju. Szrapnel naprawdę nazywał się Szrapnel, nie była to żadna ksywa, tylko prawdziwe nazwisko, i prowadził firmę transportową, nie własną, lecz niejakiego Wilaka, zajmującą się przewozem wszystkiego. Ówże Wilak w detale się nie wdawał, filie posiadał wszędzie, z krajami ościennymi włącznie, w każdej filii zatrudniał operatywnego kierownika i dbał wyłącznie o pieniądze. Zyski miał wyliczone, brał swoje bez względu na okoliczności, a co powyżej, to dla kierownika. Kierownik Szrapnel zatem starał się po prostu o podwyższenie dochodów własnych przy pomocy pana Mirka i tyle.

Wólnicki przestępstwa gospodarcze odsunął od siebie niecierpliwą ręką, nawet w służbowym raporcie je zlekceważył i wrócił do emocji ludzkich, przekląwszy Szrapnela w żywe kamienie za stracony przez niego czas.

Z doniesień wywiadowców wynikało, iż niedzielne wieczory rzadko kto spędza samotnie, w każdym razie w gronie kontaktującym się z denatem. Osiemnastu osobników płci męskiej, wyłowionych ze szczątkowych rachunków i zeznań Wandzi, dzień biały spędziło na pracach ogródkowych, mroczny wieczór zaś na posiłkach w otoczeniu rodziny, w czterech wypadkach zaś nawet gości. Jeden, samotny, od rana do wieczora podglądany był przez zawistnego sąsiada, póki było widno odwalał robotę, od zmroku przy odsłoniętym oknie najpierw robił sobie kolację, potem tę kolację konsumował, wreszcie z piwem w dłoni zasiadł przed telewizorem, rozłożywszy na stole w samym środku pokoju cebule mieczyków. Przepiękne cebule! Jeszcze w nich grzebał! Podglądanie spowodowane było dziką zazdrością, pierwszy sąsiad nie mógł strawić nieziemskiego uroku ogrodu drugiego sąsiada i usilnie starał się wykryć sekret jego osiągnięć, pilnie i ukradkiem patrząc mu na ręce. Oka nie odrywał, nieobecność botanicznego szczęśliwca, bodaj dziesięciominutowa, zostałaby zauważona z całą pewnością.

Dwóch w ogóle wyjechało na weekend i wróciło blisko północy, co zostało potwierdzone przez ochroniarzy osiedlowych. Dwóch nie miało alibi wcale. Jeden twierdził, że się zdrzemnął, oczekując powrotu żony z dziećmi od teściowej, ocknął się o dziewiątej, kiedy wszyscy troje wrócili, i dopiero wtedy w ciemnym do tej pory domu zapłonęło światło, drugi zaś podobno poszedł na spacer. Bez psa. Lekarz kazał mu odbywać wieczorne spacery, wyszedł po osiemnastej, wrócił o dwudziestej trzydzieści, chodził po bezdrożach ze względu na świeże powietrze i nic nie wie o tym, żeby go ktoś widział, ale nie wierzy, żeby nikt. W tym kraju zawsze ktoś kogoś widzi.

– Jakiś dziwny był – dołożył wywiadowca. – Równocześnie zły jak cholera i nadzwyczajnie zadowolony. Mieszane uczucia miał w sobie.

Wólnicki nie bardzo wiedział, o czym powinny świadczyć mieszane uczucia.

– Wiek?

– Koło sześćdziesiątki.

– Kondycja?

– Ogólnie na oko świetna. Ale te spacery to na serce. Serca zasadniczo po wierzchu nie widać. Mam nazwisko tego lekarza od spacerów.

Drzemiący był młodszy, pięćdziesiątki nie sięgał, z panem Krzewcem miał do czynienia jakieś sześć lat temu, sercowiec urządzał się przed trzema laty. Obaj wyrażali niezadowolenie z usług ogrodnika, ale zgodnie, acz każdy oddzielnie, twierdzili, że już nadrobili niedopatrzenia i błędy, i z niezadowolenia wielki ogień nie buchał. Obaj posiadali sekatory. Ten trzyletni chwilami parskał jakąś iskrą, którą tłumiła druga strona samopoczucia, zadowolenie. Wywiadowca nie strzymał, wytknął, zapytał.

– Irga mi wreszcie zarosła takie ujęcie do szamba – odparł bez sekundy wahania ów podwójny uczuciowo. – Nic nie widać, znaczy żelaznej bani nie widać, tylko ładny krzaczek, a ujęcie potrzebne jak psu piąta noga. Panie, codziennie na to patrzę, żeby sobie samemu przyjemność zrobić.

Zwierzenie wypadło szczerze, zatem wywiadowca więcej nie pytał, bezwiednie przywalając Wólnickiemu rozterki.

Z trzech nieżyczliwie usposobionych dam najbardziej rozwścieczona i ziejąca pragnieniem zemsty posiadała alibi wątpliwe, dwie pozostałe nie posiadały żadnego.

Jedna siedziała w domu, samotnie dokonując zabiegów fryzjerskich, przy czym z mazidłem na włosach na pewno nikomu się nie pokazywała i nawet nie odbierała telefonów, bo kto by latał po mieszkaniu, kapiąc na wszystkie strony odżywką. Komórki do łazienki nie wzięła, skorzystała z okazji i wetknęła ją w ładowarkę.

Druga pojechała do Anina, do wróżki, o której słyszała od znajomych, ale wróżki nie zastała, dom zamknięty, więc wróciła. Nawet nie było co żałować, wiadomo powszechnie, że niedziela na wróżby niedobra, jednakże pojechała, możliwe, że ze zdenerwowania. Dwie godziny z hakiem jej to zajęło, przed szóstą wyjechała, po ósmej wróciła i żadnych znajomych nie spotkała po drodze.

Trzecia, dziko wściekła na pana Krzewca, najpierw nie uwierzyła w jego przeniesienie się na lepszy świat albo udawała, że nie wierzy, a potem urządziła nieziemską awanturę z różnymi histerycznymi wybrykami. Trochę trudno było z niej wydrzeć zrozumiałe słowa i odpowiedzi na pytania, aż wreszcie wywiadowca pojął, iż niedzielny wieczór spędziła wszędzie. Siedziała w domu. Wyszła do kiosku. Do takiego lokalu poszła na kawę, nie wie do jakiego lokalu, wybrała sobie pierwszy lepszy z brzegu, no dobrze, nie pierwszy, jakiś tam gdzieś dalej, długo leciała i zmęczyła się w końcu. Wstąpiła do kuzynki, ale kuzynki nie było, spacerowała, no, różnie spacerowała, taki jakiś z psem się przystawiał, w ogóle to jednak siedziała w domu, wróciła i siedziała. Nie wie, o której godzinie działo się to wszystko.

Nieopisany mętlik poczynań rozjuszonej damy zmusił wywiadowcę do zwiększonych wysiłków i w końcu znalazła się sąsiadka, która widziała ją przed wejściem do budynku około ósmej trzydzieści, ale nie umiała powiedzieć, co dama robiła, wychodziła czy wracała. Mogła trzasnąć denata, a wielkie emocje symulować. Ogródka ani sekatora nie posiadała, wyłącznie kwiatki na balkonie, w grę zatem wchodził motyw czysto uczuciowy.

Odciski palców na narzędziu zbrodni, poza jednym, nie wiadomo czyim, rzeczywiście źle wyszły. Układ ręki owszem, sposób trzymania rękojeści również, ale pozostałe linie papilarne okazały się rozmazane tak, że żaden sąd nie uznałby ich za dowód niezbity. Wólnicki sam przed sobą tę informację ukrył.

I już teraz wyraźnie poczuł, że pomoc umysłowa jest mu niezbędna. Górskiego zabrakło mu jak powietrza, ale tym bardziej zaciął się w uporze, rozwikła tę okropną sprawę sam, rozwikła, zanim Górski wróci, sam, sam...! No, może tak troszeczkę w towarzystwie. Pytanie tylko, czyim.

Prokurator w grę nie wchodził, wielkiego zainteresowania takim kameralnym przestępstwem nie przejawiał, na miejscu zbrodni w ogóle go nie było, raportów nie czytał, głównie zajęty był ochroną siebie samego przed zemstą zwartej grupy świeżo i przedterminowo zwolnionych z mamra bandziorów. Wólnickiemu kazał robić co trzeba i cześć, zapowiadając przy tym, że wszystko ma być zapięte na ostatni guzik i żadnych wątpliwości sobie nie życzy.

Napatoczył się wreszcie komisarzowi fotograf i natychmiast wyszło mu, że jest to właśnie osobnik do narady najodpowiedniejszy.

☆ ☆ ☆

Sobiesław na widok dziewczyny, z którą był umówiony, lekko zbaraniał. Zachwyt w nim wzrósł i, zadziwiająca rzecz, wyraźnie zmienił charakter, skojarzenie ze ślicznym robaczkiem zdecydowanie zbladło.

Za to okiem artysty wyłapał jakiś drobniutki fałsz, nie pasowały mu włosy, błysnęła niepewność, czy ten kolor jest prawdziwy, on osobiście dołożyłby jej czarne. Albo prawie czarne. Chociaż... Może nie...? A, co tam, niechby nawet miała zielone, i tak jest to urocza postać...

Urocza postać pojawiła się przed nim z komórką przy uchu.

– Tak – powiedziała. – Oczywiście. Właśnie się spotkaliśmy, zaraz go zapytam.

– O co? – spytał Sobiesław.

– O wszystko – odparła z energią Julita i wyłączyła komórkę. – W pierwszej kolejności o dawnych znajomych, Joanna dzwoniła, wychodzi jej, że potrzebny jest ktoś znajomy, wasz znajomy, pana Mirka znajomy, ktoś, kto dawno temu przywiózł tę zapalniczkę z Kopenhagi albo dostał od kogoś, kto przywiózł, i koniecznie powinna to być kobieta, i ma to związek z okropnie śmierdzącym ogrodem...

Sobiesław poczuł, że trochę się gubi w treści komunikatu, ale nie wydało mu się to największą klęską życiową. Julita zdawała sobie sprawę, że mówi nieco mętnie, spróbowała ubrać myśl w słowa bardziej zrozumiałe, jednakże próba nie najlepiej wyszła. Sobiesław, który tak ogromnie przypominał brata zewnętrznie i tak ogromnie różnił się od niego wewnętrznie, i nie trzeba było wyrzucać go z domu, i należało nawet koniecznie, wręcz pod przymusem, nawiązać z nim współpracę, i chyba był od pana Mirka przystojniejszy...

Przyczajone na chwilę fluidy wystartowały i ostro wzięły się do roboty.

☆ ☆ ☆

Ktoś kiedyś powiedział: „To nie do wiary, ile się zdąży zrobić, jeśli człowiek wstanie rano i od razu zabierze się do pracy."

Równie dobrze mogłabym powiedzieć: „To nie do wiary, ile się może zdarzyć w ciągu jednego dnia, jeśli zacznie się zdarzać od rana i wszyscy się trochę postarają."

Myślałam, że już będzie spokój i zostanę sobie z irytacją w jestestwie, niepewnością i gniotem żółtych kurczaczków, do jutra czekając niecierpliwie na wieści z zewnątrz, ale nic podobnego. O wpół do dziewiątej wieczorem zadzwoniła Julita, uprzednio napuszczona przeze mnie na znajomych pana Mirka.

– Słuchaj, czy możemy jeszcze teraz do ciebie przyjechać? To znaczy, ja z Sobiesławem. On sobie przypomniał tych znajomych, może coś z tego wyniknie?

– Głupie pytanie – odparłam grzecznie i poszłam sprawdzać, czy światła wokół domu są zapalone.

Przyjechali teraz już jednym samochodem, nie dwoma, z czego wynikało, że nie przewidują kłótni. Jeść, na szczęście, nie chcieli.

– Szczerze mówiąc, jedyną wspólną znajomą z ostatnich lat była Krystyna – wyznał Sobiesław, siadając przy salonowym stole. – Moja bratowa. Nie byłem na ich ślubie, ale trudno nie znać osoby, która przez parę lat mieszka w tym samym domu, nawet jeśli bywa się w tym domu rzadko. Trochę na dystans się trzymaliśmy, co nie przeszkadza, że zawsze ją dość lubiłem. Teraz widzę, że jestem zmuszony sięgać bez mała do czasów dzieciństwa. No dobrze, sięgnąłem, Julita mnie zdopingowała.

Julita robiła w kuchni herbatę, stwierdziwszy, że kawy mają już po dziurki w nosie, a herbata u mnie jest lepsza niż w knajpie. Też byłam takiego zdania.

– On zna Alicję! – krzyknęła w kierunku salonu.

– Wiem – przyznałam się. – Dziś z nią rozmawiałam. To stąd ci znajomi, prawie w jej oczach ktoś kupił tę drugą zapalniczkę. Majaczy nam się, że mogła to być niejaka Brygida Majchrzycka.

Sobiesław zdziwił się nieco i zmarszczył brwi.

– Majchrzycka? Ja znam to nazwisko. Zaraz, to dawno, chyba sprzed dwudziestu lat... Ktoś... Ale to nie Majchrzycka, tylko Majchrzycki, już wiem! Taki gówniarz, młodszy ode mnie parę lat, szkolne czasy, o ile pamiętam, mocno rozrabiał i tylko dlatego dawał się zauważyć, bo co taki pętak obchodzi prawie dorosłego faceta.

Julita przyszła z herbatą, z szalonym naciskiem zażądałyśmy szczegółowych wspomnień o rozrabiającym Majchrzyckim. Sobiesław wysilił pamięć.

– Przed maturą już byłem, a on w pierwszej klasie. Przypominam sobie chyba taką scenę w szkole, z okna widzieliśmy. Te szczeniaki na dziedzińcu coś miały... Zabawka z gatunku Mały Chemik, Mały Fizyk, Mały Podpalacz, samolocik odrzutowy czy rakieta, coś w tym rodzaju. Nie ma chłopaka, żeby nie popatrzył. Puścili to. Możliwe, że mi się myli z katastroficznymi filmami grozy, bo to zaczęło latać, ściśle biorąc, najpierw chyba wybuchło, a potem ruszyło i zdemolowało połowę terenu. Poszły szyby w sali gimnastycznej, poszedł śmietnik, rozszarpało część ogrodzenia, odżałować nie mogłem, że nie miałem aparatu w ręku... fotograficzny mam na myśli... i chyba dlatego zapamiętałem, jako straconą okazję. Mały Majchrzycki to przyniósł i całą klasę podpuścił, nazwisko grzmiało w powietrzu, Majchrzycki i Majchrzycki, stąd moja wiedza.

– Wylali go?

– A skąd. Poszło na karb doświadczenia z fizyki, odrabiał zadaną lekcję. Tam była, zdaje się, instrukcja obsługi, puszczać w otwartym terenie, najlepiej wielka łąka nad wodą, ale instrukcję te gnoje zlekceważyły.

Sobiesław zamilkł i napił się herbaty. Z nagłą uwagą przyjrzał się niezbyt bujnej passiflorze, widocznej na oknie za firanką.

– I to wszystko o Majchrzyckim? – spytała Julita z naganą.

Sobiesław się czym prędzej zmobilizował, porzucając zainteresowanie kwiatkiem.

– Gdzież tam, było więcej. Mętnie pamiętam, bo w końcu maturę zdałem i straciłem chłopaczka z oczu. Ale zdaje się, że raz przyniósł bumerang, prawdziwy, australijski, i przygruchał nim w łeb nauczycielce, zdaje się, że matematyki, a raz zasmrodził całą szkołę doświadczeniem chemicznym. Ciągle to były eksperymenty naukowe, a on wcale nie był niegrzeczny, tylko upiornie żywy i wściekle pomysłowy. Cokolwiek działo się w szkole, padało na niego, ale jakoś się trzymał. Chyba dobrze się uczył albo co. Obiło mi się o uszy, nie pamiętam przy jakiej okazji, że wielki spadek go czeka, wzbogaci się i zamierza podróżować po świecie, tropiąc co głupsze wynalazki. Co się z nim dalej stało, nie mam pojęcia i teraz już bym musiał konfabulować.

– Nie trzeba – powiedziałam w roztargnieniu, bo zajął mnie ów oczekiwany spadek. Pasował do sceny omawianej z Alicją, zielsko zielskiem, niechby i śmierdzące, ale czy tej zapalniczki nie kupowała przypadkiem matka małego Majchrzyckiego? Zasługiwała się spadkodawcy dla przyszłości syna...

Podniosło mnie. Przypomniałam sobie, że zamierzałam obejrzeć starą książkę telefoniczną, znaleźć adres i kawałek po kawałku dojść do współczesnych Majchrzyckich. Zostawiłam dwoje wspólników własnemu losowi i udałam się do pracowni.

Tempo musieli wziąć ekspresowe, bo jedenaście minut później byli już w najdoskonalszej komitywie, a porozumienie między nimi kwitło. Zaczęłam odczuwać lekki podziw dla Sobiesława, jak on to zrobił, żeby nie nadepnąć Julicie na charakter? Najwidoczniej ani nie żądał od niej żadnych decyzji, ani nie wyskakiwał z własną inicjatywą, ani nie walił salwami propozycji, a każdy z tych sposobów działania zraziłby ją niechybnie i nieodwracalnie. Tymczasem nic z tego, promieniała radosnym nastrojem. Zdolny chłopiec.

Jedenaście minut zaś niezbędne mi było do stwierdzenia, że starych książek telefonicznych należy szukać w komórce, gdzie znajdowało się wszystko. Maszyna do szycia i świecidełka na choinkę, foliowe opakowania i kamionkowa baryła na kiszone ogórki, ogromny wazon ozdobny i torby z zaniedbanymi klaserami, zasobniki z nićmi i wszelka inna pasmanteria, drabinka, lampa kreślarska i składany rajzbret, stare mapy w rulonach i książki, książki, książki. Trzy wysokie regały pełne ciasno upchanych książek, a ogólnie miejsca tam było tyle, ile pierwotnie zostało przewidziane na samotną maszynę do szycia i nic więcej. Dwie stare książki telefoniczne znajdowały się na samym dnie tej ciasnoty, pod ścianą w głębi, przywalone częścią reszty.

Nie czułam w sobie dostatecznego entuzjazmu, żeby własną ręką tam sięgać i zażądałam pomocy od osób młodszych i sprawniejszych fizycznie. Osoby poluzowały nieco fluidalne więzy i pośpieszyły na wezwanie. Zdaje się, że ich aktualny stan ducha przyjąłby chętnie nawet polecenie uprzątnięcia zaniedbanego chlewu.

W spisie telefonów Majchrzyccy istnieli, owszem, całe cztery sztuki, trzech facetów i jedna baba, ale nie Brygida, tylko Elżbieta. Nie zraziło mnie to, telefon mógł być zarejestrowany na męża, ojca, brata, byle jakiego krewnego płci męskiej, względnie na mamusię czy teściową. Otrzymany od Alicji numer należał do Karola Majchrzyckiego, zamieszkałego przy Wiktorskiej, i tam zapewne dwadzieścia pięć lat temu mieszkała Brygida. Obecnie ów numer musiał posiadać z przodu szóstkę albo ósemkę, adresy Majchrzyckich mogły się pozmieniać, ale może nie? Kto ich tam wie, czy nie siedzą kamieniem w starych miejscach?

Uczyniłam założenie, że numer od Alicji dostał z przodu szóstkę.

– Temu żywemu dziecku jak było na imię? – spytałam na wszelki wypadek.

– Nie mam pojęcia – wyznał Sobiesław z zakłopotaniem. – Operowano Majchrzyckim, kumple, rzecz jasna, przerobili go na Majchra i to im w zupełności wystarczyło.

– Nie szkodzi – pocieszyła czym prędzej Julita. – Mamy przecież Brygidę.

– Mamy też adresy. Zastanawiam się, dzwonić do nich i pytać o nią, dla mnie to pestka, czy lepiej popatrzeć, co tam się dzieje pod tymi adresami.

– Dlaczego lepiej?

– Żeby ich nie ostrzegać. Skąd wiesz, czy pana Mirka nie trzasnął właśnie ktoś z Majchrzyckich? Siedzi spokojnie, telefon go wystraszy, zacznie zacierać ślady i mataczyć...

– Skąd wiesz, że siedzi spokojnie? Może przeciwnie, spać nie może i ręce mu się trzęsą?

– To tym bardziej. Wpadnie w histerię i jeszcze kropnie jakiego świadka albo inną niewinną osobę. A moją zapalniczkę wrzuci do Wisły.

– Naprawdę myślisz, że zapalniczka ma związek z tą zbrodnią?

– Mało ważne co ja myślę, to on może myśleć, że ma. Dostał zapalniczkę i natychmiast ofiarodawcę szlag trafił. O ile, oczywiście, ofiarodawcą był pan Mirek...

– A jeśli nie...?

Poczułam lekką gmatwaninę w procesie myślenia.

– Nawet jeśli nie... Zaraz... O, może przynajmniej się dowiem, skąd pochodziła ta druga. Ta co tu stoi. Może one mają jakiś związek ze sobą, może ta zginęła i czym prędzej należało ją zwrócić, moja poszła w zastępstwie... Jeden drugiemu pozazdrościł i pan Mirek tego... Może coś tak, jak książki mojej matki... No, w każdym razie czegoś się dowiem!

– Przepraszam bardzo, ale co tu mają do rzeczy książki pani matki? – wtrącił się zaintrygowany i milczący dotąd Sobiesław. Nie snuł własnych supozycji, dociekliwość najwidoczniej pozostawił Julicie.

– U mnie w domu znajdowały się książki mojej matki – odparłam ponuro – i jedna osoba podwędziła trzy tomy utworu. Nigdy w życiu się do tego nie przyznałam, moja matka nie wiedziała o kradzieży, lata całe modliłam się, żeby nie wpadło jej do głowy akurat to sobie poczytać. Na odzyskanie nie było sposobu, gdybym w tamtym czasie u kogoś je wykryła, ukradłabym bez sekundy namysłu...

– Najpierw usiłowałabyś odkupić – skorygowała stanowczo Julita.

– Co byłoby idiotyzmem, bo gdyby właściciel nie chciał sprzedać, a ja bym je później ukradła, podejrzenie natychmiast padłoby na mnie. Nie wszyscy muszą popełniać takie idiotyzmy jak ja.

– Rozumiem. I myślisz, że ktoś... to znaczy pan Mirek... podwędził zapalniczkę, nie próbując jej odkupywać, bo komuś tam zginęła... Ale przecież ją miał!

– No i skąd ją miał?! Może to było takie coś, jak ten obraz teściowej...?

Bardzo zgodnie zażądali ode mnie wyjaśnienia, o co chodzi z obrazem teściowej. Wyjaśniłam.

Jedna teściowa, już w wieku bardzo średnim, odkryła w sobie nagle talent malarski i zaczęła tworzyć dzieła najpierw kredkami, potem akwarelą, wreszcie przeszła na olej. Córka była plastyczką, zięć architektem wnętrz, pozazdrościła im i wstąpiła na drogę sztuki, od razu biorąc się za duże formaty. Nikt nie ośmielił się wprost i uczciwie powiedzieć, co o jej twórczości myśli, wszyscy chwalili półgębkiem, a bohomazy to były straszliwe. W dodatku wdała się w realizm, gdyby jeszcze inne kierunki, pół biedy, kubista powie, że on tak widzi, abstrakcjonista rozmaże pastę pomidorową z jajkiem i też będzie dobrze, ale realistyczny pejzaż z pieskiem i owieczką na pierwszym planie mógł przyprawić widza o konwulsje.

Jedno z pierwszych osiągnięć ofiarowała dzieciom, córce i zięciowi. Rozdarta sosna to była, w burzowej atmosferze, na niebie czarna chmura z błyskawicami, pod sosną zaś skrzyżowanie Sierotki Marysi z Dziewczynką z Zapałkami i Czerwonym Kapturkiem. Odzienie tej kupki nieszczęścia waliło po oczach, bo, zgodnie z upodobaniami starszych pań, artystka uwielbiała słodki, różowy kolor i nie pożałowała sobie. W dodatku sama znalazła miejsce na swoje dzieło i dopilnowała zawieszenia go na ścianie w domu, urządzonym przez dwoje znakomitych fachowców.

Kompromitacja to była dla nich absolutna. Nie mogli tego zdjąć, odwrócić twarzą do ściany, ani nawet zasłonić jakąś szmatą, bo mamusia wpadała często i znienacka, sprawdzając, czy jej twórczość jest dostatecznie wyeksponowana. Przestali zapraszać gości. Sprawy zawodowe załatwiali po kawiarniach. Zamknęli dom przed ludźmi. Ulgi doznali dopiero, kiedy mamusia zdecydowała się jechać do Australii, do syna, żeby i jego swoją twórczością uszczęśliwić.

I może zapalniczka u pana Mirka stanowiła odpowiednik obrazu teściowej...?

– Ktoś, kto mu ją dał, przylatywał sprawdzić, czy ciągle stoi? – uściśliła Julita i spojrzała pytająco na Sobiesława.

– Na takie pytanie mogłaby odpowiedzieć chyba tylko moja siostra – odparł z zakłopotaniem. – Ja tu zbyt rzadko bywałem. Ale może...?

Spojrzałam na zegar i podjęłam męską decyzję.

– No to nie ma siły, dzwonię. Jeszcze nie ma dziesiątej, do dziesiątej telefony są dopuszczalne. Zaczynamy od Brygidy! To znaczy od Karola z Wiktorskiej...

Szóstkę odgadłam trafnie. Głos, który odezwał się w telefonie, był zdecydowanie męski.

– Przepraszam bardzo – powiedziałam możliwie słodko. – Poszukuję pani Brygidy Majchrzyckiej. Dawno temu to był jej numer telefonu. Czy może jest nadal?

– Już nie – odparł głos z uprzejmą obojętnością. – Od prawie dziesięciu lat to jest mój numer, a ja się wcale nie nazywam Majchrzycki. Pani Majchrzycka mieszkała tu przede mną, ale już nie mieszka.

– A może wie pan przypadkiem, gdzie można ją teraz znaleźć?

– Nie mam pojęcia, proszę pani. Przez krótki czas jeszcze podawałem jej numer telefonu dzwoniącym osobom, ale trwało to ledwo parę tygodni i już dawno ten numer mi zginął.

– Ale znał ją pan?

– Ze dwa razy ją widziałem. Może trzy. W ogóle bym jej nie poznał, więc jeśli w grę wchodzi identyfikacja zwłok, stanowczo odpadam.

– Nie, nie mam jej zwłok – zapewniłam go smutnie. – A Karola Majchrzyckiego pan zna?

– Nawet nie wiem, czy ktoś taki istnieje... Przepraszam panią, ale mnie się patelnia na gazie przypala. Nie znam żadnych Majchrzyckich i czy moglibyśmy już...

Uwolniłam od siebie faceta, z którego nie było żadnego pożytku, pokręciłam głową do wspólników i ruszyłam pierwszego z brzegu, Anatola. Śródmieście, ósemka chyba...? Aby przed dziesiątą, jeszcze mam osiem minut.

W telefonie baba. Raczej chyba młoda.

– Przepraszam panią, poszukuję pani Brygidy Majchrzyckiej...

– Kogo?

– Brygidy Majchrzyckiej.

– O Boże! Dlaczego u nas?
– Bo ćwierć wieku temu to był telefon Anatola Majchrzyckiego.
– No wie pani... Nic nie wiem o żadnym Anatolu, myśmy to mieszkanie kupili od Jerzego Brydziaka, a co przedtem, to już nie wiem. Tak dawno temu... O, była tu taka strasznie stara sąsiadka, ale ona umarła, więc też pani nic nie powie...
W tej kwestii nie miałam żadnych wątpliwości. Jeszcze sześć minut. Kolejny Majchrzycki, Stare Miasto, ósemka. Znów kobieta.
– Kogo? Brygidy Majchrzyckiej? A skąd pani ma nasz numer telefonu?
– Z książki telefonicznej.
– Bzdura! W książkach telefonicznych nie ma żadnych ludzkich numerów telefonów, same firmy i reklamy! Kto pani dał ten numer? Ta Brygida?
– Nie, ja właśnie szukam Brygidy...
– Brygida, rzeczywiście! Też mi imię... To już nie ma kogo ten kurwiarz podrywać, tylko jakieś Brygidy?! Czy to u mojego męża pani ten numer znalazła? Kto pani w ogóle jest?!
– Bardzo stara gropa – zapewniłam ją pośpiesznie. – Nie znam pani męża, tej Brygidy też nie znam, ale może pani jednak słyszała o Majchrzyckich?
– W życiu nie! I nie chcę słyszeć! Łajdus, jakieś Brygidy na mnie nasyła...!
Wolałam się rozłączyć. Julita i Sobiesław przestali zajmować się sobą i nie odrywali już wzroku ode mnie. Jeszcze minuta. Ochota, ósemka...?
– Nie ma takiego numeru...
No to szóstka. Zlitowałam się nad sprzymierzeńcami.
– Nie ma takiej rzeczy, jakiej nie można załatwić przez telefon – wyjaśniłam, słuchając sygnału. –

No, zastrzelić człowieka. Ale ja mam wprawę z dawnych lat...

– Słucham, Majchrzycki – powiedział facet z tamtej strony.

O, mój Boże, nareszcie! Nagle odkryłam, że nie można też przez telefon paść człowiekowi na szyję.

– Uwielbiam pana! – wyrwało mi się. – Nie, przepraszam, ja nie zwariowałam, tylko szukam Majchrzyckich według starej książki telefonicznej i pan jest pierwszy, który się do tego nazwiska przyznaje. Istny cud!

– A... można wiedzieć, do czego pani Majchrzyccy?

– O, nic groźnego. Ściśle mówiąc, szukam pani Brygidy Majchrzyckiej, która dwadzieścia pięć lat temu mieszkała na Wiktorskiej. Mieszkała czy nie, w każdym razie podawała telefon pod tym adresem. Czy zna pan może taką osobę?

Zachwycający facet zastanawiał się przez chwilę, nie wnikając w głupie szczegóły, kim jestem, po co mi Brygida i tak dalej.

– Moment. To chyba jakieś dalekie pokrewieństwo... Coś mi się kiedyś obiło o uszy... Bożenko...!

Ani przez chwilę nie wątpiłam, że wzywa na pomoc żonę. Szmery w telefonie wskazały, że zgadłam świetnie. Słuchawkę przejęła osoba płci żeńskiej.

– O, proszę pani, to stara historia. I właściwie więcej plotek niż czego innego. Może i było jakieś pokrewieństwo między nami, ale to dwudziesta woda po kisielu, wszyscy jesteśmy krewni od Adama i Ewy. A co pani chciała od tej Brygidy?

– Znajomego człowieka – powiedziałam tajemniczo. – Tak naprawdę szukam znajomego pani Brygidy Majchrzyckiej, z dawnych lat, i tylko ona jedna może mi powiedzieć, kto to był, ten znajomy. Żeby zapytać, muszę ją znaleźć, nie?

– No, niby tak. Ale ja wątpię, czy pani ją znajdzie, bo jej nie ma. Wyjechała na zawsze gdzieś do Ameryki już ładne parę lat temu. Jej syn tam mieszka, a jak już pani chce plotki, to... ja zaraz sobie przypomnę... Coś było takiego, on się strasznie wzbogacił, spadek chyba dostał i ten spadek był w Ameryce albo może w Szwajcarii, ale to było jeszcze za starego ustroju. Same trudności z tego wynikły!

– A wie pani może, po kim ten spadek? – spytałam chciwie.

– Po kimś takim... Wie pani, że nie wiem – osoba w telefonie nagle się zdziwiła. – Obijało mi się o uszy, ale ja wtedy miałam akurat własne kłopoty i nie zapamiętałam dobrze, ale... zaraz... Ja zadzwonię do jednej mojej znajomej, bo aż mnie pani teraz zaciekawiła, ona będzie lepiej pamiętać. A ten znajomy Brygidy Majchrzyckiej, to kto?

Całą opowieść miałam już gotową w sobie.

– No właśnie, żebym to ja wiedziała! Właśnie dawno temu przy mnie pani Brygida kupowała taką rzecz, której nigdzie nie można dostać, dla kogoś i nie wiem dla kogo, a strasznie mi na tym zależy, żeby pożyczyć albo chociaż obejrzeć. Ten ktoś z pewnością to ma...

– A co to było takiego?

– Albumowe dzieło przyrodnicze z mnóstwem fotografii, takie dość specjalistyczne. Po angielsku, ale to bez znaczenia...

– Jakie dzieło?

Widać było, że facetka pyta ze zwykłej ludzkiej ciekawości, bez najmniejszych podejrzeń. Zakłopotałam się z lekka.

– Nie powiem pani dokładnie, bo pomyśli pani, że się wygłupiam. Przyrodnicze, dotyczące fauny, śladów obecności zwierzyny od karalucha po słonia, poprzez wszystkie ptaki. Bardzo mały nakład i nie miało wznowień, a jedyną osobą, o której wiem, że to ma, jest właśnie ten ktoś od pani Brygidy. Nawet jeśli wymieniła nazwisko, ja go nie pamiętam, może nie dosłyszałam, no i tak szukam. Jestem pewna, że ona pamięta. Drogie było jak piorun.

– To pani znała Brygidę Majchrzycką osobiście?

– Znałam, zetknęłam się z nią na krótko. I w ogóle za granicą. Może istnieje ktoś znajomy, kto o niej coś wie?

– Pewnie, że istnieje. To ja zadzwonię do tej mojej znajomej i potem pani powiem, czego się dowiedziałam. Da mi pani swój telefon?

– Jasne, oczywiście, już mówię. Ma pani czym pisać...?

Ostrzegłam ją, że z niecierpliwości też jeszcze będę dzwoniła, i odłożyłam słuchawkę. Julita i Sobiesław patrzyli na mnie w skamieniałym bezruchu. Zdaje się, że zaniechali nawet mrugania oczami.

– Na litość boską – powiedziała osłupiała Julita. – Co ty mówiłaś...?

– Jakie dzieło o śladach zwierzyny? – spytał nieufnie Sobiesław. – Fotograficzne? I ja o tym nic nie wiem?

– Oj, nie zawracajcie głowy – zirytowałam się. – O łajnie... znaczy, chciałam powiedzieć o odchodach. Nie wszystko wam jedno?

– I ptaki...?

– Jakie znowu ptaki, ptaki miewamy na przednich szybach samochodów, na tylnych też, i dzieło nam do tego niepotrzebne, zdaje się, że ptaków tam nie było, chyba że nieloty, ale nie pamiętam. Dzieło rzeczywiście istnieje, ma je Alicja, z tym że wcale nie angielskie, tylko nasze. Coś przecież musiałam powiedzieć!

– A ona co na to...?

Powtórzyłam im całą rozmowę. Otrząsnęli się z lekkiego szoku i jęliśmy rozważać osiągnięcie.

Pojawiła się szansa, że znajdziemy pierwotnego posiadacza tej drugiej, pomylonej zapalniczki, kłującej w oczy na moim salonowym stole. Od niego dowiemy się o jej dalszych losach, bo niemożliwe jest, żeby Brygida Majchrzycka kupowała ją dla pana Mirka, w owym czasie ucznia w szkole. Ta jakaś Bożenka potwierdziła plotkę o spadku i wychodziło na to, że mętne wspomnienia zaśmiardniętego ogrodu miały swój sens. Druga zapalniczka zdoła może doprowadzić do pierwszej, mojej, którą uparłam się odzyskać.

– Jak znam życie – powiedziałam proroczo – ta facetka dzwoni właśnie do swojej znajomej, o ile znajoma ma mniej niż sto lat. Co nie jest wykluczone. Do mnie już nie zadzwoni, bo pogawędka o spadku będzie długa i północ ona uzna za porę niestosowną. Na wszelki wypadek postawię sobie dzisiaj telefon przy łóżku.

– Czy nadal mam się doszukiwać wspólnych znajomych? – spytał Sobiesław. – Ciekawe, swoją drogą, z jakiego okresu te zwierzęce odchody, jeśli ja o tym nic nie wiem... Zaraz. Alicja...? I nie pokazywała mi tego...?

– Może akurat zapomniała, że ma, zajęta była czym innym. Grenlandią. Owszem, znajomi się przydadzą, mało ich na razie, niech pan sobie jeszcze poprzypomina...

☆ ☆ ☆

– Tobie się chyba coś stało – powiedział ostrożnie fotograf, usiłując nie być niegrzeczny. – Czy ty przypadkiem trochę się nie gubisz z pośpiechu?

Wólnicki przez chwilę się łamał.

– Zgadza się – przyznał dzielnie. – Pośpiechu się nie będę wypierał. Zależy mi... no, wiesz... Ale sam widzisz, ile mi tu gulgocze, nie ma z kim pogadać, pierwszy raz tak zostałem jak idiota, teoretycznie powinien w tym siedzieć Mietek, razem ze mną, tymczasem Mietek uczepiony tej strzelaniny na Stegnach, Górski na urlopie...

– Za parę dni wraca, nie?

– Toteż właśnie – przyświadczył Wólnicki i na chwilę zamilkł.

Fotograf zrozumiał. Jasne, Wólnicki za wszelkę cenę chce się wykazać przed powrotem Górskiego, no dobrze, nie musi mu tego tłumaczyć jak sołtys krowie na miedzy. Stąd pośpiech i kołowacizna, na którą zapadł. W porządku, ludzka rzecz, pogadać zawsze można, nie zaszkodzi.

– Wal, co tam masz – zaproponował.

Dopiero teraz, a i to nie od razu, Wólnickiemu zaczęło porządkować się w głowie. Z początku relacja wychodziła nad wyraz chaotycznie. Fotograf dopomógł.

– Skąd on wracał? – zapytał.

– Kto?

– Denat. Mówisz, że ledwo wrócił do domu, wlazł za nim sprawca. Z nim czy za nim, wsio ryba, a gdzie był przedtem, zanim wrócił?

Wólnicki milczał i gapił się na kumpla.

– No i popatrz, nie wiem. Gdzie był cholernik? Kompletnie to przeoczyłem, nie wydawało mi się ważne.

– Bo i pewnie nie jest – pocieszył go fotograf. – Ale dla porządku...

– Dla porządku powinno być ustalone. Nie w knajpie, trzeźwy jak świnia, nie pił. Jak dotąd... czekaj, mam tu wywiady... żadna z tych jego wielbicielek nie przyznała się, że z nim była...

– Może co nowego poderwał?

– Możliwe. Zaraz, co najmniej do pierwszej po południu, tak, tu mam... był u takiego jednego, w tenisa grali i nic więcej. Ogrodu mu nie robił. Odjechał stamtąd i nikt go później nie widział, dopiero wieczorem...

– Nie umył się nawet po tym tenisie? – skrytykował fotograf.

– Diabli wiedzą, może się i umył. Na obiad gdzieś pojechał? No i masz, na nowo wszystkich pytać, czy go gdzie nie widzieli? Skądś wrócił i tyle, po dużym błocie nie chodził, ale w końcu wrócił żywy, więc ostatecznie to jest sprawa wtórna.

– Ale ten ktoś z kim był, mógł razem z nim przyjechać i kropnąć go, nie?

– Niby mógł...

– Nie, moment, czekaj – zreflektował się fotograf. Na wykazywaniu się przed powrotem Górskiego zbytnio mu nie zależało, był zatem znacznie przytomniejszy i rozgorączkowanie jego umysłu nie mąciło. – Ta donica, narzędzie zbrodni. Siostra ofiary mówiła... Ja umiem czytać i sklerozy nie mam... Więc ta siostra mówiła, że donica nie ich, to jak? Przynieśli ją ze sobą? Ty byś się nie spłoszył, gdyby za tobą jakiś nerwowy leciał i donicą potrząsał? Zastanów się!

Wólnicki nie musiał się zastanawiać.
– Tu masz rację, nie przyszli razem, czatował i wdarł się za nim...
– O, a nad tym przeleciałeś ze świstem. Jeden świadek co prawda, ale jednak. Ten gość w gablocie, świadek widział, przyjechał, zaparkował i nie wysiadł. Co to za jakiś? Co za samochód? Zlekceważyłeś chyba?
– Fakt – przyświadczył Wólnicki ponuro. – Zlekce... a gówno. Zwyczajnie, nie zdążyłem. Materiału od groma i trochę, wszystkiemu nie daję rady.
– Nie dałoby się docisnąć?
– Kim? Ludzi mi brakuje. I tak się postarali, a teraz na mój widok po sraczach się chowają. Gdzie on ten obiad żarł, niech to piorun spali... Chyba sam skoczę do tego tenisisty...
– Czekaj no – zwrócił nagle uwagę fotograf. – Mówiłeś, że dwa motywy, albo ogród, albo baby. Ogród u tenisisty odpada, to gdzie baba? Po kiego grzyba do niego pojechał? Tak sobie, tylko dla sportu?
Wólnicki zagapił się na kumpla. Rzeczywiście, czy tam nie było jakiejś baby? Wywiadowca zaniedbał temat?
– Tym bardziej do niego pojadę – zadecydował. – Ale zanim co, sam popatrz, kogo ja tu mam. Dwie listy, tu miłość, tu przyroda, prawie wszyscy mają alibi...
Fotograf rzucił okiem na długie spisy i skrzywił się od razu.
– Człowieku, co to ma być, żeński klasztor? A gdzie faceci od tych dziewuch? Nie przyleciał tam przypadkiem któryś mąż albo narzeczony lać gacha po mordzie? Musiała koniecznie taka panienka własnoręcznie? Sprawdziłeś, kto tam się przy każdej

pląpcze? A i to, o, wykantowani na krzaczkach i rachunkach, to co, jeden w drugiego pustelnicy? Żaden nie ma energicznej żony? – pomyślał chwilę, pokręcił głową z podziwem. – Ja tu widzę cztery dziedziny, nawet pięć.

– Pięć...?

– A jak? Pierwsza, zdenerwowany hobbysta ogrodniczy. Druga, porzucona facetka. Trzecia, amant, gach, mąż, wszystko jedno, poderwanej facetki. Czwarta, ten pomór roślinny, ujawnia się kant, denat za dużo wiedział, uciszył go wspólnik. Piąta, niewydojeni świadkowie. No fakt, masz zgryz, pół województwa!

– Wielbiciele – rzekł kąśliwie i wytwornie Wólnicki, krzesząc z zębów kilka iskier – wszyscy, z wyjątkiem dwóch, sprawdzeni. I nie żadne tam uczuciowe pierepały, tylko rzetelne alibi, ja może wyglądam na idiotę, ale czasem rozum się do mnie odzywa. Z żonami pustelników ta sama sytuacja, umiejscowione wszystkie. Nie tak ich znów dużo, a jeśli było więcej zapłakanych klientów, nie ma sposobu ich odnaleźć. Jeszcze mi tylko jakaś Wiwien została i na razie dojść nie mogę, o co się czepia, różyczki i fiołki czy łóżko, bo z korespondencji same strzępy ocalały. Dzwoniłem, dom nie odpowiada, komórka wyłączona, wysłałem chłopaka, nikogo nie ma, sąsiedzi nic nie wiedzą, budynek krótko stoi, ludzie się nie znają. Ta Wiwien nazywa się Majchrzycka i nic mi z tego.

– Nie leży tam nieżywa...?

– Nie mieszka sama. Trzy osoby podobno.

– A tych dwóch bez alibi? Kto to taki?

– Jeden amant zakochanej panienki, lekceważąco traktowany, oraz jeden stary piernik w sile wieku, hobbysta ogrodowy. O, to ci, Henryk Węzeł i Antoni

Majda, ich alibi sprawdzamy. Nie mam do nich przekonania.

Fotograf z całego serca chciał pomóc. Sprawa wydawała mu się jakaś dosyć beznadziejna, ale wyjście należało przecież znaleźć.

– A co mówią, że robili?

– Ten starszy poleciał na spacer dla zdrowia, a młodszy, amant, po kumplach się pętał, nikt tego nie poświadcza, same niepewności. Czekaj, jest jeszcze i trzeci, podobno spał w domu martwym bykiem, rodzina tak zeznała, na sprawcę byłby niezły, tyle że z ogrodem dał sobie radę już pięć lat temu, więc emocje mu przyschły.

– Rodzina, mówisz... A ten od spaceru? Samotnik? Rodziny nie ma?

– Z żoną mieszka.

– I żona gdzie była?

Wólnicki pogrzebał w stosie papierów.

– Żona, żona... Mam. Poszła do siostry, wróciły razem i oglądały telewizję. Mąż polazł na świeże powietrze, jednej z nich się wydawało, że pojechał samochodem, ale nie jest pewna.

– Przydusiłbym. I amanta bym sprawdził dokładniej.

– Też tak uważam – zgodził się Wólnicki. – Trzeba będzie. Samochodem... Pojechał czy nie, tego samochodu normalnie i tak nie widać, bo stoi w garażu.

Fotograf cały czas przeglądał zeznania pospisywane dość niedbale.

– Tu mi się coś nie zgadza. Ta Eliza Wędzik pyskuje na byłą żonę i rzuca na nią podejrzenia. Sitwa z siostrą denata... Ani z zeznań żony, ani z zeznań siostry nic takiego nie wynika. Wiesz, co ja myślę?

– No?

– Tak mi się wydaje... Podrywacz to on był, nie dziwkarz, tylko właśnie podrywacz, i za dobrze mu wychodziło. One mu wierzyły na mur, a on się musiał jakoś migać. Najpierw żona robiła za straszaka, potem się rozwiódł i posadę straszaka objęła siostra, więc je skomasował. I takiej skołowanej kretynce wmawiał, że tworzą wspólny front, a gówno prawda.

Wólnicki się zastanowił.

– Chyba masz rację. Gadałem z tą żoną, zadowolona z życia i ma to wszystko gdzieś. I żadnych pretensji finansowych. I, słowo daję, nie wierzę, że nie ma co robić, więc podpuszczała tych klientów nieboszczyka, rzeczywiście musiał dziewczynie nałgać. Tak, tu masz rację.

Fotograf wyłowił zeznania najwcześniejsze.

– Zaraz. Znów mi czegoś brakuje. Czekaj no, ten przedmiot.

– Jaki przedmiot?

– Ten przedmiot, który zginął. Siostra denata mówiła, byłem tam przecież, nie? Widziałem babę. Tu masz napisane, nic nie zginęło, poza przedmiotem z regału, prawdopodobnie zapalniczka stołowa, tak słyszała. To co z tym? Do laboratorium poszło?

Wólnicki się zakłopotał.

– Nigdzie nie poszło. Cholera, znów masz rację, wyleciało mi z głowy. No i widzisz jak to jest, człowiek musi z kimś pogadać, żeby mu się pod sufitem ułożyło, sam z siebie w tym pośpiechu nie nadążam. A zależy mi, dobrze zgadłeś. Trudno, niech plują na mnie i zgrzytają czym chcą, pogonię każdego, kto mi w ręce wpadnie. Co to za jakieś gówno było, diabli wiedzą, może ważne?

– Pomogę ci, jak chcesz – zaofiarował się fotograf wspaniałomyślnie. – Z Krzewcem mogę pogadać, z bratem mam na myśli, nawet chętnie, bo to przytomny facet, może coś wie. Chcesz?

– Kretyńskie pytanie.

– To pogadam. Ale, swoją drogą, ja ci radzę, szukaj tej Wiwien. Idiotyczne imię. Skąd ona w ogóle...?

– Mówię przecież, Kasi z papierów wyszła. Ze strzępów.

– Jedyna, co ci kompletnie zginęła, może tam cała rodzina trupem leży, na co niby czekasz?

– A co, mam się włamać, listy gończe rozesłać? – zdenerwował się Wólnicki. – I pod jakim zarzutem?

– Nie wiem.

– Ja też nie wiem. Chociaż uważam, że trzeba szukać dziewczyny albo jej faceta, w żadne szały roślinne nie wierzę. Ale ogólnie masz rację, gdzie on polazł po tym tenisie...? Zaraz dzisiaj jadę i przyduszę ludzi, niemożliwe, żeby tam wszyscy zaniemieli i nikt do nikogo słowem się nie odezwał! Jak ci jeszcze co przyjdzie do głowy albo czegoś się dowiesz, natychmiast powiedz!

– Dobra, powiem, powiem...

☆ ☆ ☆

Krótko po dziewiątej rano zadzwonił telefon. Byłam zdania, że jeśli do jednych ludzi nie należy dzwonić PO dziesiątej, do innych nie należy dzwonić PRZED dziesiątą, ale podniosłam słuchawkę. Zapewne z pustej ciekawości, kto się wygłupia.

Bożena Majchrzycka okazała się tak napęczniała uzyskanymi wczoraj wiadomościami, że nie strzymała dłuższego oczekiwania. Jasną jest rzeczą, że ani jednego złego słowa jej nie powiedziałam i nawet nie pomyślałam nic nieprzychylnego.

– Niech pani sobie wyobrazi – brzmiał dalszy ciąg po uprzejmym, acz skróconym i wręcz zachłystującym się z pośpiechu powitaniu – co za historia, już nawet się sobie nie dziwię, że nie pamiętałam, zdarzają się ludziom takie komplikacje, jak tym jednym, co nagle dostali dom po obcej dziewczynie. Ale moja znajoma pamiętała, bo ona pisze pamiętnik, właściwie listy do różnych ludzi, ale zostawia sobie kopie, więc to wszystko jedno. Tylko dat nigdy nigdzie nie pisze, więc jedno po drugim wychodzi z samej treści, ale nie szkodzi, można się połapać.

Doświadczenie życiowe pozwoliło mi w to nie wątpić. Też nigdy nigdzie nie pisałam dat.

– I co? – spytałam z dziką zachłannością.

– I tak nam wyszło, że ta Brygida Majchrzycka owdowiała, Majchrzycka była po mężu, a Danusia, znaczy moja znajoma, znała ją prawie od dziecka. A mąż nieboszczyk miał wuja, nie stryja, bo inne nazwisko, więc wuja, po siostrze, nazywał się zwyczajnie, Wiśniewski, bezdzietny człowiek, bez żony, stary kawaler, okropnie bogaty, sam z siebie i po przodkach sprzed wojny. Rośliny lecznicze hodował, takiego miał kota na tym punkcie, manię, hobby, czy co tam pani chce, ale nie z tego był bogaty, tylko w ogóle. Majątek, że po przodkach, miał różnie, okazało się, że w Szwajcarii i w Ameryce, znaczy w Stanach Zjednoczonych i, niech pani sobie wyobrazi, w Argentynie. Jak można było mieć majątek w Argentynie i żeby on nie zginął? To przecież dziki kraj, same woły i te takie tabuny, co wszystko zadepczą, od czego można mieć majątek w Argentynie?

Sama się zdziwiłam i nic mi na poczekaniu nie przyszło do głowy. Rzeczywiście, od czego można mieć majątek w Argentynie? I to jeszcze przed wojną, kiedy żaden zbrodniarz wojenny nie zdążył przywieźć tam zrabowanych dóbr? Żeby w Peru, to jeszcze, peruwiańskie złoto, niech będzie w Kolumbii, szmaragdy, ale skąd w Argentynie...? A niechby nawet na wołach, to czy banki argentyńskie były przed wojną takie pewne i godne zaufania...?

Bożena Majchrzycka wydziwiała nad pochodzeniem mienia, trochę ją zatem pogoniłam. W końcu i tak, wedle jej wypowiedzi, największy szmal spoczywał w Stanach Zjednoczonych, więc do diabła z Argentyną!

– No i on, ten Wiśniewski, nie miał nikogo i był tylko mały Majchrzycki, syn Brygidy, jedyne dziecko w rodzinie. Wiśniewski został jego ojcem chrzestnym, jeszcze zanim siostrzeniec mu umarł, znaczy, mąż Brygidy. I było tam gadanie, że to jego spadkobierca. Ale Danusia mówi... Znała Wiśniewskiego osobiście, mówi, że to nie był łatwy człowiek, a Brygida... No, Danusia mówi, że na jej oko, Brygida była głupia. Co pani na to? Mówiła pani, że ją pani poznała?

Masz ci los, może i była głupia, ale przed wystawą Illum nie zdążyłam tego stwierdzić. W ogóle facetki nie pamiętałam, musiałabym spytać Alicji, z jej notatek w kalendarzyku głupota, względnie mądrość osoby mogła wyniknąć. Trudno, żebym teraz zaczęła rozmawiać na dwa telefony!

– Jeśli moje wspomnienia są trafne – powiedziałam ostrożnie – i w grę wchodziła bardzo nieodpowiednia roślina, rozumu rzeczywiście nie dało się u niej doszukać...

– No więc właśnie, otóż to, rośliny! – podchwyciła radośnie pani Bożenka. – Mówiłam przecież, szaleniec roślinny! I lecznicze! Z tym spadkiem tak się wahał złośliwie, to ten mały, Boguś mu było na imię, to instytucja naukowa, to znów dotacja dla SGGW, żeby te zioła prowadzili, to jeszcze coś innego, a Brygida chciała dla dziecka i kto by jej się dziwił! Prawda?

– Prawda – przyświadczyłam z przekonaniem. – Nikt by się nie dziwił.

– No proszę, pani rozumie! Ale ciągle coś takiego robiła, że mu się narażała i dlatego Danusia mówi, że była głupia, a potem musiała odkręcać. I ciągle chciała mu w tym jego ogrodzie pomagać, bo prawdę mówiąc, on się już mocno starzał i nie miał siły, więc ona się pchała. Na roślinach to tak się znała, że umiała odróżnić różę od cebuli i tyle, nawet nie bardzo wiedziała, co rośnie w ziemi, a co, na przykład, na drzewie, i myślała, że jemioła to takie krzaczki na grządkach. No i kiedyś tak się specjalnie dla niego wystarała o jakieś coś, od ruskich przyszło, co chyba ktoś w nią wmówił, że lecznicze albo źle zrozumiała, i wysiała ukradkiem, żeby mu zrobić niespodziankę. A to śmierdziało niesamowicie, Danusia do dziś pamięta...

– Do licha! – wyrwało mi się. – To za moich czasów!

– Znaczy, pani też to znała? No, proszę! Narobiła mu kłopotu, że mało go szlag nie trafił, ale co się pokazało, ten mały, Boguś, miał więcej rozumu niż matka, sam zaczął wujowi pomagać całkiem przytomnie, chociaż tego nie cierpiał, a jej wytłumaczył, żeby zostawiła w spokoju rośliny i uszczęśliwiała wuja jakoś inaczej. Prezentami nieżywymi. To jakaś lampa, to naczynie, to coś do zjedzenia, bo głupia czy nie głupia, ale niektóre rzeczy umiała gotować. Pasztet robiła, Danusia mówi, wprost rewelacyjnie, i nadzwyczajną szarlotkę, ale jeść dzień w dzień, jak rok długi, sam pasztet i szarlotkę to każdemu obrzydnie, więc co innego, świecznik, doniczkę, ręczniki zagraniczne, bo te nasze, pamięta pani może, sprać trzeba było porządnie, żeby w ogóle wycierały...

– Oooo...! – wyrwało mi się znów. – Jeszcze jak pamiętam...!

Pani Bożence rozmowa ze mną najwyraźniej w świecie sprawiała wielką przyjemność.

– Mówiłam, że pani rozumie! No i po tym śmierdzącym on był wściekły i prawie znać jej nie chciał, a Bogusiem poniewierał jak jakimś parobkiem, więc sama nie wiedziała co zrobić i przywiozła mu zza granicy taką zapalniczkę stołową, bardzo drogą. U nas wcale takich nie było, a on palił i lubił zapalniczki, mógł sobie kupić ze złota, stać go było, chociaż... – zawahała się nagle. – Czy ja wiem...

– Bo co?

– Bo przecież ten największy majątek był w Szwajcarii i w Ameryce. A on się wcale nie chciał do niego przyznawać, jeszcze by mu odebrali albo wysłali go na Sybir, albo co. I chyba w Polsce miał tego ledwo trochę, i tak więcej niż zwykły człowiek, ale nic takiego, więc tak jakby skąpił. Może i był skąpy, lubił dostawać. Danusia mówi, że tak jej się wydawało, tylko na rośliny nie skąpił, ale na siebie owszem, jak prezent był użyteczny, bardzo chwalił i w dobry humor wpadał. No i przebaczył jej to śmierdzące, i dzięki temu w rezultacie Boguś Majchrzycki odziedziczył wszystko.

A cóż za wstrząsająco piękne informacje! Poczułam, że prawie dostaję wypieków.

– I co dalej? Bo przecież to jeszcze nie koniec? Gdzie się teraz podziewa Boguś Majchrzycki?

– Ach, proszę pani, dopiero potem zaczęły się dziwowiska! Albo może nawet nie potem, tylko razem wszystko poszło, Danusia ma w listach. Istna kołomyja. On się ożenił, ten Boguś, gówniarz był zupełny, dziewiętnaście lat miał, a Brygida, że głupia, dała mu na piśmie zezwolenie...

– Z kim się ożenił, na litość boską?!

– Z drugą taką samą, szesnaście lat dziewczyna, chyba jeszcze głupsza niż Brygida, poznał swój swego. Ojca miała alkoholika, matki już nie, ale ten ojciec, jedną nogą w grobie, przez wódkę oczywiście, wątroba, też jej dał zezwolenie, bo jak ma umrzeć, niech chociaż córka jakiego męża ma albo co. Nawet rozsądnie, zabezpieczył dziecko. Ale oni się znali, znaczy, mam na myśli, ten ojciec alkoholik i ten chrzestny Bogusia, ten wuj, Wiśniewski. Wuj go nie cierpiał, za nic w świecie na ślub by się nie zgodził, więc ukrywali to, w tajemnicy trzymali chyba przez pół roku, aż wuj umarł i Boguś dostał cały spadek...

– A ojciec alkoholik?

– O, umarł jeszcze wcześniej, ledwo w tydzień po ślubie. Ale ze spadkiem zaczęła się kołomyja, bo już Boguś był żonaty, a nikomu tam żadne intercyzy do głowy nie przyszły i to było jeszcze za tamtego ustroju, więc jeden melanż się zrobił. Amerykańskie ciągle woleli ukrywać, jakoś im się udało, tylko to tutejsze wzięli, dom i ogród, pieniędzy mało, no i jakoś ta Wiwien... Bogusia żona Wiwien miała na imię... wywęszyła, że za granicą jest więcej. Pewno Brygida z głupoty jej powiedziała. A w dwa lata po ślubie już się rozwiedli, łaska boska chociaż, że dzieci nie mieli, ale Wiwien zażądała połowy. I widać, że naprawdę głupia była, bo taki szantaż sobie wymyśliła, że za tę tutejszą połowę ona się zrzeka wszystkiego innego i nawet jej do głowy nie przyszło, że się zrzeka milionów. Jakąś taką kombinację zrobili w końcu, nikt tego nie mógł zrozumieć, że sprzedają nieruchomość i dzielą się pieniędzmi, ale dziwnie to wyszło, bo chyba sprzedali połowę. Czy jakoś tak. W każdym razie ta Wiwien na połowie ogrodu została i dom jej został, miała spłacić Bogusia, bez sensu, Danusia w listach pisała, ale widać, że strasznie mętnie. Sama się głowiła, co za jakiś podział nie do pojęcia. Ledwo się wszystko uprawomocniło, Boguś zaraz wyjechał.

– A gdzie się podziewała Brygida?

– U siebie. W tamtym domu po wuju wcale nie mieszkała. Ale akurat wtedy ustrój się rozlatywał, więc te różne zmiany finansowe wybuchły i z tych listów Danusi wychodzi, że tak: Wiwien sprzedała dom i resztę, ale kawałek ogrodu jej został i mała willa, w rozliczeniu dostała, Brygida swoje mieszkanie też sprzedała i od razu pojechała do syna, a ten pierwszy właściciel, ten co po wuju kupił, wcale tego nie chciał dla siebie, tylko na handel. I od Wiwien resztę z rozliczenia też chciał kupić, ale ona sprzedać nie chciała za nic, nie wiadomo dlaczego, bo tak naprawdę te rośliny miała w nosie. A to już w ogóle parę lat minęło, teraz by ona miała... zaraz... ze trzydzieści cztery lata. No i w końcu sprzedała, ale nie dawniej niż trzy lata temu, no, może z hakiem. Pewno jej pieniędzy zabrakło, a ziemia przecież poszła w górę...

– Zaraz – przerwałam z większym niepokojem niż powinnam, bo w końcu zapalniczka stała u mnie i nie jej właśnie szukałam, tylko tej drugiej, mojej. – A dom? Ten sprzedany? Z całą zawartością sprzedała czy zabrała rzeczy?

– Ja teraz już tak całkiem wszystkich szczegółów pani nie podam – usprawiedliwiła się ze skruchą pani Bożenka – bo Danusia przestała pisać listy. No, nie żeby wcale, ale o wiele mniej. Parę osób jej umarło, parę znikło z horyzontu, ludzie się porozjeżdżali, ona się, co tu ukrywać, zestarzała, więc już tylko ogólnie. Co do tego domu, to nie, aż taka głupia to ona nie jest, ta Wiwien, rzeczy zabrała, całą resztę, bo dużo wzięła Brygida dla Bogusia.

No, zapalniczki nie wzięła z pewnością...

– Zaraz – przerwałam ponownie. – A ta Wiwien drugi raz za mąż nie wyszła?

– A, co też pani! Gdyby ją pani zobaczyła... Ja ją raz widziałam i starczy. Do dziś nie pojmuję, jak on się mógł z nią ożenić, w ogóle ktokolwiek, ale może w szesnastu latach trochę lepiej wyglądała.

– Taka brzydka?

Pani Bożenka zawahała się.

– Czy ja wiem... Jak tu powiedzieć...? Niby nic takiego, ale... O, już wiem! Są takie osoby, co nic ładnego w sobie nie mają, a prześliczne, każdy się zachwyci, wie pani o co chodzi, nie? No to u niej akurat odwrotnie. Fakt, że też i niczego ładnego nie ma, ale na to, co ma, każdego otrząsa. Odrzuca. I jakaś taka... Śmieje się jak chora kobyła na łące, gębę na oścież rozewrze i rechocze... Ja bardzo przepraszam, że tak brutalnie...

– Ależ skąd, pani bardzo subtelnie! Rozumiem... A nie było przypadkiem mowy – też się zawahałam, niepewna, czy podejrzenia, które się nagle na mnie rzuciły, nie stanowią zbyt wielkiej przesady – o jakimś... no, jej nikt nie chciał, ale ona kogoś mogła, nie? Przypadkiem za kimś nie latała...?

– O, skąd pani wie? – ożywiła się pani Bożenka. – Tak znów bardzo nie chciałam plotkować, ale skoro pani się domyśla... Prawie od rozwodu... może mniej... gadanie było, że upatrzyła sobie jakiegoś adonisa i na głowie staje, żeby go złapać. A on nie i nie. Co tam w ostatnich czasach było, to już Danusia dobrze nie wie, bo się znajomi wykruszyli, ale mnie się o uszy obiło. Ogród tylko przez niego trzymała, bo to podobno ogrodnik. Ale jak jej pieniądze wyszły, całkiem do niej przestał przyjeżdżać i przez to wreszcie sprzedała.

– A przedtem obdarowała go zapalniczką po testatorze – wyrwało mi się z goryczą, zanim zdążyłam ugryźć się w język.

Pani Bożenka wcale się nie zdziwiła.

– A, żeby tylko! Pchała mu w ręce prezenty, aż się wreszcie opamiętała, on zresztą nie chciał brać, bo same buble to były, wszystko lepsze Brygida zabrała. O zapalniczkę, zdaje się, nawet jej awanturę zrobiła, ale mnie przy tym nie było, więc głowy nie dam. I w ogóle nie wiem, czy tam jaka wojna dalej się nie toczy, bo Brygida co jakiś czas przyjeżdża i możliwe, że jej to chce odebrać. Że niby jej własność, sama kupiła i Wiwien nie ma prawa.

O, to już zabrzmiało interesująco.

– I gdzie ta Wiwien teraz mieszka?

– Na Mysiadle mieszkanie kupiła po jakimś Pszczółkowskim czy coś takiego, ale jeszcze nie przerejestrowane i może nawet nie do końca zapłacone. Tu już całkiem na pewno pani nie powiem, nie obchodziło mnie, ja w ogóle o niej kompletnie zapomniałam i dopiero pani mi przypomniała. Ale możliwe, że i to coś, co pani chce obejrzeć, też wujowi przywiozła i możliwe, że jeśli drogie, też zabrała. Chyba że Wiwien amantowi zdążyła wtrynić, a on sprzedał albo co.

Szczęście, że pani Bożenka przypomniała mi, po co dzwonię i czego szukam, bo dzieło o łajnie gruntownie wyleciało mi z głowy. Adres Wiwien był mi teraz potrzebny. Kto go tam wie, świętej pamięci pana Mirka, czy nie zastąpił swojej zapalniczki moją, skoro Brygida żądała od Wiwien zwrotu mienia, żal mu było własnej, więc dostarczył moją i może ta zołza ciągle jeszcze ją ma...?

Pani Bożenka zatroskała się.

– Wie pani, ja za tego Pszczółkowskiego też głowy nie dam, może on się nazywa Trzmielowski albo Chrząszczkiewicz, albo Mrówczyński, tyle wiem, że jakiś pracowity owad. I ani ulicy, tam przecież są jakieś ulice, ani numeru, ani nic, Mysiadło i tyle.

Podziękowałam jej grzecznie i zapewniłam, że jakoś dam sobie radę.

Nawiasem mówiąc, znacznie później wyszło na jaw, iż ów pracowity owad nazywał się Pasieczniak.

☆ ☆ ☆

Uzyskawszy właściwe dane od Wólnickiego, fotograf z determinacją pojechał do domu Gabrieli, gdzie przytrafił mu się malutki uśmieszek fortuny, można powiedzieć: prezencik losu. Podchodząc do wejściowych drzwi budynku, natknął się na Sobiesława, który właśnie dom opuszczał. Mógł udawać, że spotkali się przypadkowo.

Entuzjazmu na widok mistrza fotograf nie musiał ani udawać, ani ukrywać. Sobiesław odwalił większą część zleconej roboty, elektroniczną metodą wysłał co najpilniejsze, wykiełkowała w nim ogólnoludzka życzliwość, fotograf już wcześniej obudził w nim sympatię i spotkanie sprawiło mu przyjemność. Nie miał nic przeciwko temu, żeby pogadać z facetem, wielbiącym jego talent i wiedzę, każdy lubi być doceniany. Zaprzyjaźnili się błyskawicznie.

W najbliższym barze miła pogawędka jęła napotykać drobne uciążliwości.

– Robiłem miejsce zbrodni – wyznał fotograf z lekkim zakłopotaniem. – Normalnie robię, ale teraz widzę, ile mi zabrakło. Wiesz jak to jest, człowiek już ma doświadczenie, zwykła rutyna, wiadomo co potrzebne, a okazuje się, że można więcej. Coś mi się widzi, że nie jeden raz i nie dwa, wyszłyby z tego dowody rzeczowe. Rychło w czas. A nawet i teraz.

Urwał wyczekująco. Sobiesław milczał i nie wyrywał się z pytaniami, bo zalęgły się w nim złe przeczucia. Fotograf był zmuszony kontynuować.

– To twój brat, nie? A cholera wie o co tam poszło. Z całego domu jedna rzecz zginęła, świadek... tego, twoja siostra mówi, że to zapalniczka stołowa, nie wiem, jak ona mogła wyglądać, ta zapalniczka, nie siostra, ale może jednak coś wiesz...? Niemożliwe przecież, żeby ktoś zabił dla zapalniczki, z czego ona była, z platyny? Człowieku, ty coś przecież o tym myślisz!

Sobiesław z lekkim oporem przyznał, że owszem, myśli.

– No i co? – nalegał rozpaczliwie fotograf. – Zabójca zabrał? Skąd ona się tam w ogóle wzięła, podobno się nie zapalała, może to ma jakieś znaczenie?

Myślenie Sobiesława biegło ostrym kurcgalopkiem, aktualne miejsce pobytu zapalniczki znał doskonale i za nic w świecie nie chciał go wyjawić, ostatnie pytanie jednakże otworzyło przed nim pewne możliwości. Wczoraj wieczorem coś mętnego się ulęgło, o małym Majchrzyckim mógł opowiadać do upojenia, a jeśli dziś dowie się więcej, nikt mu nie udowodni, że sam sobie tego nie przypomniał. Proszę bardzo, posłuży informacjami i przyczyni się do ujęcia sprawcy zbrodni.

– Tak mi chodzi po głowie... Wiesz... Nie obchodziło mnie i teraz siłą z siebie wywlekam... Że Mirek ją dostał w prezencie, to pewne. I jakieś mam takie skojarzenie, nazwisko mi wyskoczyło, Majchrzycka. Chyba ta Majchrzycka ją skądś przywiozła. Mogę się mylić, bo Majchrzycki, gówniarz taki, do tej samej szkoły chodził co ja, on w pierwszej klasie, ja w ostatniej, więc krótko, i może coś mieszam. Ale Majchrzycka wyraźnie majaczy, Brygida Majchrzycka, takie nazwisko tkwi mi w pamięci.

– Brygida? Nie Wiwien?

– Jaka znowu Wiwien? – skrzywił się Sobiesław. – Brygida, na bank! Nie, zaraz...

Teraz już uczciwie wysilił pamięć.

– Czekaj, czekaj... Głupie imię, ale brzmi jakby znajomo. Słyszałem je. Chyba słyszałem, bo sam bym nie wymyślił. I z Mirkiem miało to coś wspólnego. Czy nie wpadło mi w ucho kiedyś... Jakaś Wiwien czepia się go jak rzep i nie może się jej pozbyć, mam takie mętne wrażenie. A co? – zaciekawił się nagle. – Macie taką?

– Pląsze się po dochodzeniu – rzekł fotograf ostrożnie, bo nie był pewien, czy osoby podejrzane nie stanowią tajemnicy służbowej. – I to była Wiwien Majchrzycka?

– A cholera ją wie, jak się nazywała, nazwiska nie słyszałem. Ale spróbuję...

– Co spróbujesz?

– Spojrzeć na zdjęcia. Co ja wtedy robiłem...? Na krótko wpadałem i rzadko. Czy nie ten ogród botaniczny...? Ludzie mają różne rodzaje pamięci, mnie się wydarzenia kojarzą ze zdjęciami, popatrzę, może mi się coś więcej przypomni. Daj mi namiar na siebie, w razie czego zadzwonię.

Wręczając wizytówkę koledze po fachu, fotograf nie miał nawet drgnięcia przeczucia, jak szybko fotograficzna pamięć Sobiesława zdoła zadziałać i skąd tryśnie jej źródło...

Dokładnie w tym samym momencie Wólnicki dotarł do tenisisty.

Złapał go w domu, stanowiącym podziwu godną rezydencję, ponieważ tenisista z zawodu był prezesem firmy określonej w książce telefonicznej wdzięcznym mianem „aaaaaaalarmy". Firma działała sprawnie, prezes zatem dysponował dużą swobodą i krótko przed południem zaledwie skończył konsumpcję śniadanka. Jedne sprawy służbowe załatwił zdalnie o wczesnym poranku, kolejne zaś, wymagające udziału osobistego, miał przewidziane dopiero po drugiej. Komisarzowi od razu zaproponował kawkę, herbatkę, względnie inne, dowolnie wybrane napoje.

Wólnicki skorzystał z kawki, żeby wprowadzić nastrój towarzyski, zamierzał bowiem udawać, że przyjechał na plotki. Co w pewnym stopniu nawet nie mijało się z prawdą.

– Grał pan w niedzielę w tenisa z Mirosławem Krzewcem – zaczął z westchnieniem.

– O, cholera – zaniepokoił się pan domu. – Panie, gdybym wiedział, że go ktoś kropnie, rakiety do ręki bym nie wziął! Jak Boga kocham, żywy stąd odjeżdżał, mam świadków!

Wólnicki powstrzymał się od pytania, skąd wie, że Krzewca ktoś kropnął, zdawał sobie bowiem sprawę z upływu czasu i szybkości, z jaką sensacyjne wieści rozchodzą się po ludziach. O śmiertelnym zejściu partnera mogło pana prezesa poinformować już ze dwadzieścia osób, a możliwe, że i sto. Wolał od razu przejść do świadków.

– No właśnie – rzekł konfidencjonalnie. – Ci świadkowie. Poufnie to panu mówię, ale istnieją podejrzenia, że ktoś z tych świadków trochę się przyczynił.

– Ale co też pan...!

– O wszystkich pan wszystko wie? Sami przyjaciele?

W tym momencie podsłuchująca pilnie małżonka pana prezesa wtargnęła na oszkloną werandę, służącą do picia śniadaniowej kawki. Strój miała na sobie poranny, coś w rodzaju połyskującego srebrną nicią kimona, makijaż nieskazitelny, ogólna zawartość kimona zaś wydawała się wysoce apetyczna i pełna życia. Wólnicki ocenił ją na trzydzieści pięć i pomylił się tylko o pięć wiosen.

– O, żadne takie! Ty tu, Włodziu, tak zaraz nie zaświadczaj za ludzi! My nic nie ukrywamy – zwróciła się z energią do komisarza – ale obcy ludzie też patrzyli, a skąd mój mąż ma znać obcych ludzi? Gapią się różni, może się gapić i złodziej, i morderca! Mój mąż to jak dziecko, nawet głowy nie odwróci, choćby tam kto warczał i szczekał...!

– Ależ Lusieńko...

Lusieńka zawinęła się ekspresowo, sięgnęła do barku, nalała sobie koniaczku i już siedziała przy śniadaniowym stoliku, Wólnicki ledwie zdążył wykonać wszystkie eleganckie, powitalne gesty. Szczekanie go nieco zaintrygowało.

– Mnie niech pan pyta! – zarządziła. – Oni po tym tenisie to nie powiem, co widzą, pot im oczy zalewa, ale ja co widzę, to widzę. Że tu stali i siedzieli znajomi, to jedna sprawa, nawet się Bolcio ze Szczepanem zakładał, który wygra, ale za ogrodzeniem też patrzyli, Bukielak z psem przylazł i tylko psa zdenerwował, bo mu się do piłki wyrywał, a on go trzymał...

Przez dwie sekundy Wólnicki miał w oczach obraz tego jakiegoś Bukielaka, który wyrywa się trzymającemu go psu, ale zaraz się opamiętał.

– ...a nawet żaden nie spojrzał, że do Mirka samochodu już się pokraka zakradała! I Mirek spojrzał dopiero, jak ten rechot usłyszał!

Przerwa na chlupnięcie sobie koniaczku została szybko wykorzystana przez pana prezesa.

– Moja żona jest ogromnie spostrzegawcza, może nawet nadmiernie, ale ja wszystkie nazwiska podałem temu panu z policji, który tu nas pytał...

– Ale mnie nie pytał! Nawet nie wiedziałam, że był!

– ...i wszystkie zapisał. Nawet nasza gosposia zeznała, nawet ogrodnik...

– Dużo Jasio wie! – wskoczyła znów w zeznania pani domu z gniewem i wzgardą w odniesieniu do wiedzy ogrodnika. – Gienia owszem, nie powiem, ale z kuchni mało widać. A ja tu byłam i ślepa nie jestem! Tam samochody stały – wskazała palcem w kierunku, gdzie i Wólnicki zaparkował – a ona tak z tyłu, w kucki prawie, ukradkiem. I nic mi nie powiedzieć tyle czasu, żeby nie Gienia, do dziś bym nie wiedziała, że takie piękne śledztwo się robi!

– Ależ Lusieńko, przecież cię nie było...

– Nie było, nie było... Ale w ogóle byłam! Mógł ten gli... policjant na mnie zaczekać!

– Do północy...?

– O, rzeczywiście, zaraz tam północ, wielkie rzeczy...!

Wólnicki wyrzuty małżeńskie przeczekiwał cierpliwie, podtrzymywany na duchu wnioskiem, że z zabójstwem państwo domu na pewno nie mają nic wspólnego. Tyle wywęszyć umiał, lepiej niż pies. Żal pani Lusieńki napełniał go głęboką nadzieją, coś ta baba dostrzegła, wywiadowca rzeczywiście nie tyle może zlekceważył, ile nie przyszło mu do głowy...

Pani Lusieńka porzuciła pretensje do męża.

– No i proszę, dobrze, że pan przyszedł, jestem pewna, że nic wam nie powiedzieli, wszystko ważne przeoczyli! Chwalić Boga, żadnych interesów mój mąż z nieboszczykiem nie miał i ja tu niczego ukrywać nie muszę...

– Lusieńko...!

– Cicho bądź! Co jak co, ale na ludziach Włodzio się zna i wie dobrze, kto się do czego nadaje. Mirek, świętej pamięci, do tenisa w sam raz, do imprezy, do tańca, ale do interesów niech ręka boska broni! Dawno się Włodzio połapał.

– Pogratulować – rzekł szybko Wólnicki. – A to ważne, co przeoczyli, to co?

– Plotki, panie komisarzu, plotki...

– Cicho bądź! Takie plotki, które na własne oczy widzę, to już nie plotki, tylko te, no, jak im tam, o, dowody rzeczowe! Prawda?

Wólnicki z całego serca potwierdził.

– No proszę! A ja na własne oczy widziałam, pokraka przylazła...

– Przepraszam bardzo, jaka pokraka?

Pani Lusieńka sapnęła z wyraźną rozkoszą i ponownie sięgnęła do barku.

– Dziwię się, że pan nie wie. Była taka jedna, nawet o niej Mirek napomykał, molestowała go całe lata, uwolnić się nie mógł, już się odczepiał i na nowo. Unikał jej jak mógł, a ona swoje. Śledziła go, ale mówił kiedyś, że, całe szczęście, samochodem jeździ, więc niemożliwa rzecz razem jechać w dwa samochody, bo on też samochodem. Ale czasem taksówką i wtedy klęska, nie sposób jej się pozbyć. Znajomość z nami przed nią ukrywał, ale w końcu wypatrzyła, no i wtedy, w niedzielę, nie wiem czym przyjechała, ale odjechali razem, pewnie wolał ją zabrać, żeby do nas nie przyszła. A już była wcześniej i raz ją nawet na mieście widziałam, a w niedzielę, z kortu zeszli, ten pot ocierali, a ona, wyraźnie widziałam, za jego samochód się zakradła i za bagażnikiem siedziała. Schowana, w kucki. I zarechotała.

– Proszę...?

– Śmiech taki miała, jakiś okropny. Jakby co rżało albo rechotało, albo jakoś tak... chrrr, chrrr, chrrr, rżrżrż, hyrrr, hyrrr... Nie, ja tak nie umiem.

Dźwięk, wydany przez panią Lusieńkę, był przerażający, acz jej zdaniem, nieudolny.

– Lusieńko...! – jęknął zdławionym głosem pan prezes.

Wólnicki milczał, lekko zamurowany. Pani Lusieńka odchrząknęła i przepłukała gardło koniaczkiem.

– No, sam śmiech by wystarczył. Ale i bez śmiechu jakaś taka... Ja nie jestem żadna megalomanka, Włodzio może zaświadczyć, są kobiety młodsze ode mnie i piękniejsze, proszę bardzo, zgadzam się na to, każdy ma swój gust, wcale tak nie krytykuję, chociażby żona Mirka, była żona, bardzo ładna, ale ta... zaraz, dziwaczne imię... o, Wiwien! Ta Wiwien, ja nie wiem, ona ma w sobie coś obrzydliwego. Niby nic, nie garbata, nogi proste, ani iksy, ani obajny, nie karlica, a jednak. Twarz jakaś taka... I chyba ruchy. Chodzi brzydko, macha rękami... No nie wiem, to trzeba zobaczyć. Pokraka i tyle. Mirek ten śmiech usłyszał, obejrzał się i aż zbladł. Zaraz się pożegnał, zabrał rzeczy, poleciał do samochodu i razem odjechali.

Wólnicki odetchnął głęboko.

– No właśnie, dziwne się wydawało, że po tym tenisie pod prysznic nie poszedł. Państwo tu przecież z pewnością mają...

– A gdzie mu było do prysznica, co też pan! Na jego miejscu też bym uciekła, żeby ona tu nie przyszła i swoich rechotów nie zaczęła!

– A ja nic o tym nie wiedziałem – bąknął pan prezes, jakby nieco oszołomiony.

– No, Mirek się nie chwalił. Który chłop zauważy, jak się nic nie mówi?

– Pani jest bezcenna i zachwycająca – rzekł Wólnicki ze szczerym entuzjazmem po dłuższej chwili milczenia i na własne oczy zobaczył, jak prezes odruchowo kiwnął głową. – Ten właśnie moment był dla nas niepojęty, a pani wyjaśniła sprawę. Więc to z Wiwien Maj... z Wiwien stąd odjechał w pośpiechu, jak stał...

– To mogę zaświadczyć pod przysięgą! – zapewniła pani Lusieńka.

Wólnickiemu przeleciał przez głowę cały tajfun myśli. Wywiadowcy, mężczyźni, rutyna, gówno się dowiedzą, no owszem, są i dziewczyny, skąd człowiek ma wiedzieć, gdzie wysłać faceta, a gdzie dziewczynę, czemuż, do diabła, nie miał fartu dostać Joli... a, na nic, w chwili wizyty wywiadowcy pani Lusieńki nie było, no tak, jak w toto-lotku, rezultat zależy od szczęścia, niech to piorun spali, ludzie powiedzą wszystko, trzeba tylko...

Na „trzeba tylko" mu się urwało, bo pani Lusieńka wyraziła swoją opinię.

– Ale że ona go nie zabiła, za to głowę na pniu położę – rzekła z niezłomnym przekonaniem.

– No? Bo co? – zainteresował się małżonek.

Połowica wzgardliwie wzruszyła ramionami.

– Bo dla niej bez niego życia nie było. I nie ma. I ona nie z tych, co się trują, żadne samobójstwo, nic z tych rzeczy. Jak ona teraz na jego grobie dzień w dzień nie będzie ze świeżymi kwiatami siedziała, to niech ja... niech ja... niech ja nawet wyłysieję! Żyła nadzieją na niego, co ja mówię, pewnością na niego i do widzenia. To było widać, obsesja, świeciło od niej, gdyby go paraliż tknął, kwiczałaby ze szczęścia, że ma go dla siebie, pielęgniarka całą dobę na okrągło do końca życia. Do wariatkowa się nadaje, jak rzadko kto.

Wólnicki się zmartwił, na marginesie zostawiając myśl, że pani Lusieńka jest znacznie mądrzejsza niż się wydaje, chociaż wiadomo, że to te baby tak między sobą... ale czy z taką obsesjonistką uda się parę normalnych słów zamienić? Skoro z nią odjechał, powinna wiedzieć, co dalej, pytanie czy powie. Gdzie ona w ogóle jest, do cholery, jak ją znaleźć, do diabła z listem gończym, wedrzeć się, niech ten kretyn, prokurator, da nakaz, teraz już są podstawy...

Opanował się z wielkim wysiłkiem.

– Przepraszam, ale mówiła pani coś o szczekaniu...

Przez chwilę pani Lusieńka była zdziwiona, ale zaraz jej przeszło.

– A! Chodzi panu o psa Bukielaka? No pewnie, cały czas szczekał, a oni jakby ogłuchli, jestem pewna, że nawet nie słyszeli. Istne głuszce! Ale na pana miejscu ja bym tę Wiwien zapytała...

– Ja na swoim miejscu także. Dziękuję pani bardzo...

Również w tym samym czasie przyszedł pan Ryszard, wezwany przez mnie telefonicznie. Ściśle biorąc, wezwany został wcześniej i nie on sam, tylko jego pracownicy.

– Niech pan sam popatrzy – rzekłam z furią, kiedy objawił się osobiście. – Proszę, proszę, chodźmy pod wierzbę. Mówiłam, żeby to wyrzucić, nie? Naprawdę widzi pan we mnie Horpynę, która z tym całym gruzem poleci na wał wiślany i trochę go umocni? Wałowi się przyda, ale ja się nie czuję na siłach, może jeszcze trzydzieści lat temu, ale nie teraz, już się odchudziłam, nie muszę więcej!

Pan Ryszard, bez emocji patrząc na pełne gruzu taczki i górkę takiegoż gruzu, która na taczki nie weszła, zakłopotał się i westchnął.

– No to pani nie wie, jak jest z ludźmi? Ten ma to, ten ma tamto. Marcinek na budowie w Zielonce, a tego Henia ja chyba wyrzucę. Chociaż szkoda mi trochę, bo jako kierowca doskonały i przeważnie załatwia koncertowo. Czasem mu się tylko przytrafia...

– I akurat cyrkluje na mnie? – warknęłam straszliwie. – Akurat mnie Henio wściekle nie lubi? Czy ja mu każę siebie czytać? Nie ma przymusu! Widział mnie w ogóle?! Może mu się z twarzy nie podobam, ale to co, pan w niego wmawiał, że mam osiemnaście lat i on się strasznie rozczarował?!

– Nic w niego nie wmawiałem...

O, nie tak od razu furia we mnie klęsła.

– Ale ten Henio, sam z siebie, ma ręce? Nie paralityk? Kierowca, wedle przepisów, ciężarów żadnych nie powinien nosić, niech pan z nim przyśle jeszcze jakiego! W tym kraju panuje bezrobocie!

– Sama pani mówi, że bezrobocie u nas polega na tym, że nie ma ludzi do roboty...

– Niech weźmie ze sobą bezdomnego w młodszym wieku...!

– A pani uważa, że ci w młodszym wieku, dlaczego są bezdomni?

Polityka ogłuszyła mnie ostatecznie.

– Pan mi przyśle tego Henia! Zabiję gnoja osobiście!!!

– Przed wywiezieniem gruzu czy po?

– Po...!!! – zreflektowałam się nagle. – Nie, po już mi przejdzie. Poza tym nie wróci, ucieknie na widok megiery. No to pana zabiję. Niech pan coś zrobi.

– Herbaty, jeśli można. A Henio, prawdę mówiąc, chyba się pani trochę boi.

Zważywszy, iż nie mogłam sobie przypomnieć żadnego bezpośredniego kontaktu z Heniem i nie wiedziałam nawet, jak wygląda, zdziwiłam się nieco. Niektórych pracowników pana Ryszarda znałam od dawna, a niektórych wcale. Henio zaliczał się do tych drugich.

– Zrobiłam mu coś złego? – spytałam z niepokojem.

Pan Ryszard, znający mój dom lepiej niż ja, zważywszy, iż go sam budował, sięgnął po swoją ulubioną szklankę.

– Zrobić i dla pani?

– Nie, dziękuję, ja mam. Dolać trochę. I chodźmy do salonu, tam przyjemniej. O co chodzi z tym Heniem? Upodobania może mieć dowolne, ale ja się chcę pozbyć gruzu po telefoniarzach, więc mnie to interesuje. Naprawdę mam to sama wywozić na wał w foliowych torbach?

Pan Ryszard otrząsnął się z lekka, zapewne wizja mnie przy tego rodzaju pracy nie wzbudziła w nim euforii, albo może nie spodobał mu się mój przemęczony trup, leżący w połowie drogi. Zaprzeczył czym prędzej.

– Nie, niech pani po prostu w tamtą stronę nie patrzy, na szczęście wierzba zasłania. Jutro ich przycisnę. A co do tego Henia... to sam nie wiem, ale było przecież gadanie, że ktoś ukradł pani zapalniczkę, i wszyscy słyszeli. Sam ich przepytywałem. Henio też tu wtedy był.

Pan Ryszard urwał na chwilę i napił się herbaty. Wydawał się nieco zakłopotany. Czekałam podejrzliwie na dalszy ciąg.

– Sam nie wiem, jak to powiedzieć, bo to głupie.

– Zwyczajnie niech pan powie – poradziłam. – Henio podwędził?

– Ale, skąd! Przeciwnie. Z początku nie, dopiero trochę później, jak uzgodnili zeznania, Henio zaczął się tak wahać, no i dobrze, niech będzie wprost, rzucił podejrzenie na panią Julitę.

Zdumiałam się niebotycznie.

– Na litość boską, dlaczego...?!

– Bo wróciła. Tak się Henio upiera.

– Trzeźwy był?

– Jak świnia. To dobry kierowca, w pracy nie pije. W ogóle nie bardzo pije, piwo po robocie, wódkę do śledzia, normalnie, jak człowiek, jeszcze go pijanego nie widziałem i nawet chyba ani razu na kacu. Ze dwa dni myślał, zanim to powiedział.

– Niech pan powie porządnie, co powiedział – zażądałam surowo. – Julita, co prawda, na pewno nie ukradła, ale może coś z tego wyniknie. No! Co mówił? Co to znaczy, że wróciła?

Pan Ryszard pokręcił głową.

– Tak co do słowa pani nie powtórzę – zastrzegł się. – On przyjeżdżał i odjeżdżał, dowoził różne rzeczy, ale w zasadzie był. Widział jak Julita wychodziła, tak mówi, a zaraz potem wywoził skrzynki, za śmietnikiem zawracał i zobaczył, że wraca. Jakoś dziwnie wracała, tak się zawahała, zatrzymała przy furtce, weszła do domu i prawie od razu wybiegła. Tyle widział, co przez czas zawracania i nie przyglądał się specjalnie, ale pamięta. Julita ładna i rzuca się w oczy, więc zauważył. Tak, mówi, wyglądało, jakby czegoś zapomniała i po to wróciła, a nie chciała się przyznać, że zapomniała, czy coś w tym rodzaju. Bywa, że człowiekowi głupio, że zapomniał. Pani Julita nie mówiła, że wracała?

Wzruszyłam ramionami.

– Nawet gdyby wróciła sto razy, też nie po moją zapalniczkę. A inni...?

– Nikt ani nie potwierdza, ani nie zaprzecza, nie zwrócili uwagi. Każdy zauważył kogoś jednego, ale harmonogramu tego wchodzenia i wychodzenia nie zrobią. Henio powiada, że w ogóle by go to wszystko razem wcale nie obeszło, gdyby nie to, że jest gadanie o kradzieży, on nie złodziej i co widział, to mówi. Ale głupio mu i dlatego tak się miga.

Ponownie wzruszyłam ramionami, tym razem z irytacją.

– Komunikat o Julicie może rozplakatować po mieście, jeśli ma na to ochotę, ale gruz niech, do diabła, wywiezie! Niech mi się tu nie wygłupia! Mimoza się, kurczę jego blade, znalazła! I w ogóle o co chodzi, jego akurat ktoś o tę zapalniczkę posądzał czy jak? Przecież jej nawet na oczy nie widział!

– Za to ogrodnika widział – westchnął pan Ryszard. – Okazuje się, że on doskonale znał tego całego pana Mirka, mignął mu tu za którymś nawrotem, do swojego samochodu wsiadał i aż się Henio zdziwił, co ten palant tu robi. Może dlatego tak się przejął.

Teraz i ja się przejęłam.

– Ejże! Skąd go znał? Nie, chyba głupio pytam, woził mu coś? Pan Mirek do swoich bubli potrzebował transportu!

– Zgadza się, Henio dużo wozi, a dla nieboszczyka już parę lat jeździł, z roślinami doskonale sobie dawał radę...

– Lepiej niż pan Mirek...

– Chyba lepiej. Nie lubił go i dosyć obelżywie się o nim wyrażał. No i takie chichoty słyszałem wśród chłopaków... Wie pani, ja mam co robić i na plotki mi czasu brakuje, ale bywa, że coś w ucho wpada. Rywale to byli. Dziewczyna Henia za ogrodnikiem latała, natrząsali się z niego trochę, że po to dla niego jeździł, żeby romansu pilnować. Niewiele tego gadania było, bo Henio się wściekał, może teraz przestanie, skoro konkurent mu odpadł, ale chyba dlatego tak się tą zbrodnią zdenerwował. I tą kradzieżą.

– Zaraz, zaraz, panie Ryszardzie, chwileczkę. Rywal, mówi pan? I zapalniczka...? A gdzie był Henio, jak pan Mirek trupem padał...?

– Niech mi pani nie mówi, że pani chłopaka podejrzewa – zgorszył się pan Ryszard. – Nie wiem, gdzie był. Gliny to już chyba sprawdziły?

– Iiii tam, dużo oni sprawdzą. Nikt im przecież prawdy nie powie, każdy zełże cokolwiek na wszelki wypadek. Więcej się pan dowie prywatnie od jego kumpli albo nawet od niego samego. Niedziela... nie pracował chyba? Może do tej swojej dziewczyny poleciał?

– Może i poleciał. To my teraz mamy śledztwo prowadzić? Na co to pani?

Zreflektowałam się. Rzeczywiście, na co mi to? Zapalniczki, do pioruna, szukam, a nie zabójcy pana Mirka!

Nagle coś mi się zrobiło w głowie i doznałam jakby pomieszania zmysłów. Nie bacząc kompletnie na uzyskane o poranku informacje, jakoby Wiwien Majchrzycka odznaczała się urodą antykuszącą, na poczekaniu wymyśliłam, że to ona właśnie, latająca za ogrodnikiem, stanowi przedmiot uczuć Henia. Diabli wiedzą w końcu, jaki Henio ma gust, może zwyrodniały? Brygida Majchrzycka przyjeżdża i robi awantury, usiłuje odzyskać pamiątkowy przedmiot, z jakichś tajemniczych powodów pan Mirek postanowił swoją zapalniczkę ocalić, podwędził zatem moją, żeby ją dać Wiwien, żeby ją dała Brygidzie... I dał jej, zdążył, i ona teraz stoi u Wiwien i czeka na Brygidę, i trzeba jej natychmiast odebrać, bo inaczej Brygida przyjedzie...

Niejasno czując, że gdzieś na dnie mojego natchnionego odkrycia tkwi jakieś przeraźliwe kretyństwo, nie zdołałam się jednak powstrzymać.

– Panie Ryszardzie, ta dziewczyna Henia – powiedziałam pośpiesznie. – Ona się nazywa Wiwien Majchrzycka, gdzie ona mieszka? Henio to musi wiedzieć! Niech pan to z niego wywlecze!

– Ja mogę wywlec – zgodził się zdezorientowany nieco pan Ryszard. – Ale do czego pani dziewczyna Henia? I skąd pani wie, jak ona się nazywa? Bo ja nie wiem.

– Ja o niej wczoraj i dziś rano słyszałam. Latała za panem Mirkiem, a miała kontakt z osobą, która przywiozła drugą zapalniczkę i z pewnością ona mu ją dała, a teraz musi zwrócić, więc on ją ukradł u mnie dla niej! Oj, nie mam teraz czasu wszystkiego panu powtarzać, ale dużo słyszałam, mówię, nazywa się Wiwien Majchrzycka i nikt nie wie, gdzie mieszka.

– I teraz pójdziemy się włamywać do tej jakiejś Wiwien...?

– Oczywiście! I to czym prędzej! Mogę sama, jak pan nie chce, albo z Julitą, tylko adres muszę mieć, niech pan się postara!

Strzelające ze mnie emocje zaraziły pana Ryszarda, człowieka na ogół kamiennie spokojnego. Sięgnął po komórkę.

Czas oczekiwania przyjazdu ostro pogonionego Henia spędziliśmy na użytecznej pracy, mianowicie na oprawianiu szczotki w nieco zmurszały, drewniany drąg po zepsutym wachlarzyku do zgarniania liści. Ściśle biorąc, pan Ryszard oprawiał, a ja usiłowałam nie patrzeć mu na ręce. Śruba w twarde, wbrew pozorom, drewno nie weszła i równocześnie zdenerwowany Henio nadjechał.

Spodobał mi się, sympatyczny blondynek, energiczny, dość ostry, ale grzeczny. Od razu przerwałam jego usprawiedliwianie się w kwestii gruzu w taczkach.

– Panie Heniu, z góry przepraszam za nachalność, ale tu idzie o poważne sprawy, więc niech pan usunie na bok uczucia. Pan zna Wiwien Majchrzycką.

– Proszę? – zdziwił się Henio i wypuścił z rąk uchwyty taczek. – Jaką Wi... A...! Zaraz...

– Wiwien Majchrzycką. Niech pan na chwilę zapomni, że pan ją kocha.

Henio osłupiał.

– Kto ją kocha? Ja...?!!!

– A kto? Ja?

– Nie wypieraj się – poradził życzliwie pan Ryszard. – To nie ma nic do rzeczy.

– Niech ja do sracza przyschnę... Tego... Sorki... Ja ją...! To głowa mała...!

Staliśmy we troje pod wierzbą nad kupką gruzu i taczkami, a znieruchomiały Henio oglądał na zmianę pana Ryszarda i mnie, jakbyśmy co najmniej pokryli się porostem islandzkim i wypuścili bujne pędy. Zaczęło mi się wydawać, że coś tu nie gra, jego reakcja mi nie pasowała.

– A co...? – spytałam delikatnie i nieufnie.

– Taką raszplę pokraczną...! Ja...! – wykrzyknął ze zgrozą. – Kto tak nakablował? W mordę...!

Pan Ryszard cofnął się o krok i spojrzał na mnie niepewnie.

– To jak to...?

– Ostrożnie, na akantus pan wejdzie! A co, panie Heniu, coś nie tak?

– Wszystko nie tak! – rozwścieczył się Henio. – Takiego wała z człowieka robić...! O co tu biega i w ogóle?! Dlaczego?!

Spróbowałam skorygować niefartowny początek i złagodzić sprawę. Najwidoczniej w kwestii uczuć Henia nastąpiła drobna pomyłka.

– Nie, spokojnie, źle pan zrozumiał, nikt tu pana o żadne świństwo nie posądza. Rozumiem, że zna pan Wiwien Majchrzycką, ale jej pan nie kocha?

– O Jezu... – powiedział Henio jakoś dziwnie.

– No dobrze, nie musi pan. Wie pan może, gdzie ona mieszka?

Henio milczał chwilę, najwyraźniej starając się opanować i znaleźć słowa, nie uważane powszechnie za obelżywe. Możliwe, że nawet próbował coś myśleć.

– Zaraz. Ale mnie pani ustrzeliła! To takie żarty...?

– Boże broń. Pomyłka.

– Wiesz w końcu, gdzie ta Wiwien mieszka czy nie? – wkroczył pan Ryszard.

– A bo ja wiem? Chyba wiem. Znaczy, zgaduję.

– Więc to nie jest twoja dziewczyna?

– W życiu...! Szefie, teraz pan...? Ja ją w ogóle ze trzy razy widziałem i tyle, ona z tym całym... badylarzem... kręciła, znaczy, kleiła się, ale on też nie chciał. Raz, ale to już dawno, ze dwa lata będzie, kazał mi do niej podrzucić jakieś klamoty, bo i tak na Mysiadło jechałem, więc pewno tam ta worycha mieszka, no i wtedy nazwisko powiedział. Ale tego... zaraz... dwa nazwiska...?

Wpatrzywszy się z wytężeniem w dal, Henio jął sobie przypominać. Wspomogłam go wiedzą od pani Bożenki.

– Dwa. Ona tam u kogoś mieszka.

– A, faktycznie. Majchrzycka, to tak, a to drugie... O rany, nie pamiętam. Coś od pszczoły... Miodowski? Plasterski? Pszczeliński...? Nie przypomnę sobie, ale takie jakby coś podobnego.

– A ten adres? Ulica, numer?

– Też głupie. Ulica, jakby jej wcale nie było, Mała...? Placek...? O, wiem, Krótka! Śmieszne, bo faktycznie krótka. Krótka sześć, mieszkania nie pamiętam, pierwsze piętro i zaraz na lewo od klatki schodowej. Wniosłem tam rupiecia i ta porąbana buła sama mi otworzyła. Zły byłem wtedy taki, że do dziś pamiętam.

Uczyniwszy zwierzenie, Henio ugryzł się w język i popatrzył na nas z nową podejrzliwością.

– A co...? Drugi raz tam nie jadę! Żeby mnie pan z roboty wylał, nie jadę, za bezrobotnego wolę robić! Niech kto inny jedzie!

– Po pierwsze, nikt nie musi – uspokoił go pan Ryszard. – A po drugie, bo co?

– Bo znów mi ją kto wrzepi. Za nic!

Wolałam nie przypominać Heniowi, kto mu ją wrzepił, dałam spokój śledztwu i przeniosłam ciężar problemów na gruz. Henio też wolał gruz, chociaż jeszcze zionął protestem i mamrotał pod nosem różne inwektywy.

– Majda, Majda... Jak nie Majda, to ta purchla... Medal temu, co go wykosił, tego swołcza, albo wulkan roponośny, albo ryfa gnojna...

Dosłyszałam, zaintrygowało mnie, wulkan i ryfa zrozumiałe, ale majda? Jakaś nowa obelga, nie znałam takiej. Henio zmienił wreszcie temat definitywnie, bacznym okiem obrzucił teren pod wierzbą.

– Do torby... O, ma pani tu te po ziemi. Jaką łopatę może...?

– Saperka.

– Może być. Od razu wszystko zabiorę...

Wycofałam się na z góry upatrzone, bezpieczne pozycje.

– No to coś nam chyba źle wyszło? – rzekł stropiony nieco pan Ryszard, odesławszy Henia z gruzem i wróciwszy do pokoju. – Zdawało mi się, że więcej pani chciała?

Przyznałam, że chciałam więcej, ale spłoszyłam się i zrezygnowałam. Za zgasłym w kwiecie wieku ogrodnikiem latało zapewne więcej dziewczyn niż jedna i do Henia należała jakaś inna, a nie Wiwien Majchrzycka. Inna mnie nie interesowała, uzyskaliśmy adres Wiwien, też dobrze.

– Co to jest majda, panie Ryszardzie? Wie pan może przypadkiem? Z czego pochodzi takie wyzwisko?

– Nie wyzwisko, tylko nazwisko – skorygował pan Ryszard. – Coś słyszałem od Henia, jakiś gość, awanturnik, odgrażał się ogrodnikowi, a na Heniu się skrupiło. Majda się nazywa, Henio mu te uschłe drzewka woził. To co teraz?

Decyzję podjęłam już wcześniej.

– Teraz trzeba sprawdzić, czy u Wiwien nie stoi moja zapalniczka. Nie wiem jak, włamać się na chama czy raczej podstępem? Może wedrzeć się pod byle jakim pretekstem w dwie osoby, jedna ją zajmie, a druga poszuka?

– Pod jakim pretekstem?

– Sto panu znajdę na poczekaniu. Coś u mnie po panu Mirku zostało, może ona chce na pamiątkę, zabójcy szukam, a ona coś wie, zdjęcia ma, niech pożyczy, bo ja piszę pośmiertne wspomnienie, pan Mirek mówił, że ona mieszkanie sprzedaje, cokolwiek, aby tylko panem Mirkiem gębę sobie wycierać. Skoro za nim latała, złapie przynętę. O tym spadku jeszcze mogę, o Brygidzie... Zaraz, ze wszystkiego wynika, że Brygida Majchrzycka to jej rozwiedziona teściowa!

– I na teściową, myśli pani, że się złapie?

– A diabli ją wiedzą, ale na pana Mirka i na spadek z pewnością, coś z tego chwyci. To jak...?

– Ale to musiałaby pani sama pójść, bo nikt inny tego wszystkiego nie wymyśli.

– Nie sama, tylko z kimś. Z kim? Julita do bani, za ładna, lepiej z facetem. Idzie pan?

Pan Ryszard nie chciał z całej siły. Co innego włazić do pustego domu nieboszczyka, a co innego do żywej osoby, ponadto nie czuł w sobie talentu do przeszukiwania cudzych mieszkań. Z drugiej strony uparcie obciążał się częścią winy i łamał sobie charakter aż trzeszczało. Zlitowałam się, pomyślałam o Sobiesławie, grawitacja w kierunku Julity czyniła go naszym sprzymierzeńcem, a w dodatku jego obecność stwarzała nowe preteksty.

Złapałam komórkę.

– Nie wiem, gdzie on w tej chwili jest – powiedziała Julita. – Ale jestem z nim umówiona o wpół do trzeciej na Rozdrożu. Chociaż tam już teraz też nie ma gdzie zaparkować, ale wpół do trzeciej to jest taka pośrednia godzina, więc może kawałek miejsca będzie.

– Od razu go zabierz i przyjeżdżajcie do mnie – zarządziłam. – Dostałam adres Wiwien Majchrzyckiej i prawdopodobnie u niej stoi moja zapalniczka. Trzeba się wedrzeć podstępnie.

Julicie pamięć nie szwankowała.

– Wiwien? – zdziwiła się. – Zdawało mi się wczoraj, że ma na imię Brygida?

– To druga. Synowa Brygidy. Wszystko wam opowiem, jak przyjedziecie, Sobiesław potrzebny, na wszelki wypadek mogę ugotować pierogi z mięsem. Kupne.

Julita, również na wszelki wypadek, zgodziła się na pierogi, wdzieranie potraktowawszy marginesowo. Pan Ryszard odetchnął z wyraźną ulgą.

– Zostawię pani wytrychy od Tadzia. W razie czego niech pani dzwoni. A temu Heniowi, prawdę mówiąc, nie ma się co dziwić, w zasadzie pracuje dla mnie, ale u ogrodników sobie dorabia, ma własną furgonetkę i teraz mi się przypominają różne plotki i chichoty, miał chłopak niefart. Ciągle się nadziewał na jakieś zmory, pan Mirek nawalał, a na niego padało i jemu sobaczyli. Pani te buble nawet dosyć łagodnie zniosła, ale ten jakiś Majda podobno z widłami do niego leciał, ludzie mieli uciechę, a mnie jednym uchem wpadło, drugim uciekło. Tyle pamiętam, więcej nic. No i ta jego dziewczyna... Już bym mu darował.

Oznajmiłam, że za adres Wiwien gotowa jestem darować mu znacznie więcej. Pan Ryszard zobowiązał się uzyskać od swojego personelu szczegółowsze informacje i czym prędzej zszedł mi z oczu, zabierając ze sobą szczotkę na niedokręconym drągu.

☆ ☆ ☆

Fotograf zetknął się z komisarzem Wólnickim w pół godziny po nadspodziewanie owocnych rozmowach i prawie od razu przekazał wieści od brata ofiary. Prawie, bo Wólnicki zajęty był rozsyłaniem po świadkach wywleczonych z toalet pomocników. Samochód, z którego nikt nie wysiadł na ulicy Pąchockiej, sąsiedzi rechoczącej Wiwien, Wandzia Selterecka, bez wątpienia wizytująca amanta, i jej wiedza o zaginionym przedmiocie, kumple wielbiciela, który gdzieś był, a nigdzie go nie było, dwóch podejrzanych bez alibi... Przydusił, kogo zdołał i rzucił się na fotografa, zniecierpliwionego oczekiwaniem i nieznośnie w tej niecierpliwości ruchliwego.

– No...?

– Do tej Wiwien Majchrzyckiej! – wysyczał fotograf. – Zapalniczka to była z pewnością, ta Wiwien mu ją dała, bo z zagranicy też Majchrzycka przywiozła, chociaż nie Wiwien, tylko Brygida. Czepiała się go jak rzep, nakaz, tam wejść trzeba, może ona nie otwiera, bo się ukrywa, siedzi tam i płacze, albo w ogóle ona go kropnęła, skoro jej nie chciał!

– Brat ofiary tak mówi?

– Nie, ja tak mówię. Tak mi wychodzi z jego gadania, jak rzep, mówię, nikt więcej nie wie niż taka baba! Ty bez niej w życiu sprawcy nie znajdziesz!

Wólnicki już sam zaczynał dochodzić do takiego wniosku. Bez słowa ruszył do ataku na prokuratora.

Zważywszy, iż prokurator dotychczas dość słabo wnikał w dochodzenie i nie miał ochoty ujawniać swojego nagannego braku zainteresowania, nakaz wejścia do lokalu, w którym zameldowana była pani Wiwien Majchrzycka, podpisał bezzwłocznie. Uzbrojony w papier Wólnicki już w dwie godziny później dotarł do ulicy Krótkiej w Mysiadle.

Tamże w pierwszej chwili natknął się na wywiadowcę, wysłanego wczesnym popołudniem. Wywiadowca złożył raport.

– Sąsiadów tyle, co wodotrysków na pustyni, wszyscy w pracy, dopiero teraz zaczynają wracać. Jedną sztukę znalazłem, facetka w domu siedzi ze skręconą nogą, ale dopiero od przedwczoraj. Powiada, że tam jakiś Pasieczniak mieszka, z żoną, a wie, że to Pasieczniak tylko dlatego, że jak się wprowadzała trzy lata temu, torba jej pękła na schodach. Wino w niej miała, na parapetówę, flachy Pasieczniakowi pod nogi poleciały, bo akurat szedł za nią i zachlapało mu spodnie. Więc ich na tę parapetówę zaprosiła i tyle znajomości, bo od tamtego czasu, powiada, Pasieczniaka ani żony na oczy nie widziała, a w ich mieszkaniu ktoś inny mieszka. Jedna osoba płci żeńskiej. Ona, ta sąsiadka, mieszka piętro wyżej i parę razy ze swojego balkonu widziała... poczuła... no, zorientowała się, że piętro niżej ktoś papierosa pali albo obiad gotuje i czosnkiem doprawia. Papieros jej nie przeszkadzał, ale od czosnku ma odruch wymiotny i niemożliwe dla niej tego smrodu nie zauważyć. Przez ostatnie dwa dni, od kiedy w domu siedzi, nic tam się nie dzieje, tyle że dziś od rana babie się mięso zaśmiardło i na jej balkon zalatuje.

Odsapnął po tym przemówieniu i czekał reakcji. Wólnicki był pewien, iż amatorką czosnku jest poszukiwana Wiwien Majchrzycka, ale gdzie się podziało małżeństwo Pasieczniaków? Zameldowani, w jakim są wieku, gdzie pracują? Zaniedbał, cholera, nie da się ukryć, że zaniedbał, zbyt wielu ludzi naraz chciał połapać. No nic, teraz się tam wejdzie i sprawdzi, jakie ślady ich obecności pozostały.

– Cieć tu jest? Znaczy, gospodarz domu?

– W zasadzie nie, tylko jedna facetka, co sprząta, a różnych napraw dokonuje taki umówiony zakład rzemieślniczy. Mały. I są ochroniarze, ale tylko w nocy. Nic nie wiedzą.

Wólnicki zastanawiał się jeszcze przez chwilę. Kulawa sąsiadka piętro wyżej, jakaś mało wścibska, nie stwarzała wielkich nadziei.

– Wchodzimy – zadecydował. – Jakie tam zamki? Patrzyłeś?

– Na moje oko nic szczególnego, zamki jak zamki. Porządne, ale dobry ślusarz da im radę. Dwa.

Skład ekipy był nieco dziwny, za to użyteczny. Fotograf mógł od razu porobić zdjęcia, a towarzyszący Wólnickiemu sierżant miał wyjątkowe talenty ślusarskie i w sytuacjach podbramkowych z reguły okazywał się bezcenny. Do pobierania w dzieciństwie nauk od wuja-włamywacza starał się nie przyznawać i, aczkolwiek wszyscy o tym wiedzieli, to jednak nie było sposobu mu tej edukacji udowodnić. Korzystano z niej chętnie i bez komentarzy.

Ruszyli ku drzwiom i w tym momencie pod blok numer sześć podjechał straszliwie wyładowany samochód, peugeot z francuską tablicą rejestracyjną. Na dachu miał bagażnik w postaci trumny, wnętrze zaś zapchane tak, że przez tylną szybę nic nie było widać.

Wólnickiego tknęło i zatrzymał się.

Z peugeota wysiadły dwie osoby różnej płci, wyciągnęły po jednej walizeczce i też ruszyły ku drzwiom. Obrzuciwszy bacznym spojrzeniem stojącą jeszcze na zewnątrz grupę, weszły do środka. Wólnicki odczekał pół piętra i wraz z całym towarzystwem poszedł za nimi.

Do tego momentu widzieliśmy wszystko, bo spotkanie komisarza z wywiadowcą nastąpiło na ulicy.

Udało nam się przyjechać pół godziny wcześniej samochodem Sobiesława, ponieważ kolejny pretekst, jaki wymyśliłam, opierał się na nim. Po śmierci brata mianowicie pchał się do przyjaciółki, która nieboszczyka znała najlepiej i najwięcej o nim wiedziała, od lat słyszał o niej od Mirka, no i teraz chciał z nią pogadać. Może wykryć coś na tle zbrodni, a może upomnieć się o zapalniczkę, ta ostatnia decyzja nie została podjęta, uzależniona była od różnych czynników. Razem z Sobiesławem miałam wejść ja, jako osoba, wobec której żadne zazdrosne podejrzenia nie powinny wchodzić w rachubę, pan Mirek gerontofilem nie był.

Początek zamierzenia został zrealizowany, Julita zaczekała w samochodzie, my zaś weszliśmy bez przeszkód na pierwsze piętro, drzwi na lewo. Wizytówki żadnej nie było, ale ryzyk-fizyk.

Na dzwonek i pukanie nikt nie odpowiadał i Sobiesław wyciągnął pęk żelastwa od Tadzia. Zaczął od górnego zamka. Gmerał w nim i gmerał, wtykając rozmaite wytryszki, bo trudno to było nazwać kluczami, bezskutecznie. Pochyliłam się i obejrzałam zamek pod klamką.

– Może niech pan spróbuje ten – poradziłam niepewnie.

– Co nam z tamtego, jeśli ten nie puści? – odparł z westchnieniem Sobiesław. – Ja się chyba słabo nadaję na włamywacza.

Wyprostowałam się i natychmiast pochyliłam ponownie. Potem przyklękłam.

Pod drzwiami była wąziutka szpara, taka, jaką łatwo zasłonić wycieraczką albo chodnikiem. Pociągnęłam Sobiesława za skraj kurtki.

– Hej, niech pan się tu zniży. I niech pan powącha.

Sobiesław porzucił nieudolne próby przestępcze i schylił się posłusznie, po czym również przykląkł.

– No? Czuje pan? Albo ja mam omamy węchowe, albo coś tu podejrzanie śmierdzi. Niech pan wącha porządnie!

Sobiesław węszył przez chwilę niczym rasowy pies, po czym uniósł głowę.

– Żadne omamy, śmierdzi. Uważa pani, że co to jest?

– A pan uważa, że co?

– Mnie się kojarzy z zaśmiardniętym mięsem. Surowym. Bardzo niedawno z czymś takim miałem do czynienia, jednym znajomym kawałek mięsa wleciał za kredens, o czym nikt nie wiedział. Pies tam się strasznie pchał, aż w końcu i ludzie poczuli.

Podniosłam się znad szpary.

– I bardzo dobrze się panu kojarzy, albo ona fleja, ta cała Wiwien, albo lepiej stąd chodźmy. Nie chcę drugiego trupa. Nawet za cenę zapalniczki.

– Cholera...

Wróciliśmy do Julity.

Zdążyła się od nas dowiedzieć, że Sobiesław jako włamywacz odpada, a z mieszkania Wiwien uchodzi podejrzana woń, kiedy kilkanaście metrów przed nami zaczęła się rozgrywać scena uliczna z udziałem znanych nam osób urzędowych. Nadjechał peugeot, pasażerowie wysiedli, wszyscy znikli we wnętrzu domu.

– Idę podglądać – zadecydowałam.

– To ja też – przyłączył się stanowczo Sobiesław.

– Bardzo dobrze. Pretekst ten sam, pan leci do wielbicielki brata, a ja jako osoba towarzysząca z grzeczności.

– A ja? – zaprotestowała Julita.

Przyjrzałam się jej. Ciągle była beżowa z akcentami brązu.

– A, co tam. Możemy iść we troje, ostatecznie wszyscy znaliśmy ofiarę. A może ta cała Wiwien, śmierdzi czy nie śmierdzi, jednak coś powie. Albo zapalniczkę trzyma na wierzchu i może uda mi się ją ukraść.

Na pierwszym piętrze pod drzwiami mieszkania Wiwien tłoczył się cały tłum. Zatrzymaliśmy się odrobinę niżej, starając się nie tupać, nie robić zbytniego hałasu i w ogóle nie rzucać się w oczy.

– Ależ z całą pewnością mam klucze! – mówiła zdenerwowana dama, pasażerka peugeota, z ręką po łokieć w obszernej torbie. – No dobrze, na dnie, myślałam, że ona nam otworzy, przysłaliśmy wiadomość, zaraz znajdę...

– W jakiej formie była ta wiadomość? – spytał sztywno komisarz.

– Telegram, zwyczajny telegram, bo telefonów ona ostatnio nie odbierała, a z mailami to wiadomo jak jest, akurat nie dotknie komputera... No, mam!

Wygrzebała pęk kluczy na ozdobnym kółku. Patrzyliśmy pilnie i w milczeniu, oczekując chwili, kiedy będzie można przyłączyć się do urzędowego grona. Drzwi okazały się zamknięte tylko na górny zamek, otwarto je.

Nawet tu, prawie pół piętra niżej, dała się wyczuć grozę budząca woń. Wionęła z lokalu na klatkę schodową i trochę cofnęła wszystkich.

– Jezus Mario, co to? – krzyknęła strasznym głosem dama od kluczy i runęła do środka, zanim komisarz zdążył bodaj mrugnąć okiem.

Na jego gromki okrzyk: „Stać, nie wchodzić, nie dotykać niczego!" cała asysta, z nami włącznie, zareagowała posłusznie, ale dopiero wszedłszy i popatrzywszy. Po czym wszyscy wybiegli bardzo chętnie i w przyśpieszonym tempie.

Widok, na który udało nam się rzucić okiem, wcale nie był taki znowu porażająco obrzydliwy. Lokatorka mieszkania spoczywała na podłodze, na plecach, z głową wspartą o kaloryfer, przyodziana wdzięcznie w jakieś atłasy i tiule, wokół poniewierało się kilka stłuczonych przedmiotów, głównie szklanych, i właściwie nic więcej. Drzwi balkonowe były odrobinę uchylone, ale kaloryfer grzał porządnie, aromat zatem zdecydowanie wspomógł rozkaz komisarza. Przyjemna wydawała się myśl, że będzie tam musiała wkroczyć właściwa ekipa techniczna z medycyną na czele, a nie, na przykład, akurat my.

Zdaje się, że na dole znaleźliśmy się pierwsi i nikt nas nie zatrzymywał, kiedy wsiadaliśmy do samochodu Sobiesława. Chwilę trwało milczenie.

– Co teraz? – spytał Sobiesław niepewnie.

– W tym pokoju na wierzchu nie stała – westchnęłam smętnie. – Zdążyłam popatrzeć. Poza tym, tam jest więcej pomieszczeń.

– Kto nie stał?

– Zapalniczka.

– O Boże! – jęknęła Julita. – Czy to jakaś klątwa, te wszystkie zwłoki...?

– Nic, nic, lada chwila zaczniesz się przyzwyczajać...

– Odjeżdżamy? – spytał znów Sobiesław.

– Tak – powiedziała Julita.

– Nie – odparłam równocześnie. – Poczekajmy jeszcze trochę, może się czegoś dowiemy. Chociażby od tych Pszczółkowskich, bo jestem pewna, że to oni właśnie wrócili z jakiejś podróży.

– Jakich Pszczół... A, tych!

W drodze do Wiwien zdążyłam przekazać im całą treść porannej rozmowy z panią Bożenką i byliśmy zorientowani w temacie jednakowo. Julita miała wątpliwości i wyraźnie dawało się widzieć, że wolałaby odsunąć się od nowych zwłok na większą odległość.

– Myślisz, że oni będą coś wiedzieć...?

– Gdyby to w moim mieszkaniu leżał trup, możesz być pewna, że bez wyjaśnień bym nie odeszła. A oni zaraz wyjdą, bo nie ma obawy, w takiej atmosferze nocować nie będą i gdzieś muszą się podziać. Proponuję, żeby pojechać za nimi.

Czekając na rozwój wydarzeń, zastanawialiśmy się, czy nie podsunąć państwu Pszczółkowskim jakiegoś lokalu zastępczego, wręcz byłam skłonna przyjąć ich u siebie, ale widok zapchanego po dziurki w nosie samochodu trochę mnie do tego zniechęcał. Dom Sobiesława po bracie jeszcze nie został odpieczętowany, mieszkanie Julity pustymi przestrzeniami nie dysponowało, jeden gość z neseserkiem to jeszcze, ale nie taki nabój. Wrobić może Lewkowskich...?

– Gościnny pokój mają, ale dla tego bagażu musieliby chyba książki wynieść na trawnik.

– Zostawić bagaż w samochodzie – podpowiedziała Julita.

– Gdyby zostawili bagaż, pomieściliby się i u mnie. Ale jestem pewna, że szczotki do zębów i piżamy mają gdzieś na samym dnie.

– Istnieją hotele – zauważył cierpko Sobiesław. – Także znajomi, przyjaciele i jakieś rodziny.

– Jeśli wyjdą, płacząc gorzko i łamiąc ręce niczym Adam i Ewa przepędzeni z raju, wkroczymy...

Państwo Pszczółkowscy wyszli zupełnie zwyczajnie, z tymi samymi walizkami w rękach i bez dodatkowych efektów, w parę minut po przyjeździe ekipy technicznej i lekarza. Wsiedli do samochodu i ruszyli.

Pojechaliśmy za nimi.

☆ ☆ ☆

– Złamane kręgi szyjne i uraz podstawy czaszki – powiedział lekarz do Wólnickiego. – To tak na pierwszy rzut oka, uproszczenie do twojej prywatnej wiadomości. Rąbnęła do tyłu i trafiła głową w dolną krawędź tej obudowy kaloryfera, z dużym impetem. Idiotyczna obudowa... Szczegóły po sekcji, bo tak mi się widzi, że są tu ślady przemocy i muszę sprawdzić dokładnie. Może ją ktoś popchnął.

Wólnicki ponurym wzrokiem obejrzał pomieszczenie i pomyślał, że aż tyle nie wymagał. Rozwikłanie jednej zbrodni przed powrotem Górskiego w zupełności by mu wystarczyło, dwie stanowią przesadę. Ktoś ją popchnął, pewnie, że popchnął, bo niby jak inaczej miała polecieć z impetem, nic śliskiego pod nogami nie leży, szorstka wykładzina, równiutka, nie ma się o co potknąć ani zaczepić. Do przodu człowiek może się schylić gwałtownie i stracić równowagę, do tyłu równie szybko nie da rady, szczególnie taka masywna baba. Jasne, że ktoś ją popchnął.

– Kiedy? – spytał krótko.

– Po sekcji. Pi razy oko, piąty dzień. Gdyby leżała pod samym balkonem, lepiej by się trzymała, ale tu grzeje. Pechowo.

Piąty dzień. Zatem państwo Pasieczniakowie, przybyli do własnego domu równocześnie z nim, odpadali w przedbiegach, pięć dni temu wylądowali w Paryżu, a lecieli z Nowego Jorku. W Paryżu wypożyczyli samochód, nocowali w Berlinie, następnie w Poznaniu, dziś rano ruszyli do Warszawy. Na wszystko mieli dowody, bilety lotnicze, rachunki hotelowe i nawet rachunek z restauracji.

Zdążył wywlec z nich zeznania w pierwszej kolejności, przepchnąwszy ich do sąsiedniego pokoju, który, wnioskując z równiutkich pokładów kurzu, od dawna nie był używany. Zapewne od chwili ostatniego pobytu lokatorów.

– Tylko raz przyjechaliśmy na urlop, wie pan jak to jest, człowiek chce kawałek świata zobaczyć – zwierzał się pan Pasieczniak, podczas gdy jego małżonka siąkała nosem i poszczękiwała zębami. – Trzy lata temu trafiło nam się jak ślepej kurze ziarno, taka daleka krewna, chrzestna matka naszej córki, zabrała dziecko do siebie na wakacje, a potem, zamiast ją odesłać, zaprosiła i nas. Do Kalifornii. No i tak jakoś zeszło.

– Ale wrócili państwo bez córki?

– Proszę pana, to jest... panie komisarzu, jej tam jak w raju. Kuzynka starsza od nas, bezdzietna, samotna, owdowiała już blisko pięć lat temu, wszystko dla naszej Anetki! Dziecko język chwyciło, po angielsku mówi jak po polsku, do szkoły chodzi, chrzestna matka uczyniła ją swoją spadkobierczynią, a to bardzo bogata osoba. Co my jej mamy żałować...

– A zaraz, tylko patrzeć, znów pojedziemy – wyszczękała pani Pasieczniakowa buntowniczo.

– I to wszystko tak na koszt kuzynki?

– Kto tak powiedział? – oburzył się pan Pasieczniak. – Pracowaliśmy, panie komisarzu. Ja jestem rzemieślnik, tak zwana złota rączka, u złotnika pracowałem, legalnie, jak należy, wcale nie na czarno. Złotnik, to się tylko tak nazywa, różne materiały mogą być, srebro, miedź, kość słoniowa, tam bogaci ludzie i każdy chce mieć coś oryginalnego. Te wszystkie Cartiery, Tiffany, to już się im opatrzyło, chcą czegoś innego i proszę bardzo, ja potrafię. A moja żona szyje, ale, proszę pana, jak ona szyje! Baby do niej w kolejce stały! I też legalnie.

Wólnickiego nie obchodziły specjalnie poczynania państwa Pasieczniaków w Kalifornii, interesowały go zwłoki w Warszawie. Wypadek czy zbrodnia?

– Państwo oczywiście znali Wiwien Majchrzycką?

– Do szkoły z nią chodziłam – siąknęła nosem pani Pasieczniakowa. – W szkole nazywała się Kroczakówna, nie wiodło jej się za bardzo, żal mi jej było.

– Dlaczego żal?

– Wie pan... No... Chłopaka nie miała... I powodzenia... Jeden się przytrafił, wyszła za niego, ten Majchrzycki, no i zaraz się rozwiedli. A potem już, jakoś tak... Niezaradna życiowo.

– Mieszkała u państwa?

Państwo Pasieczniakowie zakłopotali się lekko. Pani Pasieczniakowa poniechała szczękania i siąkania.

– Bo tak się, widzi pan, złożyło, że jej w końcu tych pieniędzy po mężu zabrakło i musiała dom sprzedać, razem z ogrodem. A myśmy akurat do Kalifornii się wybierali, głupio tak mieszkanie na pastwę losu zostawić, umówiliśmy się, że ona zamieszka, a dla nas tylko jeden pokój nienaruszony zostanie. No i został, jak widać...

Rozejrzała się, nieco skrzywiona, i odruchowo spróbowała strzepnąć kurz ze stolika. Komisarz ją powstrzymał.

– Proszę niczego nie ruszać! Ale mieszkanie należy do państwa?

– No, na razie jeszcze tak. Ale ona zameldowana i chce kupić...

– Już nie chce.

– O, mój Boże – siąknęła ostatnim podrygiem pani Pasieczniakowa i wyciągnęła z torby kolejną chusteczkę.

– Chciała – poprawił z westchnieniem pan Pasieczniak. – Co jej się właściwie stało, panie komisarzu? Upadła tak nieszczęśliwie czy coś gorszego...?

– Od kiedy nie odbierała telefonów?

– Od niedzieli wieczór. Jak wylądowaliśmy w Paryżu, to już nie, nasza komórka działa na Europę, ale ona nie odbierała. Z Berlina telegram wysłaliśmy.

– Ale wcześniej wiedziała, że państwo wracają?

– Pewnie, że wiedziała. Przed odlotem z Kalifornii dzwoniliśmy na domowy telefon i odebrała, jedenasta wieczór tutaj była, a u nas trzecia w dzień. Wcześniej też rozmawialiśmy z nią dosyć często. Miała okna otworzyć i przewietrzyć...

– Żona klucze miała, więc prosto z drogi tutaj...

– Tutaj nie mogą państwo zostać, niestety. Musimy sprawdzić wszystko, jutro już, proszę bardzo, mieszkanie będzie dostępne, ale gdzie się państwo dziś zatrzymają?

– U mojej siostry chyba... – zaczęła niepewnie małżonka.

– W hotelu – przerwał stanowczo mąż. – Jeśli miejsce znajdziemy. Pan rozumie, tak prosto z drogi do rodziny to krępujące, mamy jakieś prezenty, jeden zobaczy, co drugi dostaje i zaraz kwasy, żale... Na co nam to? Spróbujemy w jakimś hotelu.

– Proszę mnie zawiadomić, w którym – rzekł Wólnicki, pisząc na kartoniku numer telefonu. – Może jeszcze będą państwo potrzebni...

Po czym zadał ostatnie pytanie:

– Czy znali państwo może Mirosława Krzewca?

Państwo Pasieczniakowie zmieszali się jakoś i popatrzyli na siebie.

– Kogo...? – bąknął mąż.

– Ze słyszenia – powiedziała szybko żona. – Właściwie tylko ze słyszenia.

– Od kogo?

– Od Wiwien. To jest... znaczy był... jej znajomy.

– I co państwo słyszeli?

Znów popatrzyli na siebie.

– Oooo, proszę pana, to cały dramat! – wybuchnęła nagle żona. – To wielka miłość jej życia, ale, niestety, nieodwzajemniona. Wiecznie o nim i tylko o nim, ja już, przepraszam bardzo, ale słuchać przestałam! Lata się to ciągnie, nic, tylko Mirek i Mirek, aż mi prawie obrzydło. On jej unika, bo, prawdę mówiąc, piękna nie jest, znaczy, nie była, świeć Panie nad jej duszą, a za to taka, no, uparta i nachalna. Dawno mówiłam, żeby dała spokój, ale to jak do ściany!

– Nie bywał tu?

– Nawet jak bywał, to nie u nas, bo ledwo zamieszkała, myśmy zaraz wyjechali i nas nie było – zwrócił uwagę pan Pasieczniak. – Ale osobiście wątpię. Ja bym nie bywał.

– I nie widzieli go państwo nawet?

– Raz, może dwa... Pokazała go nam kiedyś, ale to właściwie tak przelotnie...

– Będziemy musieli jutro porozmawiać obszerniej. Interesuje nas wszystko, co pani Majchrzycka mówiła o panu Krzewcu. Numer komórki państwa poproszę, a na razie dziękuję bardzo...

Pozbywszy się państwa Pasieczniaków z konieczności i niechętnie, Wólnicki znów uczuł gwałtowną potrzebę rozerwania się co najmniej na dwie części. Z tymi ludźmi należało pogadać od razu, na gorąco, informacje od Majchrzyckiej o Krzewcu mogły okazać się bezcenne, zarazem oka nie oderwać od nowej ofiary, sprawdzić wszystko, przepatrzeć mieszkanie! Ekipa, no to co, że ekipa, powinien sam, może to ma związek jedno z drugim, trzeba znaleźć ten związek!

Chwilowo bezcenny okazał się fotograf, który z wyjątkowym zapałem, podbudowany świeżo nabytą od mistrza wiedzą, uwiecznił scenę hipotetycznej zbrodni z najdoskonalszą dokładnością. Każdy najmniejszy śladzik, każdy włoseczek wykładziny, każdą kropelkę wody w łazience, każdy okruszek potłuczonego szkła, każde zagnieconko na poduszkach kanapy, każda kokardeczka i falbaneczka na zwłokach, wszystko zostało utrwalone do dyspozycji komisarza. Nawet fleczki na obcasikach ozdobnych domowych pantofelków rozmiaru, do którego kobiecie wstyd się przyznawać. Nieboszczkę można było usunąć z pola bitwy bez obaw, że cokolwiek zostało zaniedbane.

Daktyloskop chwalił ofiarę z całego serca.

– Flądra była, że daj nam Boże tylko takie. Raz na miesiąc sprzątała wedle mojego rozeznania, odciski paluszków jak na wystawę! I proszę, jedne na drugich, pokrywają się, starsze, świeże, okazowe! I rozmaitość bez przesady, trzy różne sztuki wszystkiego, rzadko gości miewała, sama przyjemność.

– A buty?

– Buty! Czyste złoto. Tylko przy samych drzwiach zadeptaliście, dalej dwie pary weszły, w domu się zamieniły, trzecia męska, a czwartą miała na nogach. Na rozmiar nie zwracać uwagi, mogłaby sama wszystkie ślady zrobić, ale na czworakach przecież nie wlazła. Jedne męskie buty wyszły na końcu i cześć. Żywego ducha tu więcej nie było. No, ekipa... Ale się wyraźnie odróżnia.

Zostawiając chwilowo na uboczu tajemniczą zamianę butów, Wólnicki w skupieniu przeglądał papiery. Na szczęście nie było ich dużo, dokumenty w rodzaju aktu ślubu, wyroku rozwodowego, aktu własności domu i parceli, aktu sprzedaży nieruchomości... jakiś Henryk Majda to od niej kupił, zaraz, gdzieś ma to nazwisko... samochodowe, sądowe, podział mienia... wszystko razem znajdowało się w jednej grubej teczce. Inne, zawiadomienia bankowe, rachunki, różne notatki, nazwiska, adresy poniewierały się wszędzie, ale też w ilościach nikłych, najwidoczniej nieboszczka w urzędowym słowie pisanym nie gustowała. Część tego adresowana była do Pasieczniaków, konto mieli i dostawali zawiadomienia bankowe, telefon zresztą też był na nich, ale Wiwien Majchrzycka płaciła uczciwie i nikt się ich o nic nie czepiał.

Dusza powiedziała Wólnickiemu, że z papierów niczego istotnego nie wydoi. Więcej mówił cały stos rozmaitych materiałów botanicznych, traktujących o roślinach, krzewach, drzewach, ogrodach, ale i to nie stanowiło nowości. Skoro denatka kochała ogrodnika, jasne było, że interesowała się jego zawodem, żadne dziwo i można temu dać spokój.

Zdecydował się zaczekać na wyniki sekcji i dane z laboratorium, a teraz najzwyczajniej w świecie pomyśleć. Samodzielnie. Fotograf pomocą służyć nie mógł, w dzikim pośpiechu bowiem pojechał robić odbitki ze swoich osiągnięć, sam ciekaw, co mu z nich powychodziło.

Nieboszczyk Krzewiec odjechał od tenisisty zaraz po grze, pośpiesznie, spocony, nieumyty, w sportowym stroju, jak stał, z rechoczącą przy jego samochodzie Wiwien Majchrzycką. Wiwien Majchrzycka była bez samochodu, na piechotę... Zaraz, gdzie jest jej samochód?

Po trzech minutach już wiedział gdzie. Stał na parkingu pod domem.

Zatem pojechała taksówką, bo piechotą chyba nie leciała i Krzewiec razem z nią odjechał. Wszyscy twierdzili, że była uparta, nachalna i czepliwa, trudno mu było pozbyć się jej, bo musiałby chyba siłą wypychać ją z samochodu, a nie jest to scena, której nikt na miejskich ulicach nie zauważy. Prawdopodobnie przywiózł ją do domu, do jej domu, bo do swojego z pewnością nie chciał, jakimś sposobem skłoniła go do wejścia na górę. Przymusiła. Wszedł zapewne dla świętego spokoju, skorzystał z okazji, umył się i przebrał, zmienił obuwie, o, stąd te cztery pary butów! Ona niewątpliwie też się przebrała w strój kuszący, nie jechała przecież szukać go w tych atłasach i tiulach, ciekawe dlaczego nie uciekł... A, bo może on brał prysznic w łazience, a ona w tym czasie przebierała się w sypialni, później zaś jęła go zachęcać do upragnionej chwileczki zapomnienia...

Wólnickiemu w oczach stanęły zwłoki pod kaloryferem i trząsnęło nim z lekka. Rzeczywiście, urokiem nie jaśniała... Uciekł...? A ona się tak sama nieszczęśliwie popchnęła...? Pogonić patologa, może była pijana. Bo jeśli nie... Zamknęła drzwi na klucz i ten klucz gdzieś schowała? Dla takiej upierdliwej wariatki wszystko jest możliwe.

Przyjęcie zrobiła, na tym stole stała butelka białego wina, kieliszki, coś w karafce, może sok, naczynie z kostkami lodu, szklanki... Poszło wszystko jakby jednym gestem zmiecione, ciekawe, które to z nich, ona czy on? W kuchni resztki uczty, ślady koreczków z anchois i serka koktajlowego, przekąska, używane talerze, patelnia po czymś smażonym, jakby befsztyki, szczątki pieczonych kurzych udek, napoczęta szarlotka, a potem co? Później miało być to wino? Dziwnie jakoś, dlaczego nie razem z przekąską? Do koreczków i serka białe wino pasowało...

Wnioskując z jej stroju, amant nie uległ, to co właściwie robili? No oczywiście, najpierw jedli, po tym tenisie i prysznicu on miał prawo być głodny, posiłek trochę potrwał, szczególnie jeśli był podawany w zwolnionym tempie, ale jak długo można jeść? Zakładając, że prosto stąd pojechał do domu i dał się zabić, spędzili razem cztery i pół godziny. Jak je spędzili, oprócz jedzenia? Siedząc na krzesłach i przekonując się wzajemnie? Jeszcze dziwniej.

Przede wszystkim jednak należy sprawdzić, czy gościem Wiwien na pewno był Krzewiec. Odciski palców...!

☆ ☆ ☆

Państwo, uparcie obdarzani przez nas nazwiskiem Pszczółkowskich, zawrócili do miasta i zatrzymali się przed zacisznym hotelem Karat, co mnie niezmiernie zdziwiło, wiedziałam bowiem od dawna, że hotel

Karat ma szalone powodzenie i pokoje w nim trzeba rezerwować z dużym wyprzedzeniem. A oni co, tak znienacka, siup i już? Ciekawe, zaczepią się czy pojadą gdzie indziej?

Zostali. Znów wyjęli swoje dwie walizeczki i ugrzęźli w recepcji. Zostawiłam Sobiesława z Julitą i poszłam podglądać.

Państwo Pszczółkowscy zostali wylewnie powitani przez osobę, będącą niewątpliwie kierowniczką recepcji albo hotelu, to już nie stanowiło różnicy, która to osoba przyjęła ich z otwartymi ramionami. Znajomość prywatna, to pewne, dostali pokój natychmiast, każdy hotel ma rezerwę na awaryjne sytuacje, a silnie perfumowane zwłoki w mieszkaniu przyjaciół gwarantowanie taką sytuację zapewniały.

Wróciłam do samochodu.

– Co teraz? – spytała Julita.

– Między nami mówiąc, ja bym coś zjadł – wyznał Sobiesław. – Umówieni byliśmy na obiad...

– I nie odebrało ci apetytu?!

– Jakoś nie...

– Tu jest restauracja – powiadomiłam ich, tknięta wyrzutami sumienia, bo te obiecane pierogi kompletnie zaniedbałam i od razu pojechaliśmy do Mysiadła. – W domu mam tylko pierogi, a od kuchni mnie odrzuca.

– Ja mam więcej... – bąknęła Julita.

– Za dużo zachodu. Jak cię znam, na pewno masz jakieś wytworne potrawy i ugrzęźniesz przy nich, a trzeba się naradzić. Skorzystajmy z okazji, skoro Sobiesław jest głodny, a wina się napijemy później, każdy we własnym zakresie.

Moja propozycja została przyjęta i okazała się nad wyraz sensowna.

Państwo Pszczółkowscy, zapewne wyczerpani emocjami, również przyszli do restauracji i usiedli przy stoliku obok, nie zwróciwszy na nas najmniejszej uwagi. Wyglądało na to, że też postanowili się naradzić.

Podsłuchiwaliśmy zupełnie bezczelnie. Sobiesław siedział tyłem do nich, za to najbliżej i usłyszał najwięcej, ale i tak ledwo fragmenty wpadały nam w ucho. W połowie posiłku dobiła do nich hipotetyczna kierowniczka i wówczas rozmowa stała się odrobinę głośniejsza.

Cały tekst złożyliśmy do kupy dopiero po opuszczeniu restauracji.

– Oni nie mają pojęcia, że pan Mirek nie żyje! – zatroskała się Julita. – Może należało im powiedzieć?

– Chyba tylko po to, żeby ich bardziej zdenerwować – skrytykowałam. – Z nadzieją, że coś więcej im się wyrwie.

– Nie. Żeby się z nimi zaprzyjaźnić. Bo jeśli u nich stoi twoja zapalniczka...

– O, cholera. Masz rację. To co, może wrócić...?

– Nie wiem. Nic już nie wiem. Może powinno się o nich powiedzieć glinom?

– Może i powinno, ale z tego wyniknie katastrofa.

Sobiesław długo milczał, odezwał się wreszcie.

– Nie, nic bym nie mówił. Mój brat wdał się w jakieś bagno, im mniej o nim, tym lepiej. I tak już nie żyje, ale żyje moja siostra. Ja się mogę zrzec wszelkich spadków po nim, niech szlag trafi pół domu, ale ona co, ma za niego pośmiertnie odpowiadać? Może znajdą sprawcę i bez tych Pszczelarskich, poza tym, ta Wiwien... Rany boskie, kto ją kropnął...?

Podjęłam decyzję.

– Potwornie niewygodnie rozmawiać w samochodzie, obiad już zjedliście, jedziemy do mnie!

☆ ☆ ☆

Ledwo zdążyliśmy wejść do domu, zadzwonił telefon. Zostawiłam Julitę z Sobiesławem przy drzwiach i popędziłam do słuchawki.

– Ja bardzo panią przepraszam – powiedziała zemocjonowana pani Bożenka Majchrzycka – ale wprowadziłam panią w błąd. On się nazywa Pasieczniak.

– Kto? – wyrwało mi się, zanim zdążyłam pomyśleć, że pytam niepotrzebnie, bo przecież znam odpowiedź.

– Ten Pszczelarski. No wie pani, ten, u którego mieszka Wiwien. Rozumie pani, tak mi się z owadami kojarzyło, z miodem nawet, ale Danusia sobie właśnie przypomniała, w jakimś liście znalazła, no więc Pasieczniak. W Mysiadle.

Podziękowałam jej z całego serca i postanowiłam odwdzięczyć się konkretniej.

– Oni właśnie wrócili zza granicy, ci Pasieczniakowie, jeśli to panią interesuje, dzisiaj przyjechali. Przy okazji opowiem pani wszystko obszerniej, bo teraz akurat mam gości...

Pani Bożenka okazała pełne zrozumienie, zapowiedziała, że na wieści czeka niecierpliwie, rozłączyła się i mogliśmy przystąpić do rozważań.

Pasieczniakowie, a nie Pszczółkowscy. W porządku, niech będzie. Z podsłuchanej i złożonej z kawałków rozmowy wynikło, iż przepełnia ich potężny melanż uczuciowy.

Zdenerwowanie, dość zrozumiałe, wrócili po długim czasie do własnego domu i zastają trupa, nawet się nie mogą rozpakować, nawet nie mogą zostać, będą musieli wietrzyć i zapewne natychmiast odnawiać, rany boskie...!

Zdumienie. Kto, do licha, zabił tę kretynkę i właściwie dlaczego? Sama tak...? Przecież się nie upijała, nie używała narkotyków, nie miała żadnych skłonności samobójczych!

Zaskoczenie, jeśli ktoś zabił, to po co? Nic nie ukradł, na oko sądząc, o ile zdążyli zobaczyć, nic nie zginęło, najdroższy przedmiot, chińska rzeźba z jadeitu, nadal na półce stoi, oba telewizory, wideo, radio, wszystko jest! Nie ma bałaganu, nikt w szufladach nie grzebał...

Wściekłość. Już nie miał kiedy jej szlag trafić, tylko akurat teraz, zdążyła sprzedać nieruchomość, ten Majda już dawno się na to czaił. A chcieli zamienić się z nią, oddać jej mieszkanie za dom z ogrodem, głupstwo zrobili, należało jej o tym wcześniej powiedzieć, pieniądze dać...

Radość, że tych pieniędzy jej nie dali. Na gębę była cała transakcja, dowodu nie ma, chyba nie muszą zwracać długu? Ona nie ma żadnych spadkobierców, nikt się nie upomni, a nawet gdyby Krzewiec, to i cóż takiego, on nie ma żadnych praw. Co się właściwie dzieje z długiem, jeśli wierzyciel padł trupem...?

Niepewność, bo ile wie ten cały Mirek? Zadzwonić do niego, czy nie...? Może lepiej nie, w każdym razie nie zaraz, on jest zdolny do szantażu, a ta idiotka mogła mu się zwierzać z miłości, poza tym to flądra, nie wiadomo, co tam się u niej poniewiera, na pewno nie zadbała, żeby niszczyć niepotrzebne papierki. A czy Majda jej w ogóle zapłacił do końca...? Mirek ostro wplątany, to on dostarczył towar i wiedział po co dostarcza, powinien trzymać gębę na kłódkę!

Część tych wrażeń ujawnili, kiedy jeszcze siedzieli sami, część po przybyciu hotelowej przyjaciółki. Wyglądało na to, że o zejściu z ziemskiego padołu pana

Mirka nikt z nich nie wie, przyjaciółka zresztą raczej go nie znała, z nazwiska tylko i nic więcej.

– Wnioskując z atmosfery – powiedziałam delikatnie – ona tam już parę dni leżała. Nie zdziwiłabym się, gdyby padli trupem równocześnie, tego samego dnia. W niedzielę.

– W każdym razie nie pozabijali się nawzajem – zauważyła rozsądnie Julita. – Za duża odległość. Gdyby jedno z nich zabiło drugie, musiałoby popełnić samobójstwo.

– Może rąbnęła ich ta sama osoba? Najpierw jedno, potem drugie...

– Ta zapalniczka – przypomniał z troską Sobiesław. – Teraz się zastanawiam, czy nie powinienem był wejść, bo w końcu szukać przyjaciół brata mam prawo. Pogadać z Majchrzycką chciałem albo co.

– Nie wpuściliby pana. A jeśli nawet, to ledwo za próg, dla identyfikacji zwłok, i nigdzie więcej.

– To co dalej?

– Zaprzyjaźniłem się z policyjnym fotografem – ciągnął Sobiesław. – Może uda mi się czegoś dowiedzieć od niego. I zaraz, Majda... To chyba nazwisko. Czy mnie gdzieś w oko nie wpadło? Chyba trzeba pogadać z moją siostrą...

– Pogadaj, pogadaj – zachęciła go Julita gorliwie. – Bo może ona jednak coś wie o tej zapalniczce?

– Poza wszystkim – zauważyłam smętnie – policja ozłociłaby nas za plotki państwa... jak im tam? A, Pasieczniaków. Jakimś kantem od nich powiewa, przemyt węszę, że też do licha nie prowadzi sprawy Górski! Już bym z nim ubiła interes...

☆ ☆ ☆

– Miała ślady na ramionach – powiadomił Wólnickiego patolog. – Powstały tuż przed śmiercią, gdyby żyła dłużej, byłyby to wyraźne zasinienia...

– Mów po ludzku – poprosił Wólnicki.

– Dobra, jak do ćwoka. Primo tu, na ramionach, sprawca ją trzymał i odpychał...

– Skąd wiesz, że odpychał, a nie ciągnął albo tylko trzymał?

– Ślad kciuka najsilniejszy, ciągnięcie układałoby się inaczej, o, popatrz...

Wólnicki bez oporu poddał się demonstracji, chociaż doktór omal go nie wepchnął do umywalki. W każdym razie ułożenie śladów zrozumiał dokładnie.

– Secundo, nie tylko na ramionach, odpychanie, odepchnięcia właściwie, o, takie...

– Już mi nie musisz pokazywać namacalnie, ja się na ciebie nie rzucam.

– A widzisz, od razu masz skojarzenie. W protokóle ci tego nie napiszę, ale prywatnie też coś myślę. Ślady odepchnięć na klatce piersiowej. I tertio, najwyraźniejsze, uderzenie, silne uderzenie powyżej mostka, prawie w szyję, pięścią. Tchawica uszkodzona. To ją musiało pchnąć do tyłu tak, że poleciała z impetem. Gdyby nie trafiła w obudowę kaloryfera, stłukłaby sobie potylicę, ale że trafiła, poszły kręgi szyjne. Żyła jeszcze kilkanaście minut i dlatego ślady zdążyły się pojawić, rzecz jasna, bardzo nikłe, ale niewątpliwe.

– Znaczy, sprawca był atakowany i odpychał napastnika, aż stracił cierpliwość i rąbnął ostro?

– Dokładnie tak. Rozumiem, że napastniczkę...? Nie znam sytuacji, ale nie bili się, jawi mi się obraz baby, która się pcha na opornego faceta. Dżentelmen, nie strzeli jej w szczękę, tylko z rosnącą złością odpycha. Sam się taki obraz narzuca.

– I tak napiszesz?

– Trochę innymi słowami, ale wnioski każda jełopa zdoła wyciągnąć.

Wólnickiemu do urody ofiary scena pasowała idealnie. Przypomniały mu się słowa pani Lusieńki, rzeczywiście, niczego określonego ta Majchrzycka w sobie nie miała, żadnego wyraźnego zwyrodnienia, żadnej konkretnie wstrętnej cechy, a jednak odpychała brzydotą. Ciekawa rzecz...

Rzucił się na laboratorium.

W normalnej sytuacji nie dostałby wyników wcześniej niż za dwa dni, ale przepełniające go emocje musiały być zaraźliwe, bo wszystkie technicznie dostępne informacje uzyskał w najwcześniejszym możliwym terminie. Jak brzydota z ofiary, tak z niego promieniował namiętny pośpiech, każdy bez zastanowienia wpychał go pomiędzy inne zajęcia i inne badania, w rezultacie pierwszą pewność zdobył prawie natychmiast. Tak jest, tam był jego własny denat, Mirosław Krzewiec!

Największa ilość odcisków palców pochodziła od ofiary. Wcześniejsze przeplatały się ze śladami jakiejś innej osoby, kobiety o spracowanych dłoniach, prawdopodobnie sprzątaczki, wnioskując z ich lokalizacji. W łazience, w kuchni, na plastikowych rękojeściach szczotek i śmietniczek, na odkurzaczu, w miejscach, do których sięga się przy porządkowaniu i szorowaniu. Najpóźniejsze odciski, już nie sprzątaczki, tylko lokatorki, wymieszane były z palcami denata.

Niezbyt wiele ich zostawił. Głównie w łazience, część w salonie, odrobinę w kuchni. Nigdzie więcej nie wchodził.

Ślady obuwia, wyodrębnione perfekcyjnie, świadczyły o wejściu do mieszkania dwóch osób, jednej w damskich pantoflach na obcasie, drugiej w obuwiu sportowym do tenisa, po czym obie pary butów uległy zmianie i zostały pokryte częściowo normalnymi zelówkami butów męskich i miękkimi zelóweczkami oraz obcasikami pantofelków damskich z gatunku domowych. Najintensywniej podeptały wykładzinę w jednym miejscu, mniej więcej w połowie pomieszczenia, i gdyby nie zwłoki na obudowie grzejnika, można by mniemać, iż dwie osoby tańczyły tu jakiś ognisty taniec na ściśle ograniczonej przestrzeni.

Wólnicki zaryzykował wykluczenie tańca.

No i jeszcze jedno, niesłychanie ważne. Zarażone szałem komisarza laboratorium od razu zbadało włosy nowej ofiary. Otóż były to dokładnie te włosy, z których trzy znaleziono na odzieniu pierwszej ofiary. Zatem nie było siły, żadna brunetka z denatem bliskiego kontaktu nie miała, odpadała najbardziej prawdopodobna sprawczyni w czerwonym żakieciku...

Wólnicki prawie się z tym pogodził. Doskonale potrafił sobie wyobrazić sceny, rozgrywające się w mieszkaniu nieboszczki. Niepojętym sposobem Majchrzycka zwabiła do siebie Krzewca, jak jej się to udało, nie wiadomo...

I dokładnie w momencie, kiedy opuszczał laboratorium i zaczynał pogrążać się w dedukcjach, zabrzęczała mu komórka. Odezwał się kierowca policyjnego wozu technicznego.

Potwornie zakłopotany, zakomunikował, co następuje:

Siedział w wozie na tej Krótkiej, bo wszyscy już kończyli robotę i zaraz mieli wychodzić, pana komisarza już nie było, kiedy podszedł do niego taki nastolatek, chłopak z roziskrzonym wzrokiem i spytał, co tu się stało. Dowiedział się, że nic i nie jego sprawa, po czym nagle kierowca przypomniał sobie, w końcu człowiekowi przy takiej pracy dużo w ucho wpada, że są jakieś kłopoty z wynajdywaniem świadków w tej okolicy, więc czym prędzej zmienił zdanie. Chłopak dowiedział się zatem, że owszem, coś się stało, ale nie teraz, tylko w niedzielę. No i tak od słowa do słowa zeznał, że w niedzielę akurat wracał do domu na obiad, tam mieszka, w ostatnim budynku, a tu, akurat przed nim, jak przechodził, dwie osoby z samochodu wysiadły, a zwrócił uwagę dlatego, że facet był w stroju tenisisty, całkiem biały, co się rzadko w środku osiedla zdarza. A facetka kulała. Tenisista ją prowadził i trudno mu szło, bo kulała porządnie, on zaś miał wielką torbę, przewieszoną przez ramię, i tak się męczył dwustronnie. W końcu przepchnął ją jakoś przez drzwi, weszli do domu, a chłopak poszedł na obiad. I on, kierowca, bardzo przeprasza, że nic więcej nie zrobił, w tym momencie ludzie wyszli, śpieszyli się, chłopak znikł mu z oczu, nie zdążył go spytać o nazwisko ani o adres, ale kazali do pana komisarza zadzwonić, więc dzwoni i jeszcze raz bardzo przeprasza. Jeśli trzeba, sam pójdzie po robocie chłopaka szukać.

Wólnicki powiedział, że nie trzeba. Błogość zalała mu duszę, dostał oto znienacka prezent od sił wyższych i nadprzyrodzonych, nie musi tego zamieszczać w żadnym raporcie, wystarczy, że sam zrozumiał i nie będzie się dręczył wątpliwościami, cóż za ulga! Zamieści, oczywiście, ale marginesowo, świadkowi da spokój, w zaistniałej sytuacji nikt się nie będzie przy nim upierał.

Uskrzydlony euforią wrócił do rozmyślań.

Zwabiła Krzewca podstępnie, symulowała kulawiznę, elementarną przyzwoitością wiedziony, doprowadził zołzę do mieszkania. Tam może jeszcze posymulowała trochę, nakłoniła go do ablucji zapewne bez trudu, torba świadczy, że odzież na zmianę miał przy sobie, każdy by się chętnie umył i przebrał, może miał jakieś dalsze plany i skorzystał, żeby nie tracić czasu na jazdę do domu. Ona przez ten czas sprawność w nogach odzyskała, pożywienie wywlokła, wonie z patelni i piekarnika z pewnością były zachęcające, któryż głodny facet się oprze? Prawdopodobnie wtedy zamknęła drzwi, klucz ukryła, Wólnicki wręcz słyszał, jak odstręczająca ropucha chichocze figlarnie...

Na moment przerwał rozmyślania, bo ogarnęła go zgroza i prawie współczucie dla Krzewca. Znał takie kobiety i takie sytuacje, nie żył od wczoraj, ta Majchrzycka co prawda biła rekordy, ale nie ona jedna na świecie, a diaboliczny denat budził potężne uczucia. Miała nadzieję go skusić na dłużej, może aż do poniedziałku, uparła się na własną zgubę.

On też się uparł na własną zgubę. Ładnie im się zbiegło.

Ale w rezultacie komisarz nie miał już szans dowiedzieć się czegokolwiek od Majchrzyckiej. Może jeszcze ci Pasieczniakowie... No dobrze, niech już wrócą do domu, złoży im wizytę. A przedtem... zaraz, jest jeszcze jedna osoba, doskonale zorientowana w egzystencji Krzewca, śmiertelnie zakochana Wandzia Selterecka!

☆ ☆ ☆

Mój upór w kwestii zapalniczki przerósł wszystko, nie byłam już w stanie krzyżyka na niej położyć. Nic, do diabła, w naturze nie ginie. Ona też nie miała prawa zdematerializować się doszczętnie i gdzieś musiała istnieć, nie mogłam się od niej odczepić. Niemrawo podsypując ziemię na klomb w ogrodzie i wyrównując doły wygrzebane przez koty, myślałam tak intensywnie, że wręcz szkodliwie.

Niedostępna już Wiwien Majchrzycka nie należała do Henia, wyparł się jej kategorycznie, ale przecież jakaś jego dziewczyna za panem Mirkiem latała. Nie zainteresowałam się nią w pierwszej chwili, niesłusznie. Latająca dziewczyna o upragnionym amancie na ogół wie wszystko, skoro lata, oka stara się od niego nie odrywać, wnikliwie sprawdza rywalki, na bazie ich poziomu ocenia swoje szanse. Niemożliwe, żeby dziewczyna Henia nie miała pojęcia o konkurentkach, szczególnie tak natrętnych, jak ta cała Wiwien, niemożliwe, żeby jakiekolwiek poczynania podrywanego faceta umykały jej uwadze! Zatem wiadomo, co należy zrobić...

Skutek mojego myślenia był taki, że zostawiłam odłogiem kocie doły i zadzwoniłam do pana Ryszarda.

– Panie Ryszardzie, chcę Henia. To znaczy, nie zależy mi akurat na Heniu, tylko na tej jego prawdziwej dziewczynie, tej, co latała za ogrodnikiem. Gdzie ja ją mogę znaleźć?

– Nie mam pojęcia. Ale mogę się dowiedzieć. Kumple Henia chyba wiedzą, o, tu mam pod ręką Marcinka...

– Niech pan go zapyta!

Pan Ryszard chwilę konferował z Marcinkiem na stronie. Czekałam niecierpliwie.

– Wanda jej na imię. Nazwiska Marcinek nie zna. Podobno bardzo ładna, tak mówią. Mieszka gdzieś na Dawidach, w jakimś ogrodnictwie, pracuje tam, on mniej więcej wie gdzie, ale adresu podać nie potrafi.

– A Henia spytać nie da rady?

– Nie ma go akurat, po ramy okienne pojechał...

– Ale komórkę posiada, nie?

– No, posiada.

– To może przez tę komórkę go zapytać?

Pan Ryszard zakłopotał się wyraźnie.

– Ja się boję. Po tym wmawianiu w niego... Jeszcze mi gdzie ładunek wygruzi. A, właśnie! Dał pani adres facetki i co? Skorzystała pani z niego?

– O, do licha... Nie zdążyłam panu powiedzieć. Skorzystałam, chociaż korzyść wątpliwa. Słusznie pan nie chciał jechać, ona nie żyje, zabiła się o kaloryfer i nie da rady tam się zakraść. Trzeba przeczekać, ale ja nie chcę czekać!

– Czy ta pani zapalniczka tak wszystkich po kolei wykończy? – spytał pan Ryszard ostrożnie po chwili milczenia. – Ja nie wiem, ale tej swojej dziewczyny już by nam chyba Henio nie darował.

– Och, nie! – zaprotestowałam ze stłumionym jękiem. – Ja jej nie posądzam, to przecież Wandzia za panem Mirkiem latała, a nie on za nią! Nie dał jej w prezencie tego cholerstwa! Ona tylko może coś wiedzieć!

– A tę nieboszczkę pani podejrzewała?

– No pewnie! I nadal podejrzewam, ale nie mogę się tam włamywać, ludzie wrócili i chyba już mieszkają! O, pójdę do nich, może pan być pewien, ale przedtem chcę się więcej dowiedzieć. Niech Henio da dziewczynę!

Chyba tylko poczucie winy pana Ryszarda, pozbawione sensu, ale za to silne, spowodowało, że wywarł nacisk na Henia i adres niejakiej Wandzi Seltereckiej dostałam. Jako adres brzmiało to dziwnie, za zielonym domem w lewo, koło klinkieru w prawo, przed reklamą urządzeń kuchennych znów w prawo, skręcić za budami dla psów i tak dalej, ale trafiłam.

Tym razem towarzyszyła mi Małgosia. Sobiesława kategorycznie postanowiłam nie brać ze sobą, za bardzo przypominał pana Mirka i Henio słusznie mógłby mieć pretensje, jednego się pozbył, już drugi nadlatuje, o, żadne takie. Julity wolałam nie eksploatować przesadnie, Małgosia sama chciała.

No i trafiłam, że trudno piękniej. Na placyku za bramą stał samochód, a komisarz Wólnicki ze swoim sierżantem już byli w środku.

Nie uznałyśmy za wskazane przyłączać się do towarzystwa. Na dość dużym i gęsto obstawionym rozmaitymi krzewami terenie z łatwością można się odizolować, a pretekst na wszelki wypadek miałam gotowy. Byliny mnie interesowały, rozmaite trawy, krzewinki i tym podobne, szukałam nowych gatunków i odmian wszędzie, mogłam szukać i tu. Ciągle jeszcze pora roku sprzyjała sadzeniu, szczególnie z donic, ja zaś, maniaczka oszukana przez nieboszczyka, miałam pełne prawo uzupełniać roślinność w wybrakowanym ogrodzie.

– Cholera, same iglaczki – mruknęłam do Małgosi. – Wcale nie chcę iglaczków, ale nikt mi tego nie udowodni.

– I możesz zmieniać zdanie – podsunęła zachęcająco Małgosia. – W nieparzyste dni chcesz, a w parzyste nie chcesz.

– A który dzisiaj? Bo powinnam chcieć.

– Nie wiem. Czekaj... Czwarty...?

– No to w parzyste chcę. Hej, popatrz, to chyba jest ta Wandzia Henia...?

Zza jałowców miałyśmy doskonały widok na grupę osób przed wejściem do pawiloniku handlowego. Zrozumiałam nagle śmiertelne oburzenie Henia, posądzonego o upodobanie do Wiwien, jego Wandzia stanowiła najdoskonalszą odwrotność ofiary spod kaloryfera. Jak tamta zionęła ogólną brzydotą, tak ta tutaj iskrzyła wdziękiem. Też bez wyróżniających się szczegółów, może po prostu wszystko miała przeciętnie ładne, ale buchał z niej seks, wionął jakiś naturalny urok. Nie mizdrzyła się, nie kręciła tyłkiem ani w ogóle niczym, przeciwnie, była wściekła i ponura, nie ulegało wątpliwości jednakże, że każdy facet się za nią obejrzy.

– Ciekawe, dlaczego pan Mirek jej nie chciał – mruknęła pod nosem Małgosia.

Wysunęłam supozycję, że może głupia, drapieżna i zaborcza, pan Mirek z początku pochciał, pochciał, a potem się wystraszył. Ponadto w obliczu swojej osobliwej działalności musiał szerzej uroki roztaczać, a ona zapewne protestowała.

– Możliwe. To co robimy? Przeczekujemy ich?

– Warto byłoby podsłuchać, w jakiej są fazie. Podkradnij się może, co? Chociażby do tego srebrnego świerka...

Małgosia spojrzała na mnie i popukała się palcem w czoło. Pożałowałam, że nie jestem o czterdzieści lat młodsza. Nieliczne grono przed pawilonikiem zaczęło się jakby rozstawać i na to przez bramę wjechała znana mi żółta furgonetka pana Ryszarda. Za kierownicą siedział Henio.

– Jak się tak człowiek patrzy i patrzy, to zawsze coś zobaczy – powiadomiłam filozoficznie Małgosię.

– Myśmy tu przyjechały na przedstawienie?

– Wygląda na to, że tak...

Spektakl był niezły. Uczucia Henia najwidoczniej przeniosły się na pojazd, który zahamował w miejscu, potem skoczył odrobinę do przodu, następnie do tyłu, rozpoczął ostry skręt, jakby chciał zawrócić, znów trochę się cofnął i wreszcie znieruchomiał. Henio wysiadł.

– Ja po tę magnolię! – ogłosił gromko.

Jeszcze nie skończył krótkiej wypowiedzi, kiedy już Wandzia rzuciła się ku niemu.

– Ty bawole pogięty! – krzyknęła i trysnęła łzami.

Osoba wyraźnie starsza, chuda i żylasta, rzuciła się za nią. Za osobą jakiś niezdecydowany skok uczynił komisarz, za nim sierżant, Henio gibnął się do tyłu, potem do przodu, chwycił Wandzię w ramiona, co było niezbędne, bo inaczej z rozpędu wpadłaby na furgonetkę ze skutkiem nieprzewidywalnym. Natychmiast jęła walić go pięściami w klatkę piersiową i gdyby waliła tak w karoserię, pan Ryszard zapewne musiałby klepać swój środek transportu.

– Pan Henryk Węzeł – bardziej stwierdził niż zapytał komisarz w pośpiechu, zdecydowanie szkodliwym dla urzędowości.

– Ty oślico niewydarzona! – syczała przenikliwie osoba żylasta, zagłuszając komisarza. – Żeby nie twoja matka...! Ja ci sama ten głupi łeb ukręcę...!

Wandzia szlochała już bez słów. Poniechała walenia i kurczowo objęła Henia za szyję, omal go nie dusząc. Żylasta osoba bezskutecznie próbowała ich rozplątać, komisarzowi coś się chyba zacięło, bo uporczywie powtarzał swoje jedyne twierdzące pytanie, sierżant obok czynił jakieś dziwne gesty, oscylujące pomiędzy którymś sierpowym a głaskaniem po głowie. Henio, tuląc do siebie Wandzię, najwidoczniej uparł się wyjaśnić sytuację.

– Ja po magnolię! Tę śledziową! Gwiazdowski był umówiony, ona jest wybrana. I zapłacona! Mam odebrać. Magnolię, mówię!

– Co to jest śledziowa magnolia? – spytała mnie Małgosia z szalonym zainteresowaniem.

– Nie mam pojęcia, pierwsze słyszę. Sama ją chętnie obejrzę.

Atrakcyjny występ, niestety, uległ zakończeniu szybciej niż miałyśmy nadzieję. Połączonymi siłami oderwano Wandzię od Henia i odwrotnie, Henio nie zaprzeczył, że nazywa się Henryk Węzeł. Zważywszy, iż w trakcie zamieszania udało nam się osiągnąć pozycję za srebrnym świerkiem, wszystko było słyszalne.

– Magnolię, proszę bardzo – mówił komisarz przez zaciśnięte zęby – ale potem pojedzie pan z nami. Jakoś dziwnie ruchliwy pan był w niedzielę i, przykro mi bardzo, w pańskich zeznaniach nic się nie zgadza. Musimy to uporządkować i niech mi pan przestanie wmawiać, że pani Selterecka jest dla pana luźną znajomością. Pani też – zwrócił się nagle do zapłakanej Wandzi. – Pan Węzeł pani nie obchodzi, właśnie widzę to na własne oczy...

– Pan zostawi tę idiotkę – wmieszała się gniewnie osoba żylasta. – Ja panu wszystko wytłumaczę, a z taką kretynką pan się nie dogada. Nic złego nie zrobiła, tyle że głupia, ale na głupotę nie ma paragrafu. Magnolia, niech bierze, tylko mi miejsce zajmuje, bo do transportu stoi...

Mogli na głowie stawać i koziołki fikać, od magnolii nie dałabym się oderwać. Nie bacząc na ostrzeżenia Małgosi i w ogóle na nic, podkradłam się do krzaka.

Łososiowa! Cholera ciężka, magnolia o kwiatach w intensywnym kolorze łososiowym. Żeby ten Henio pękł, pomyliły mu się ryby, daltonista! Pozazdrościłam panu Ryszardowi, postanowiłam też sobie taką posadzić.

Gliny odjechały, eskortując Henia z magnolią, zostałyśmy same na placu boju.

Żylasta osoba nazywała się Anna Brygacz i była właścicielką ogrodnictwa, a także, jak się okazało, krewną i poniekąd opiekunką Wandzi Seltereckiej. Wandzia po odjeździe męskiej części zgromadzenia zakręciła wewnętrzny kran i osuszyła oczy.

Delikatnie spytałam ją o wielbicielki pana Mirka, starając się nie eksponować przesadnie Wiwien Majchrzyckiej, ale Wiwien Majchrzycka sama z siebie wystrzeliła gejzerem. Nie było wątpliwości, że Wandzia za nią nie przepadała.

– A najgorsza to ta kurwa była – bulgotała we wściekłym wzburzeniu. – Czepiała się jak pijawka, jak wesz, purchawica taka, wstrętne to, porąbane, krowa niedorobiona, ona go zabiła, nikt inny, odpędzał ją jak wściekłą ropuchę, aż go w końcu zabiła z tej zawiści takiej albo ze złości, albo co! Może sobie takie żarty robiła, bo i żarty miała, że się wątroba obraca i po plecach lata, dowcipa jakiego znalazła, ręka jej się opsnęła, szantrapa jedna!

– Nie – zaprzeczyłam subtelnie i łagodnie. – To nie ona. Ona nie żyje. Nie powiedzieli pani?

– No to co, że nie żyje, szlag niech ją trafi...!

– Już trafił.

– No i co z tego, że trafił, ale żyła. I jego...!

– Nie. To on ją.

– Raszpla... – zaczęła znów Wandzia, nie słuchając, i nagle urwała. – Co...?

– Prędzej on ją zabił niż ona jego.
– Jak to...?
– Tak leżała, że samobójstwo niemożliwe, chyba że przypadek, ale nic tam nie było takiego... Albo w ogóle ktoś inny, i ją, i jego. Leżała u siebie, a on u siebie, więc żywy musiał do domu wrócić...

Zawahałam się, bo przyszło mi na myśl, że właściwie nie wiadomo, czy nie okłamuję tej Wandzi bezczelnie, na dobrą sprawę mogło być i tak, że zdesperowana Wiwien wdarła się za panem Mirkiem do jego domu, dziabnęła go skutecznie, wróciła do siebie i tam ją dopadł zły los. Niekoniecznie nawet w ludzkiej postaci, zawirowało jej pod ciemieniem, gibnęła się do tyłu, trzasnęła w ten grzejnik... Nie znam w końcu jej stanu zdrowia, może miewała zawroty głowy, warto chyba się popytać.

Moje wahanie nie przeszkodziło Wandzi zaiskrzyć, wizja jej się spodobała. Amant zabił rywalkę, wprost cudownie i jakże romantycznie! Temat chwycił, przebił wściekłość, konwersacja wygrzebała się z monotonii.

– Jakże, ciągle mu coś wtykała! – usłyszałam w odpowiedzi na pozbawione już delikatności pytania. – To krawacik, to pachnidła, to żarcie jakie, nie nosił, wylewał, wyrzucał, do ust nie brał! A pewnie, że byłam przy tym, ile razy na własne oczy widziałam! Nawet kufel roztłukł, chociaż kufle zbierał, a od niej nie chciał. Co...? Zapalniczkę...? Zaraz. Którą?
– Taka drewniana, ciemnobrązowa, stołowa.
– Na półce stała?
– Na półce chyba, bo gdzież by...?
– To wiem. Stała. Ale to dawno dostał, jak ja nastałam, to już była. Pewnie, że od niej, od tej parkoty gnilnej, a on nie palił, zły był taki, że nawet do ręki

tego nie wziął. Coś mówił, że to po jakimś i może w ogóle cudze, poczwara ukradła i nawet wyrzucić nie może, bo drogie, a jak się kto upomni, zaraz się zrobi zadyma. No to tak stało.

No i proszę, zadyma ruszyła, pan Mirek swoje zastąpił moim... Ci Pasieczniakowie z zagranicy wrócili, ze Stanów, może spotkali się tam z Brygidą Majchrzycką, Brygida upominała się o prezent, pan Mirek podrzucił im moją zapalniczkę, swoją zostawił dla świętego spokoju, żeby mu się zołza nie awanturowała...

– Ona tam często bywała u niego?

– Pchać to się pchała co dnia – rzekła Wandzia wzgardliwie – ale jej nie wpuszczał. Wywijał się, nie otwierał, udawał, że go nie ma, albo Gabrielą straszył. Swoją siostrą, znaczy. Ale bywać bywała.

– A nie było jakiejś... – cofnęłam się na pozycje subtelności, bo zamierzone pytanie zaliczało się do gatunku drażliwych – ...jakiejś, no... wielbicielki pana Mirka, której by taką zapalniczkę mógł dać w prezencie...?

– Co też pani? – oburzyła się Wandzia. – Przecież stała! A w ogóle to one jemu dawały, a nie on im. Każda pazurami go do siebie ciągnęła, to jednym, to drugim przywabiała, tu załatwiła, tu podetknęła, tu dla niego specjalnie znalazła, a on miał gdzieś. Tylko ja jedna...

Załamała się znów, ale na krótko, bo wkroczyła pani Anna.

– Ciebie też miał gdzieś, owco głupia, dawno ci to mówiłam! Henio porządny chłopiec, a ty co? Dla tego skoczka pustynnego na kompost go przerobiłaś, motylek fałszywy, mierzwę taką z ciebie zrobił, w żadne twoje słowo ludzie nie uwierzą, a Henio za to będzie oczami świecił!

– Henio go nie...! – krzyknęła Wandzia w strasznych nerwach.

– Ale oni myślą, że tak!

Wbrew zamiarom i chęciom wyskoczyłam z ram zapalniczki.

– No właśnie, gliny tu były, ja ich znam. Co im pani powiedziała?

– Nic – warknęła Wandzia.

– Prawie nic – przyświadczyła z rozgoryczeniem pani Anna. – Ale takie nicniemówienie, to jakby go palcem pokazała. A ja wiem, że to nie on, i też im tego nie powiem, bo... tego...

Zdecydowanie stałam po stronie obrażonego śmiertelnie Henia, poza tym zabójca pana Mirka wydawał mi się całkowicie usprawiedliwiony, dziwiło mnie nawet trochę, że to nie ja, i zapewne nastawienie ze mnie wyszło, bo nagle zostałam uznana za sprzymierzeńca. Pani Anna nie wytrzymała.

– Sprawdzają go – zwierzyła się. – A ten głupek się wściekł i poleciał go szukać. Tu w końcu przyjechał, ale tak mi się widzi, że chyba za późno.

Zamilkła, westchnęła, obejrzała się, przysiadła na skraju donicy z niewielkim tamaryszkiem. Obejrzałam się w tym samym celu, trafiłam na donicę z jałowcem pospolitym, który od razu ukłuł mnie w tyłek.

– W jakim sensie za późno?

– Wedle tych godzin, o które pytają, mógł go przerąbać i potem przyjechać, ale Henio fałszywy nie jest, aż tak by udawać nie umiał. Siedział i smarkał mi się tu, co on ma zrobić, bo oślica uparta słuchać nie chce, a on sam widział te dziwy koło krętacza i to jakie, żeby młode, ale i stare próchna tapetowane, od każdej coś. Klientów przeważnie. Co to, czy ja nie wiem?

Każdy wie. On i ode mnie odpady brał, dawno wiem, po co mu to było.

Wandzia fuknęła gniewnie, pani Anna z irytacją machnęła na nią ręką.

– Już by go do sądu skarżyli, żeby nie to, że zwracał. I głównie baby oszukiwał, a one się dawały kołować. I przeważnie tak jest, że mąż pracuje, a żona w ogrodzie grzebie, dużo on się zna, ten mąż, każda go przekabaci. Henio wozi, to też widzi.

– I co mówił, jak tu był?

– No co miał mówić, prawie płakał. Szukał go, żeby mu mordę skuć na zrazy siekane, ale nie znalazł. Pod jego domem był, tam nikogo, u takiej jednej farmaceutki sprawdzał, nie było samochodu, trochę się z kumplami powałęsał, w końcu tu przyjechał, bo może Wandzia wróciła, ale nie. O wpół do dziesiątej odjechał. Pomstował tak, że w człowieku drętwiało, to co ja mam mówić? Zajrzał i tyle. Bo co, powiem, że już szału dostał i chciał mu łeb ukręcić? Że płakał? Żeby się z niego wszyscy przez tę debilkę naśmiewali?

Zastanowiłam się. Osobiście wolałabym być chyba wyśmiewana niż skazana na dwadzieścia pięć lat przymusowego zamknięcia, ale taki Henio może żywić inne poglądy. Nie wyglądał mi na zabójcę, gdyby pozbył się znienawidzonego Casanovy, nie roniłby łez na tle Wandzi, tylko mściwie chichotał. Albo się urżnął w drzazgi i trociny. Pani Anna miała rację, okazując powściągliwość, takie niuanse uczuciowe mogły do komisarza nie przemówić.

Małgosia uważnie i w milczeniu przysłuchiwała się wszystkiemu.

– To nie Henio – zaopiniowała, wsiadłszy do samochodu. – Ja na niego nie stawiam, odstresował się awanturniczo. Ale do tych Pasternaków... nie, zaraz, jak im tam...? Pasieczniaków. Trzeba będzie iść...

☆ ☆ ☆

Wszystko działo się równocześnie, waląc rwącą rzeką na młyn Wólnickiego.

W tym samym momencie fotograf i Sobiesław złapali się wzajemnie, zaś Gabriela Ziarniak dopadła komisarza. Najpierw przez telefon, a zaraz potem osobiście.

Niepewny trafności własnych decyzji, podejmowanych w pośpiechu, Wólnicki dopiero po kilku dniach udostępnił dom denata rodzinie. Gabriela skorzystała z tego natychmiast i w godzinę później już trzymała słuchawkę w ręku.

– Pan śledczy mnie pytał, czy co zginęło albo co – rzekła twardo. – Zginąć to więcej nic nie zginęło, tylko ta rzecz z regału, ale przybyło.

– Zaraz do pani przyjadę – odparł komisarz, złapany na komórkę w drodze od Anny Brygacz. – Chcę zobaczyć to coś, co przybyło.

Widok nie okazał się rewelacyjny. Obok stosiku skłębionych tkanin leżała jakaś szmata, wybrudzona rozmaitymi substancjami. Obejrzawszy ją wnikliwie, Wólnicki rozpoznał krew, kawę i coś tłustego, co nie wydało mu się jadalne, bo dziwnie śmierdziało.

– Co to jest? – spytał surowo.

Gabriela wzruszyła ramionami.

– A bo ja wiem? Wygląda na szalik. Mirek takiego nie miał i w ogóle tego rzęcha tu nie było. Teraz znalazłam, jak brałam rzeczy do prania.

– Gdzie pani znalazła?

– Tu, ze ścierkami. Wycierałam tę kawę z siebie i trochę jeszcze... tak w ogóle, łapałam co popadło, a potem do koszyka w kuchni rzuciłam. I serwetkę, o! Razem musiało leżeć tam, gdzie Mirek...

Wólnicki w duchu sam siebie skarcił za niedopatrzenie. Pozbierali narzędzia zbrodni, zabezpieczyli ślady wokół zwłok, ale nie przegrzebali całego domu. Ale taka ta zbrodnia wydawała się prosta i nieskomplikowana, sprawca wpadł, dziabnął i uciekł, taki pewny i jasny opis zabójczyni, prawie schwytanej na gorącym uczynku, nie powiało żadną tajemnicą... I śpieszył się jak do pożaru. A należało powęszyć staranniej!

Rozpostarł szmatę. Rzeczywiście, szalik. I chyba męski, fularowy, ozdobny, niebiesko-różowo-czerwony, w zygzaki i kropki. Dosyć śliski, mógł się zsunąć z czyjejś szyi.

– Jest pani pewna, że wcześniej tego nie było?

– Mogę przed sądem przysięgać. Przecież to ja tu sprzątam i piorę, lepiej niż Mirek wiem, co miał. I po tych sukach co zostało, też wiem, na górze wszystko, zawsze odnosiłam. Bez prania, po dziwkach prała nie będę!

– A to nie po dziwkach?

– Chyba że po tej jednej, co ją tu zastałam. Z czerwonym... Ale i tak nie pasuje.

– Nie prała pani tego jeszcze...?

– No przecież widać. Po praniu by takie było...?

Nowa nadzieja wykiełkowała przed komisarzem. Brudny szalik, używany, mikroślady, DNA... Może wreszcie coś się jaśniej wyklaruje!

– Ale...! – przypomniał sobie nagle. – Wiwien Majchrzycką pani znała?

– To już mogę całą resztę do pralki wrzucić? – spytała Gabriela cierpko. – Więcej cudzego nie ma, wszystko nasze. Wiwien Majchrzycką, też coś... Pewnie, że znam, a co...? To nie ona tu była. Dawno jej już nie było, bo Mirek ją pędził od siebie, za próg nie wpuszczał i mnie zakazał, ale przyłaziła raz za razem. To purchla taka nachalna. Bo co?

– Bo nic. O znajomościach pani brata mogła dużo wiedzieć.

– Dużo...! Wszystko. Wszędzie nos wtyka. Pan ją zapyta, co wie, ona nie milczek żaden, gada i gada.

– Nie. Już nie gada. Nie żyje.

– Jak to, nie żyje?

– Przypadkiem została zabita. Tego samego dnia, co pani brat.

– Co pan powie? – zdziwiła się Gabriela bez szczególnego przejęcia. – To szkoda, że nie wcześniej, o jedną mniej by było... Coś takiego...! I cóż jej się stało?

– Długo ją pani znała? – odparł na to komisarz zwyczajem władz śledczych.

– O, już ładne parę lat. Ale ja to mniej, Mirek ją znał lepiej i Krystyna, znaczy jego żona, ja to dopiero od rozwodu. Wcześniej nie przychodziła, Kryśka robiła za straszaka, przy niej tak się te dziwy nie pchały.

– A skąd znajomość?

Gabriela zamyśliła się, obejrzała odruchowo w stronę kuchni, pstryknęła elektrycznym czajnikiem, sięgnęła po szklanki.

– Kawy pan się napije albo herbaty?

Wólnicki wyczuł zmianę atmosfery, najwidoczniej komunikat o zejściu Wiwien usposobił Gabrielę przychylniej. Przyjął poczęstunek, zdecydował się na herbatę, pamiętny jej jakości.

– Przez ogród – powiedziała Gabriela w zadumie. – Ona ogród miała i Mirek coś tam jej sadził. Wiecznie jakieś roboty wynajdywała, a znała się na tym jak kura na pieprzu, żalił się kiedyś nawet, że co by nie zrobić, wszystko zmarnuje. Specjalnie po to, żeby przyjeżdżał, aż to w końcu sprzedała i dopiero się te wizyty zaczęły. Ledwo Krystyna się wyniosła, ta już siedziała na głowie.

– Poleciła go może nowemu nabywcy?

– Każdemu go polecała. Tylko patrzyła, żeby nie babie, a chłopu. I wtrącała się, aż wióry szły, aby tylko przy Mirku się plątać!

Razem usiedli przy kuchennym stole.

– Ktoś jej nie lubił?

– A kto ją lubił! – sarknęła Gabriela i podsunęła komisarzowi cukier. – Jakaś taka była, nie do lubienia. A nachalna, że nie daj Boże. I śmiech miała gruby i głos jakiś skrzekliwy, a Mirka, jak dopadła, to aż się kleiła. Uciekał, ile mógł, chociaż klientów od niej miał dużo, nie powiem, ale już nawet i tych klientów od niej nie chciał. A i oni też, z jej poręki, niefartowni byli, same nieprzyjemności Mirek miał przez nich, i ten jej ogród, przeklęty chyba czy co, nic tam nie rosło.

– Wie pani może, komu go sprzedała?

– Jakiś Madej czy coś... Majdan...? O, Majda. Był tu nawet z awanturą... Przez nią, bo coś mu wmówiła, że jakieś coś posadzone, a to nie rosło albo może rosło za bardzo... Tego nie wiem na pewno, nie zwracałam uwagi, tak mnie ona zezłościła. Jakoś tak mi wyszło, że ona tego Majdę podjudza.

Majda, Majda... Wólnickiemu pamięć zaczęła pryskać niczym skwarki na patelni. Jakże, przecież Majda jest jednym z tych, którzy nie mają alibi, ten od spaceru dla zdrowia. A drugi Henryk Węzeł, Henryka dopiero co miał pod ręką, puścił go razem z tą magnolią, kazał potem przyjechać do komendy... Teraz ma brudny szaliczek, można powiedzieć prezent od denata, ejże, bardziej mu ten szaliczek pasuje do Henryka niż do Majdy, czy on aby do tej komendy przyjedzie...?

Nie dokończył rozmowy z Gabrielą, chociaż herbatę wypił, porzucił dom ofiary, trzymając komórkę przy uchu i tuląc do łona szaliczek w foliowej torbie.

☆ ☆ ☆

Pan Ryszard wszedł przez furtkę, kiedy wspólnie z Małgosią przerzucałyśmy ziemię ogrodniczą z worka na taczki. Pomógł nam jednym gestem.

– Niedobrze – rzekł z troską. – Przed chwilą przyjechali i zabrali Henia. Magnolię do mnie przywiózł ni przypiął ni wypiął, za wcześnie, bo jeszcze szalunki leżą, ledwo zdążyliśmy miejsce zrobić i zdjąć ją z furgonetki, już byli. I zabrali go radiowozem.

– Jak to...? – zdumiałam się.

– Przecież uzgodniłyśmy, że to nie on! – wykrzyknęła z oburzeniem Małgosia.

– Ja też uważam, że nie on – zgodził się pan Ryszard. – Nie wiem, co w nich wstąpiło. Pani nie wie?

Zmartwiłam się i rozzłościłam.

– Pojęcia nie mam, na głowę chyba upadli! Nam wyszło, że mowy nie ma, to nie Henio. Mówili coś?

– Nic. Do komendy i tam się dowie. Zły był, ale, powiem pani, nawet nie bardzo zdziwiony, bo już wcześniej kazali mu zaraz przyjechać.

– Przestraszony?

– Nie. Wcale. Tylko zły. Przecież by pojechał do nich prosto ode mnie, mówił, skoro mu kazali, komenda nie zając, z całym krzakiem do nich jechał nie będzie, to nie, od razu i już. Co teraz zrobić?

– Ale krzak został?

– Jeszcze w donicy. Ledwo zdążyliśmy zdjąć. Ma pani jakiś pomysł?

Zastanawiałam się intensywnie.

– Sobiesław. Julita. Złapać ich. Mówił, że ma chody u policyjnego fotografa. Może coś wie.

Zostawiłam Małgosię z panem Ryszardem nad taczkami z ziemią i popędziłam szukać komórek. Obie leżały oczywiście na biurku, w najdalszym kącie mieszkania.

– Julita? Gdzie Sobiesław?

– Czy to już zawsze on będzie szukany przeze mnie i ja jestem do niego przyspawana...?

– Tylko mi nie mów, że się z nim pokłóciłaś, to nie pora na uczuciowe fanaberie! Do kogo ma być przyspawany, do mnie może, co? Albo do Witka?

Myśl o Witku musiała Julitą wstrząsnąć, bo natychmiast porzuciła romansowe kaprysy.

– Nie, masz rację, przytłumię w sobie charakter dla dobra sprawy. Wcale się nie pokłóciłam, właśnie dzwonił, że ma jakieś wiadomości i już do mnie jedzie, ale ja jestem w banku!

– I do banku jedzie?

– Do banku. Jeszcze mi tu chwilę zejdzie.

Znałam lokalizację banku. Ucieszyłam się.

– Doskonale, to do mnie macie już blisko, zrobię parówki w sosie chrzanowym, wam jeszcze nie obrzydły. My też mamy informacje i w ogóle robi się dramat. Przyjeżdżajcie natychmiast!

Julita usiłowała się dowiedzieć, komu te parówki obrzydły, skoro im nie, ale nie miałam teraz czasu na wyjaśnienia. Zadzwoniłam do Witka.

– Gdzie jesteś?

– Akurat na Sobieskiego, przy nerwowo chorych. Przed chwilą pozbyłem się klienta...

– Nie bierz drugiego! Natychmiast przywieź mi parówki, chroń Bóg NIE dietetyczne! I kwaśną śmietanę, ale już, zaraz będzie narada produkcyjna! Kup po drodze w tym Arbeitsamcie!

Szczęśliwie Witek w moich przejęzyczeniach był doskonale zorientowany. Arbeitsamt to był Markpol, wcześniej zwany Red Blackiem i wszystkie te nazwy uporczywie mi się myliły. Narada produkcyjna zainteresowała go zapewne, bo nie zaprotestował ani jednym słowem i obiecał, że zaraz będzie.

Przywiózł mi zakupy błyskawicznie. Krojąc parówki na drobne kawałki i rzucając niecierpliwe spojrzenia za okno, zdążyłam zaledwie przy pomocy Małgosi poinformować pana Ryszarda o spotkaniu u pani Brygacz i wybuchach uczuć pomiędzy Heniem a Wandzią. Witek słuchał uważnie i zgodził się z nami w kwestii niewinności Henia. Pan Ryszard nasze poglądy potwierdził.

Równocześnie parówki doszły, a Julita z Sobiesławem przyjechali.

Sobiesław wiedział wszystko o Wiwien Majchrzyckiej, bo fotograf nie strzymał, żeby nie pochwalić się sukcesami technicznymi. Wiwien nie popełniła samobójstwa i nie miewała zawrotów głowy, została popchnięta nieszczęśliwie, a zatem było to przypadkowe zabójstwo. Rwała się do faceta, dokładnie biorąc do pana Mirka, o czym świadczyły wszelkie ślady, pan Mirek stracił dżentelmeńskie opanowanie i w końcu jej przyłożył. Obudowa grzejnika dokonała reszty.

– Mówiłam, że to kretyńska dekoracja – powiedziałam z wyrzutem, nie wiadomo pod czyim adresem. – Na gładkim by się nie zabiła.

– O Heniu mowy nie było? – spytał pan Ryszard.

– Nie. Ale doniosłem mu na tych Pasieczniaków – wyznał Sobiesław. – Jeśli są niewinni, nic im się nie stanie, ale jeśli robili jakieś przekręty, może coś z tego wyniknie. Poza tym widziałem zdjęcia.

– Jakie zdjęcia?

– Miejsca przestępstwa i narzędzi zbrodni. Nie wiem, czy nam to coś daje, bo oglądałem z punktu widzenia techniki fotograficznej.

– Więcej było tych narzędzi niż jedno? – zainteresował się Witek.

– Dwa. Donica z kwiatkiem i zdezelowany sekator.

Natychmiast przypomniał mi się początek śledztwa i poszukiwanie sekatorów. Że musiał tam być w robocie sekator, zgadłam sama, a o donicy z kwiatkiem była mowa, pan Ryszard ją zauważył.

Zażądałam uściślenia, z jakim kwiatkiem.

– Zeschniętym – odparł Sobiesław. – Na zdjęciu szczątki, więc nie mogłem rozpoznać. Korzeń miał solidny. A donica nietypowa, kształtem raczej zbliżona do dzbanka, zwężona u góry.

– Jaki kretyn sadzi kwiatek z dużym korzeniem w takiej donicy? Przecież się go nie wyjmie. Żeby przesadzić, trzeba rozbić naczynie!

– Na zdjęciu widziałem je w stanie rozbitym...

– Zaraz – wtrąciła się energicznie Małgosia. – Czy z tych zdjęć wyszło jakoś porządnie, co się tam właściwie działo? Dwa narzędzia? Najpierw kropnął go donicą, a potem dziabał sekatorem, czy odwrotnie? Czy może razem, jedną ręką walił, a drugą dziabał?

– To pierwsze. Zdaje się, że zostałem wprowadzony w szczegóły, które zazwyczaj stanowią pilnie strzeżoną tajemnicę śledztwa. To znaczy, nikt mi tego oczywiście wprost nie powiedział, ale bez wielkiego trudu zdołałem wydedukować, jak to musiało wyglądać. Mój brat na chwilę odwrócił głowę... Tak wnioskuję, bo nie stał chyba tyłem do wroga...

– A skąd wiedział, że to wróg?

– Takie rzeczy na ogół się wie – mruknął Witek.

– Może się maskował i udawał przyjaciela...?

– Cicho bądźcie! – wrzasnęłam, zniecierpliwiona. – Odwrócił głowę, niech będzie, i wtedy on go zaprawił. W potylicę?

Sobiesław wszystko znosił z cierpkim spokojem.

– Niezupełnie. Trochę z boku. Donica się rozleciała i wtedy użył sekatora. Kilkakrotnie, mój kumpel po fachu zrobił dobre zdjęcia, ostatnie uderzenie już w pozycji leżącej. Natomiast nie kopał go.

– Henio by kopnął – stwierdził stanowczo milczący dotychczas pan Ryszard.

– Dziwne, że nie kopał – zauważyła krytycznie Małgosia. – Bo wychodzi, że działał w jakiejś furii. W amoku. Też mi wychodzi, że Henio by tam narozrabiał więcej.

– No to przecież już wiemy, że nie Henio...!

– Narozrabiane było nieźle – westchnął pan Ryszard.

– O Boże...! – jęknęła cichutko Julita.

Nie zważałam na ich uczucia.

– No tak, to już rozumiem. To dlatego tak się czepiali sekatorów. Szukali kogoś z ogrodem, kto nie ma sekatora albo ma nowiutki, bo stary rzecz jasna pozostawił na miejscu zbrodni. Szczęście, że wszystkie mam używane.

– Ale to tym bardziej nie Henio – zawyrokował pan Ryszard. – Z żadnymi sekatorami on nie ma do czynienia, prędzej by walił kluczem francuskim, lewarkiem albo zwykłym nożem. I skąd do niego donica? Nie, to nie on, w żadnym wypadku.

Zgodnie poparliśmy jego zdanie. Znów przypomniałam sobie, że nie szukam sprawcy zbrodni, tylko zapalniczki.

– Ale to nie jestem pewna, czy pan słusznie doniósł na Pasieczniaków – zwróciłam się z troską do Sobiesława. – Uczepią się ich, nie daj Boże, a ja chciałam tam być pierwsza, przed glinami. Ze wszystkiego wynika, że naprawdę tylko tam mogła pójść ta cholerna zapalniczka, skoro Pasieczniakowie znali Wiwien, powinni znać też i Brygidę Majchrzycką i może to dla niej...

Moje wizje znalazły oddźwięk i spotkały się z aprobatą. Sobiesław postanowił się poświęcić, szczególnie, że w poświęcaniu uparła się towarzyszyć mu Julita, dotrzeć do państwa Pasieczniaków i sprawdzić, czy już wrócili do domu. Następnie złożyć im wizytę, wszystko pod pierwotnie wymyślonym pretekstem. Obecność Julity nie była już szkodliwa, skoro Wiwien Majchrzycka nie wchodziła w rachubę.

Parówki w sosie chrzanowym wyszły do końca i nawet nie zdążyłam jej wyjaśnić, komu obrzydły.

☆ ☆ ☆

Henio bez chwili namysłu, nie czekając nawet na żadne pytania, przyznał się do szalika.

– A to co? – wykrzyknął z oburzeniem, widząc szmatę na biurku komisarza. – To moje! Co za cholera tak mi to upieprzyła, gdzie pan to znalazł?

– A gdzie pan zgubił? – spytał natychmiast Wólnicki z anielską słodyczą.

Henio łypnął okiem gniewnie i ponuro.

– Panie, gdybym wiedział, gdzie zgubiłem, pojechałbym znaleźć, nie? W tym rzecz, że nie wiem. Nowy szalik, w mordę go bladą...

– A kiedy?
– Co kiedy?
– Kiedy pan go zgubił?
– Mam świadków, że mój – powiadomił go Henio podejrzliwie i przezornie, zapewne w obawie, że zostanie posądzony o chęć przywłaszczenia sobie cudzej rzeczy. – Od pani Seltereckiej Wandy w prezencie dostałem, na imieniny.
– Nie wątpię, że to pańska własność. Pytam, kiedy pan go zgubił.
– A cholera wie. Tak już myślałem i myślałem, i wychodzi mi, że w zeszłym tygodniu, tak w połowie. Bo w czwartek rano jeszcze go miałem, a w sobotę wieczór już nie.

Wólnicki zażądał ścisłości. Henio nie miał oporów, z jednej strony uradowany odnalezieniem szaliczka, z drugiej rozwścieczony jego stanem, gorliwie wspominał wydarzenia. W środę wie, że go miał, bo na spotkanie z Wandzią wystrojony poleciał, szalik włożył na szyję, w dyskotece byli, Wandzi się w tym szaliku podobał, więc w czwartek wziął go do kieszeni, żeby znów się przystroić, jeśli się z nią spotka. Ale się nie spotkał. W piątek był wściekle zajęty, wszędzie jeździł, u jednego takiego awantura wybuchła, możliwe, że cały czas ten szalik miał w kieszeni, na sobotę znów się z nią umówił, chciał go włożyć i chała. Do kieszeni sięgnął, wszędzie go szukał, nie znalazł. Znaczy, musiał go zgubić w czwartek albo w piątek, chociaż możliwe, że nawet w sobotę rano, bo prawie do południa po budowach u Gwiazdowskiego jeździł, różne rzeczy woził i dopiero potem miał wolne, umył się i ubierał. Owszem, raz mu ten szalik wyleciał, w warsztacie akurat, ale zobaczył od razu i schował. W czwartek rano. Nawet pomyślał, żeby w domu zostawić, potem jednakże wyszło mu to z głowy, zły był i zapomniał. Darować sobie tego teraz nie może, bo jak to wygląda, jakby świnia zeżarła i potem wypluła albo i gorzej.

Szczerość uczuć do szaliczka tryskała z Henia niczym lawa z czynnego wulkanu, co do reszty wydarzeń jednakże Wólnicki nie wierzył w nic. Bez względu na to, gdzie go miał, na szyi czy w kieszeni, utracił ozdobę na miejscu zbrodni. Przeprowadzi się jeszcze badania, to oczywiste, kawa Gabrieli, krew denata, to są rzeczy do stwierdzenia laboratoryjnie bez najmniejszych przeszkód, a teraz byłoby świetnie, gdyby się ten młody złoczyńca przyznał. Niech mu będzie, w afekcie tej zbrodni dokonał, miotały nim uczucia wyższe, grunt, że jest! Wykryty!

Zgodziło się wszystko. Samochód Gwiazdowskiego, wypożyczony z warsztatu Gwasza, widziany na ulicy Pąchockiej, Henio, zawodowy kierowca, z warsztatem Gwasza zaprzyjaźniony, kluczykami dysponował, wziął go spod domu Chmielewskiej, potem odstawił na miejsce... No, wskazuje to na premedytację, ale może podciągną pod trwały afekt... Wszystko gra, znalazł sprawcę! Bez Górskiego...!

Nie uświadamiał sobie zupełnie, a gdyby nawet, nie przyznałby się przed samym sobą, że żywi do Henia w gruncie rzeczy sympatię. Wandzię Selterecką poznał, nie dziwiło go, że chłopak dostał na jej tle małpiego rozumu, a zamordowany ogrodnik jakoś w nim sympatii nie budził. Jeszcze druga ofiara, Wiwien Majchrzycka... Nie, Wiwien Majchrzyckiej przyłożyć mu się nie da, ale to małe piwo, skasował ją w nerwach nieboszczyk Krzewiec i sprawa zakończona.

W miłej atmosferze odesłał Henia do aresztu, a szaliczek do laboratorium.

Upojenie przepełniło go do tego stopnia, że przed napisaniem raportu, co z reguły zaliczało się do prac przymusowych i nieprzyjemnych, postanowił uczcić się piwem. Jednym małym, zimnym piwkiem wypić własne zdrowie. Rzetelnym półlitrem zostanie uczczony nieco później, we właściwej chwili, po podpisaniu decyzji prokuratora. I może nawet Górski wróci i weźmie w tym udział!

Zdążył wsunąć papiery do szuflady i podnieść się z krzesła, kiedy zaczęły się schody.

☆ ☆ ☆

Na komunikat o poczynaniach państwa Pasieczniaków czekałam ze straszliwą niecierpliwością. Wreszcie doczekałam się telefonu.

– Jutro rano wracają do domu – powiedziała Julita. – Złapaliśmy ich jeszcze w hotelu, właśnie dostali wiadomość, że już mogą. Umówiliśmy się z nimi wczesnym popołudniem, Sobiesław nakłamał, że musi z nimi rozmawiać ze względu na brata i aż się dziwię, że tak na to poszli. Od razu się zgodzili.

Wysunęłam przypuszczenie, że może sami byli ciekawi, bądź co bądź sensacja, i chcą się czegoś dowiedzieć.

– Chyba nie tylko. Mnie się wydali jacyś zaniepokojeni. Dowiedzieć się, tak, to było widać, ale nie z samej ciekawości. Coś mi tu...

– Śmierdzi? – podsunęłam żywiutko, bo Julita się zawahała.

– No, tak jakby. Może to za duże słowo. Ale, wiesz... Na ich miejscu ja bym jednak przedtem wywietrzyła...

– Tam balkon był uchylony – przypomniałam. – Zapewne otworzą szerzej i teraz już ci śmierdzi w przenośni.

– To również miałam na myśli. No nic, Sobiesław będzie rozmawiał, a ja się spróbuję rozejrzeć.

– Okaż przejęcie sytuacją – poradziłam i natychmiast wyobraziłam sobie, jak ja bym to załatwiła. – Odnowić mieszkanie, może nie warto, ile to będzie roboty, rozejrzeć się po wszystkich pomieszczeniach, co przeszło wonią, a co nie, dywany, tkaniny, łatwe do mycia albo trudne, tu współczuć, tu pocieszyć, tu zajrzeć...

– O Boże, ja tak nie umiem. Ale masz rację, takie zainteresowanie... Mam malarza. I pracza dywanów.

– Może się przydać. I najważniejsze, nie zapomnijcie o Brygidzie Majchrzyckiej! Bo jeśli ktokolwiek tu napaskudził, to tylko ona, wybadajcie ich dyplomatycznie!

– Ale jeśli ona jest gdzieś schowana, to nie wiem – powiedziała Julita bezradnie. – To znaczy zapalniczka, nie Brygida Majchrzycka!

I rozłączyła się.

Natychmiast zadzwonił telefon.

– To pani była klientką pana Krzewca, prawda? – odezwała się jakaś pani. – Pani mi powiedziała o jego śmierci, była pani u mnie na Sobieskiego i pytała pani o hutujnię sercowatą, przypomina pani sobie?

Przez ułamek sekundy myślałam, że ta pani ma do mnie jakąś pretensję i niestosownie się wyraża, ale natychmiast kwiknęła pamięć. Jasne, ogrodnictwo przy Sobieskiego, roślinę określiłam mianem ondulowanej hosty, a właścicielkę pamiętałam doskonale.

– Ja, oczywiście. Przykro mi, że z taką informacją przyszłam...

– O, nic takiego, teraz jest gorzej. Cała afera się zrobiła. Czy coś z tego, co pani miała ode mnie, jakoś choruje albo w ogóle zmarniało?

Boże jedyny, co ja miałam od niej...? To jeszcze z poprzedniego miejsca... A, prawda, irysy! I karłowate różyczki, irysy i różyczki posadziłam jako pierwsze, własną ręką, no, prawie własną, do różyczek rękę dołożył pan Ryszard...

– Nie, nic – powiedziałam uczciwie. – Irysy trzymają się doskonale, poza tymi, które zniweczył orzech, a różyczki wręcz szaleją.

– Zaraz. A orzech skąd?

– Od pana Krzewca, rzecz jasna, ale w tym roku go zetnę.

– A on pani nie mówił, że orzech zatruwa...?

– Nie. Od kogoś innego się dowiedziałam. I nie mówmy o tym orzechu, bo mnie może szlag trafić.

– Zgadza się – powiedziała ogrodniczka z mściwym zadowoleniem. – Rozumiem. Ode mnie gówno nie szło. Awantura jest o niektóre zarażone, a zaczął chyba Majda...

– Kto...?

– Maj... No, jeden taki. Chyba najbardziej pechowy klient pana Krzewca, on dostał ten bez z czerwonymi paskami, pamięta pani?

– Do samej śmierci nie zapomnę – mruknęłam pod nosem, ale ogrodniczka słuch miała świetny.

– On też. Od niego się zaczęło i poszło, no, czarna ospa i dżuma ani żadna sepsa to nie jest, ale wyplenić trzeba, kary z tego i koszty, dlatego pytam. Nie ode mnie wychodziło, co straciłam, to moje, ale nie dam się wrobić w rozpowszechnianie zarazy. W razie czego pani zaświadczy? Dziękuję bardzo!

Rozłączyła się. Nie zdążyłam zastanowić się nad znaczeniem uzyskanej wiedzy, bo zadzwoniła komórka.

– Ciociu, pewnie ciocię zainteresuje – powiedziała z uciechą Marta Małgosi – bo ja specjalnie wstąpiłam do ludzi, jak wracałam od koni, zaciekawiło mnie. Wielka draka!

Któryś już raz w życiu poczułam się jak punkt kontaktowy, zrujnowany grobowiec na starym cmentarzu, względnie inny tego rodzaju wiekowy i zaniedbany obiekt. Postanowiłam w wolnej chwili na wszelki wypadek obejrzeć się w lustrze.

– O rośliny? – odgadłam.

– Mniej więcej. Głównie drzewa i krzewy. Opera, kłócą się wszyscy, ekologia się wmieszała, tak mi się jakoś wydaje, że gdyby ten ogrodnik żył, już by siedział. Czy to naprawdę on rozprowadzał i sprzedawał ludziom zarażone sadzonki? Takie na spalenie?

– On – przyświadczyłam z westchnieniem. – Nie wiem, czy by siedział, raczej rozszarpaliby go na sztuki.

– To chyba ktoś zaczął? Całe szczęście, że parę osób wyłapało zarazę, ale większość ma kłopoty. Aż mi ich żal, chcieli mieć ogród, a mają śmietnik.

– Co młodsi dadzą sobie radę i wyjdą z tego – pocieszyłam ją.

– A starsi?

– Starszych szlag trafi i przeżyją śmierć wśród róż. Też przyjemnie...

Wyłączając komórkę, pomyślałam, że chyba zaliczam się do starszych i powinnam intensywniej zadbać o róże. A, prawda, nie muszę, ominął mnie bez z czerwonym paskiem! Zatem chyba przetrzymam...

Spróbowałam uporządkować nadmiar wiedzy, który się nagle na mnie zwalił. Wyskakiwało z niej nazwisko, Majda. Zaraz, co jest z tym Majdą, gdzie on się o mnie obijał?

Do Henia leciał z widłami, kto to mówił? Pan Ryszard? Kojarzy się z Wiwien Majchrzycką, niby dlaczego...? A, prawda! Sprzedała mu swoją nieruchomość. Skąd ja to wiem...? Od Bożeny Majchrzyckiej, urocza kobieta... Spowodował wybuch roślinnej afery, to od ogrodniczki... A cóż za aktywny facet! Ciekawe, w jakim jest wieku, bo zdrowie musi mieć niezłe i cholernie dużo siły...

☆ ☆ ☆

Pierwszą kłodę pod nogi rzucił Wólnickiemu wywiadowca, wysłany na ulicę Pąchocką.

– Znalazłem jedną sztukę – oznajmił, zdyszany nieco z pośpiechu.

– No? – spytał Wólnicki podejrzliwie i zatrzymał się przy biurku.

Wywiadowca odsapnął.

– Cholera z tymi ludźmi, jakby nie mogli żyć mniej więcej jak ludzie. Małpa im urodziła bliźnięta. Dopiero teraz normalnie do domu wrócili.

O, Wólnicki nie był pniem umysłowym, wyobraźnię posiadał, różne przenośnie rozumiał, ale bliźnięta urodzone komuś przez małpę, to było trochę za wiele. Adopcja małpich bliźniąt, poród wesołej panienki, czy jak...?

– Jaka małpa? – wyrwało mu się.

– Zwyczajna małpa, taka średnia, nie goryl. W ogrodzie zoologicznym. Podobno te małpy rzadko rodzą bliźnięta, więc siedzieli tam przy niej parę dni prawie bez przerwy i w domu tylko bywali. Właśnie wrócili. Małżeństwo zoologów, znaczy jedno zoolog, drugie weterynarz.

– I co?

– I zoolog, żona, widziała ten samochód.

Wólnicki cofnął się za biurko i usiadł na krześle, pełen złych przeczuć.

– Który samochód? Ty mów wszystko od razu, a nie takimi strzępami.

– Ten na Pąchockiej. Dobra, wszystko od razu – wywiadowca wygrzebał z kieszeni świstek papieru, obejrzał się i przysiadł na krześle dla podejrzanych. – Z początku w ogrodzie zoologicznym siedział sam mąż, weterynarz, a żona, zoolog, czekała na niego w domu, jeszcze nie bardzo zdenerwowana, tylko zniecierpliwiona i niespokojna. Z pieskiem wychodziła i wracała, piesek rozmiaru cielak, mało ruchliwy, bezustannie wyglądała przez okno, bo i o małpę jej chodziło, i o męża. I to było w niedzielę, późne popołudnie i wieczór. Nadjechał samochód, myślała, że to mąż, szary volkswagen, passat, więc już zapaliła gaz pod garnkiem... to ona tak określiła, zapaliła gaz, bo naprawdę kuchnię mają elektryczną. I znów poleciała do okna. Przy końcu ulicy mieszkają, widziała jak wykręcił, zawrócił znaczy, i zatrzymał się po przeciwnej stronie. Godzina była osiemnasta czterdzieści, ciągle patrzyła na zegar. Czekała, żeby mąż wysiadł i nic. Nikt nie wysiadał.

Wywiadowca złapał oddech. Złe przeczucia Wólnickiego wzrosły.

– Do tej pory tak stoi i nikt nie wysiada? – spytał złym głosem.

– Zaraz. Nie. Do osiemnastej pięćdziesiąt pięć. Pomyślała, że rozmawia przez komórkę, potem, że mu się coś stało, zdenerwowała się, już chciała tam lecieć i popatrzeć, ale zadzwonił telefon i okazało się, że to nie mąż, bo mąż dzwoni z ogrodu o tej małpie. Trudny poród, nieprawidłowy. Więc zebrała się w pośpiechu, żeby też tam pojechać, wszystko jej z rąk leciało, a pies właził pod nogi, zadzwoniła po taksówkę, bo samochód wziął mąż, przy oknie rozmawiała, tamten ktoś w passacie ciągle siedział. Taksówce podała adres przy wjeździe do osiedla, żeby się tu nie błąkała po tych ciasnych uliczkach, wybiegła z domu o dziewiętnastej osiem, na passata spojrzała, bo stał dokładnie naprzeciwko jej furtki, przy kierownicy siedział facet. Nie wpatrywała się w niego, widziała go prawie z profilu, ale w oczach jej został. Mocno starszawy, siwy, krótka szczecina na głowie, ciemniejsze, nastroszone brwi, bez zarostu, bez okularów, te brwi miał zmarszczone i wpatrywał się w głąb ulicy. Nos musiał chyba mieć dość duży, bo jakoś dawał się zauważyć, ale nic niezwykłego, ani garbu, ani zadarty, ani czerwony, nos jak nos. Międlił ustami.

– Co znaczy, międlił ustami? Jak międlił?

– A o, tak – rzekł wywiadowca. – Pokazała mi.

I pomiędlił ustami. Ruch był taki, jakby wargi ocierały się o siebie, mamrotały, wykrzywiały lekko i wszystko razem znamionowało złość. Wólnicki przyjrzał się demonstracji z zainteresowaniem.

– Zły był?

– Ona mówi, że chyba tak. Albo zniecierpliwiony. Jakby na kogoś czekał, zły, bo ten ktoś się spóźnia.

– I dlaczego dopiero teraz ona o tym mówi?

– Bo dotychczas prawie jej w domu nie było. Przez tę małpę. Zmieniali się z mężem i nasi ludzie trafili na męża. Był przesłuchiwany, ale o samochodzie i facecie pojęcia nie miał. Żonie o tym nic nie powiedział, chociaż obiecywał, że powie, zapomniał przez tę małpę. Numeru samochodu nie zauważyła, ale na lusterku wstecznym wisiała maskotka, właśnie małpa. Głowę miała pełną małpy, więc zapamiętała. To tyle.

Wywiadowca odsapnął, rozejrzał się i wypił trochę wody mineralnej z butelki na biurku Wólnickiego. Wólnicki nawet tego nie zauważył, wszystkie siły poświęcił stłumieniu w sobie przekonania, że teraz powinien rozwinąć przerażającą akcję, zmierzającą do odnalezienia szarego passata z małpą na wstecznym lusterku. I to akcję tajną, przeprowadzoną po cichutku, w największym sekrecie, bo nic łatwiejszego, jak zdjąć maskotkę z lusterka i wyrzucić do śmieci. I już znak szczególny diabli biorą. Ale przecież znalazł sprawcę, ma go...

Przepisał sobie godziny z karteluszka wywiadowcy i natychmiast pod nogami pojawiła mu się kłoda numer dwa. Ściśle biorąc, pojawiła się w drzwiach w postaci niezmiernie przejętego fotografa.

Fotograf wypił resztkę wody mineralnej i klapnął na krzesło, nie czekając na zaproszenie.

– Tam coś nie gra, z tą nieboszczką, z tą ofiarą kaloryfera – oznajmił. – Gadałem z bratem, podsłuchał przypadkiem tych Pasterna... nie, Pasieczniaków. Jakieś przekręty razem robili, ogrodniczy denat brał w tym udział i w ogóle afera. Szmal wchodzi w rachubę i teraz nie muszą oddawać długu.

– Powiedz to porządnie – zażądał Wólnicki przez zaciśnięte zęby.

– On podsłuchał nieporządnie i kawałkami. Jakiś Madej się tam przyplątał. Nie, zaraz, nie Madej, tylko Majda. Rozumiesz, nie mogłem dociskać, bo to była poufna i przyjacielska rozmowa, takie niezobowiązujące gadanie, ale wyszło mi, że wszyscy się znali i biznesy ze sobą robili. Boją się Krzewca, który za dużo wie, a jeszcze nie wiedzieli, że on nie żyje.

– Teraz już pewno wiedzą.

– I mnie wychodzi, że się z tego bardzo cieszą. Tak zrozumiałem.

Wólnicki milczał przez chwilę, wciąż z zaciśniętymi zębami. Nie potrafił tak na poczekaniu wyrzec się Henia i jego całe jestestwo stawiało opór przeciwko tym wszystkim dodatkowym informacjom. Najgłupszy adwokat faceta wybroni, wątpliwości przemawiają na korzyść oskarżonego, luki w śledztwie, za dużo niewyjaśnionych okoliczności...

– Żaden prokurator nie podpisze mi sankcji – mruknął wreszcie ponuro. – Nawet ten nasz patafian.

– Przesłuchać Pasieczniaków – podsunął zachęcająco fotograf. – Póki są wystraszeni. Sobiesław mówi, że są.

– W pierwszej kolejności przesłucham tego całego Sobiesława.

– Też można. Tylko nie mów, że coś wiesz ode mnie. Dyplomatycznie, ja cię proszę!

Jeszcze siedzieli i rozważali sprawę, kiedy odezwał się telefon. Kolejny wywiadowca złożył relację, otóż ten cały denat okazuje się ściśle wmieszany w okropne świństwo, które właśnie wychodzi na jaw i już rusza gospodarczy. Ogrodnictwo i sadownictwo zagrożone na skalę, która się kwalifikuje do oskarżenia publicznego, to już nie żadne prywatne śmichy-chichy, ilość przeszła w jakość. Głównym sprawcą jest podobno niejaki Szmergiel, który stanowczo się wypiera, twierdząc, że on te odpady niszczył i palił, a handlował nimi Krzewiec, ogrodnik. Jednostka społecznie szkodliwa, co się wykrywa dopiero teraz. Wywiadowca na marginesie pragnie zwrócić uwagę, że Szmergla poznał osobiście i jest to brutalny i bezwzględny awanturnik.

W kontekście ostatniej uwagi cichutko popiskiwała supozycja, jakoby awanturnik był w pełni zdolny do usunięcia ze swej życiowej drogi kompromitującego współpracownika i Wólnickiemu prawie zrobiło się niedobrze.

Jego prywatne schody stały się wręcz karkołomne.

☆ ☆ ☆

Na ozdobnym szaliczku Henia laboratorium z łatwością wykryło ślady krwi, kawy, imbiru, ziemi ogrodniczej, pyłu ceramicznego, kilku innych drobnostek, normalnych w każdej męskiej kieszeni, oraz olejku kamforowego. Krew pochodziła od pana Mirka, ziemia i pył z donicy rozbitej na jego głowie, co do imbiru zaś, Wandzia z Heniem jedli w knajpie flaczki i Henio sobie doprawiał. Pochodzenie olejku kamforowego natomiast stanowiło chwilowo nieodgadnioną tajemnicę.

W imbirze miałam swój udział, wszystkie wieści bowiem zaczynały dochodzić do nas wręcz na bieżąco dzięki przyjaźni Sobiesława z policyjnym fotografem. Informowali się wzajemnie z obustronną korzyścią i byłam pierwszą osobą, której imbir skojarzył się z flaczkami. Każda kobieta ma pojęcie o przyprawach i nie było w tym nic niezwykłego, Sobiesław od razu zadzwonił do fotografa, fotograf do komisarza...

W kwestii olejku kamforowego przyszło mi do głowy tylko jedno, mianowicie reumatyzm. Później dopiero przypomniałam sobie różne zabiegi z dzieciństwa, gardło, migdałki, rozmaite kompresy, ale reumatyzm wyszedł na prowadzenie i od niego się akcja zaczęła.

– Jeśli Henio rzeczywiście ten szaliczek zgubił – rzekłam w zadumie – w co chętnie wierzę, trzeba szukać kogoś z reumatyzmem. Gdzie był, pamięta przecież, w każdym z tych miejsc przeprowadzić dochodzenie, znaleźć reumatyka!

– Ten Szmergiel w jakim jest wieku? – spytała surowo Małgosia.

– Podobno bliski sześćdziesiątki – odparł Sobiesław. – Mają jego datę urodzenia, ale nie zwróciłem uwagi.

– A należało...

Siedzieliśmy w komplecie w miejscu startu całej imprezy, to znaczy u mnie, i podsycaliśmy ogień konferencji. Pan Ryszard dokładał swoje, zadał sobie bowiem trud zwizytowania wszystkich postojów Henia w drugiej połowie mijającego tygodnia, Sobiesław i Julita spęcznieli Pasieczniakami, Małgosia z Witkiem przywieźli wieści od Marty, która siodłała właśnie ogiera w Łącku i nie mogła uczestniczyć osobiście, a Tadzio wpadł po drodze do pracy ze zwykłej ciekawości. Materiału do rozważań mieliśmy mnóstwo, pożywienia nieco mniej, bo nie opadło mnie żadne natchnienie kuchenne i posłużyłam się kupnym. Ale i tak były paszteciki z oliwką, liczne serki i bób.

– Podpowiedz temu swojemu fotograficznemu wielbicielowi reumatyzm – poprosiła Julita i Sobiesław posłusznie wyciągnął z kieszeni komórkę.

Pan Ryszard w zadumie patrzył w okno, jakby oceniał komin mojego sąsiada.

– Zgubił – powiedział stanowczo. – Przypomniałem sobie. Hydraulikę przywiózł, wyciągali z furgonetki, Henio też, i o mało nie upuścili sedesu, bo Henio tylko jedną ręką trzymał, a drugą wpychał coś do kieszeni. Kolorowe to było. Wiedziałem, że mi przy nim coś kolorowego mignęło i tak sobie przypominałem, co i gdzie. Czas i miejsce się zgadza, miał tę szmatę w kieszeni i musiał zgubić. Mogę zaświadczać.

– Skoro tak o to dbał, wepchnąłby i na miejscu zbrodni – zauważył Tadzio. – To już odruchy działają, wiem z doświadczenia.

– Co się z tym robi na reumatyzm? – spytał wszystkich Sobiesław, nie zasłaniając komórki.

– Smaruje się!

– Wciera się energicznie w bolące miejsce!

– Suchy kompres pokropiony się przykłada!

– Smaruje się mocno i na ciepło!

Wszystkie okrzyki padły równocześnie i wszyscy wrzeszczeli z nadzieją, że rozmówca Sobiesława usłyszy bezpośrednio. Małgosia miała matkę-lekarza, Julita ciotkę-lekarza, Tadzio siostrę-pielęgniarkę, a ja ogólne pojęcie o leczniczych produktach roślinnych.

– Smaruje się... – zaczął Sobiesław. – A, usłyszałeś...?

– Doskonale działa! – dołożyłam gromko.

– Doskonale... A... To cześć.

– Ten, co znalazł, kropnął pana Mirka i na Henia rzucił podejrzenia szaliczkiem – zaopiniował Witek. – Mówi ktoś, gdzie on go jeszcze miał, a gdzie nie?

– Sanitarne przywiózł w piątek wczesnym popołudniem. Znaczy, wtedy jeszcze miał.

– A potem?

– Nikt nic nie wie. A jak wie, to się nie przyznał.

– Powinien pan sporządzić listę obecności – rzekłam z wyrzutem. – Znaczy, mam na myśli, listę klientów Henia.

– Sporządziłem – pochwalił się pan Ryszard i wyjął z kieszeni notes, a z notesu kartkę. – Na kartce spisałem tych od piątku. Proszę bardzo.

Rzuciliśmy się na świstek papieru. Kołaczyk Syta, gwoździe Bartycka, Ruchlicki Taneczna, okucia Adamski, glazura Bartycka, Frymnik Bruzdowa, Dawidy Brygacz, Jesioński Bruzdowa, Grabalówki, Poprzeczna Wiśniewski, Badylarska Majda, stacja benzynowa aleja Krakowska, Gwasz...

– Nieźle się najeździł – zauważył Witek z odrobiną współczucia. – Jak on zdążył? W piątek są korki.

– O, nie wszystko w piątek – skorygował pan Ryszard. – Zaraz... Od Jesiońskiego brał w sobotę, Grabalówki blisko, zrzucił gruz, bo to był gruz akurat tam potrzebny, potem dopiero dalej. Po sadzonki.

– Majda – skrzywiłam się. – Znów mi się ten Majda plącze...

– A Szrapnel? – zainteresował się nagle Sobiesław. – Do Szrapnela nie jeździł?

– Nie znam Szrapnela...

– Kto to właściwie jest ten cały Szrapnel? – spytała z naciskiem Małgosia. – Ja tu sobie systematyzuję wszystkich i chcę wiedzieć.

– Jak to, nie wiesz? Marta ci nie mówiła?

– Marta pojechała do Łącka! O Szrapnelu nie mówiła, tylko o zarazie.

– Ale do mnie zdążyła zadzwonić i coś wspomniała, że to podobno on siedział w roślinnej zarazie... Ktoś w każdym razie mówił...

– I Szrapnel podwędził zapalniczkę? – zdziwił się Tadzio.

– Ja mówiłem – przypomniał Sobiesław. – Szrapnel stanowi całą aferę, i nie dla wydziału zabójstw, tylko dla wydziału przestępstw gospodarczych, już zaczęli w tym grzebać. Okazuje się, że to nie były kameralne wybryki mojego brata...

– Zaraz – przerwałam. – Najpierw odpracujmy osobistych znajomych. Ci Pasieczniakowie w końcu co? Bo ledwie pan ich napoczął! Julita, jak było?

Julita zmieszała się, skrzywiła i westchnęła ciężko.

– Okropnie. Próbowali nic nie mówić i tylko pytać. O mało mi się nie wyrwało, że to myśmy pana Mirka znaleźli, więc przymknęłam się i poszłam do toalety. Nie lecieli za mną. Zwiedziłam mieszkanie, ale pobieżnie. Sobiesław został.

Sobiesław też westchnął.

– Brygidę Majchrzycką znają doskonale, chociaż w pierwszej chwili usiłowali się jej wyprzeć, co było zupełnie idiotyczne. Kręcili, ale źle im to wychodziło. Przypuszczenie, że mogli przewozić cokolwiek, śmiertelnie ich wystraszyło, z tym że nie o zapalniczkę chodziło, tylko o bursztyn.

– Co...?

– Bursztyn. Tak dedukuję. To rzeczywiście złotnik, ten cały Pasieczniak, a powodzenie mógł mieć, bo robił w bursztynie. Przemycili go sobie chyba nielegalnie i teraz przyjechali po nowy towar, Wiwien go miała dostarczyć, a pośredniczył, niestety, mój brat.

– Skąd pan wie? – zdziwiłam się. – U pańskiego brata śladu bursztynu nie było.

– Owszem, był – wtrąciła cichutko Julita.

Wszyscy spojrzeli na nią, zaskoczeni i zaintrygowani. Pan Ryszard z podejrzliwym wyrazem twarzy. Julita zwróciła się do niego.

– W tym pokoju na górze, nie pamięta pan...? Nie zwrócił pan uwagi. Z klosza od lampy wysypało mi się na nogi i dopiero teraz uświadamiam sobie, co to było. Bursztyn, oczywiście. Wiem przecież, jak wygląda surowy bursztyn, u Joanny widziałam i w naturze... Niedużo, z pół kilo razem i taki drobny, ale był...

– Rzeczywiście, nie zwróciłem uwagi – przyznał pan Ryszard. – Pół kilo drobnego to chyba nie taki wielki majątek...?

– Pierwsze słyszę – skrzywił się Sobiesław. – Jakieś resztki mu zostały czy co? Nigdy tego w domu nie widziałem.

– To skąd pan wie, że miał? I że przehandlował Pasieczniakom?

– Od siostry. Rozmawiałem z nią. Skojarzyły mi się te wszystkie rozmowy, wcześniej z nią i teraz z nimi, przypomniałem sobie, chociaż przedtem przelatywało mi koło uszu i nie pamiętałem. Chyba Mirek wykorzystał jakąś okazję, kupił ten bursztyn bardzo tanio od rybaków nad morzem, od zbieraczy, surowy. Moim zdaniem to był pomysł Pasieczniaka, mieli już na oku ten wyjazd i gość bardzo rozumnie zgadł, na czym tam może zarobić. Przez Wiwien poszło do Mirka, a on... no... co tu gadać, trafił...

To mogłam zrozumieć doskonale. Rasowi bursztyniarze niechętnie wyzbywają się swojego ukochanego towaru, ale w końcu z czegoś żyć muszą, a pan Mirek siłę przebicia posiadał ogromną. Mógł trafić na urodzajny rok i skorzystać z obfitości łupów, ktoś mu sprzedał, może był na bani...

– Oni to wszystko powiedzieli? – spytał Witek z powątpiewaniem.

– Im się wyrywało – odparła Julita. – Czegoś nie wiedzą i koniecznie się chcieli dowiedzieć...

– Z pytań można dużo wywnioskować – dołożył Sobiesław.

– Z jakich, na przykład, pytań tak wam ładnie wyszło?

Julita i Sobiesław zaczęli odpowiadać jedno przez drugie.

– Koniecznie chcieli wiedzieć, czy policja robiła dokładną rewizję w naszym domu i czy nie znaleźli czegoś niezwykłego...

– Bo coś niezwykłego mogłoby naprowadzić na ślad mordercy...

– Czy przesłuchiwali wszystkich wspólnych znajomych...

– Jakich wspólnych znajomych? – wtrąciła się podejrzliwie Małgosia.

– No właśnie, ja też o to spytałam – wyznała ze skruchą Julita. – Zdziwiłam się i tak mi się nietaktownie wyrwało. A tej Pasieczniakowej wyrwało się chyba z rozpędu, że chociażby pan Majda albo pan Węzeł...

– On był spokojniejszy, ona bardziej zdenerwowana, ale tu ugryzła się w język...

– Zaraz – przerwał pan Ryszard, zaskoczony. – Węzeł? Henio Węzeł? A cóż on tu ma do rzeczy?

– A co? – zainteresowałam się. – Henio nazywa się Węzeł?

– Ten Henio od Wandzi? – upewniła się Małgosia. – Ten co przyjechał na Dawidy?

– I teraz siedzi?

– To kierowca – powiedziała Julita. – Też jej się to wyrwało.

– No to jasne, że Henio! – zdenerwował się pan Ryszard. – Wspólny znajomy? Czyj?

– Chyba Wiwien i pana Mirka...

– Czy ta baba zwariowała...?!

Popatrzyliśmy wszyscy na siebie wzajemnie.

– Coś mi się widzi, że wymieniła razem najgorszych wrogów pana Mirka – zauważył słuchający z zaciekawieniem Tadzio i wygarnął sobie trochę bobu do miseczki.

– W ogóle samych wrogów – poprawiłam. – Wzajemnych. Wszyscy przeciwko wszystkim. Majda leciał do Henia z widłami.

– A skąd wam się wziął bursztyn? – uparł się Witek.

– Z przypadku – odparła żywo Julita. – Ona miała na sobie wisior prawie taki piękny, jak te, które robi ta twoja Beata. Aż zwróciłam uwagę i wtedy ona powiedziała, że to właśnie robota jej męża.

Beata... Rany boskie...!

– A w Kalifornii bursztyn, wbrew pozorom, jest mało znany – podjął Sobiesław, co odruchowo potwierdziłam, kiwając głową. – Wiem, byłem tam. Samo się nasuwało, że te jego niezwykłości musiały być bursztynowe. To skąd go wziął, z Pacyfiku wyłowił? Przemycili, nie wiem jakim sposobem, ale parę kilo powinni mieć. Stąd przestrach na tle przewożenia, myśmy mieli na myśli zapalniczkę dla Majchrzyckiej, a oni przemyt bursztynu.

– Jeśli brali surowy, na trzy lata potrzebne im było najmarniej dziesięć kilo, a może i dwanaście... – stwierdziłam z lekkim roztargnieniem, bo rzuciła się na mnie Beata i na chwilę wyłączyła mnie z tematu.

Plastyczka, złotniczka, obdarzona nieziemskim talentem, Jezus Mario, miałam do niej zadzwonić natychmiast po przyjeździe, czekała z prawie gotową biżuterią na drobne uzupełnienie, które leżało w mojej garderobie. Zapomniałam, jak świnia, wyleciała mi z głowy! Pracowała wyłącznie w natchnieniu, jeśli jej przeszło, miesiącami potrafiła nie tknąć roboty, a materiał dla niej był u mnie, może ją wybiłam ze szwungu, sklerotyczka obrzydliwa...!

Pełna wstrętu do siebie, podjęłam obowiązki aktualne.

– ...to wielki wór, no, dwa mniejsze, po jednym na łba, ale i tak, jeśli im się udało, to tylko psim swędem. Od nas, bo w innych krajach bursztyn mają w nosie. Nie narkotyk, nie wybucha, nie żyje...

– A co do Mirka – ciągnął Sobiesław ponuro – przypomniało mi się więcej. Za którymś poprzednim pobytem robiłem mu zdjęcia bryłek bursztynowych. Ja, przyznaję, zdjęcia zrobię wszystkiemu, bez względu na to, co to jest i do czego komuś potrzebne, nie słuchałem gadania, ale jednak wpadło mi w ucho i okazuje się, że zostało. Teraz dopiero się odzywa. Coś mówił o wspaniałym interesie, zdobył bursztyn prawie darmo, od jakiegoś moczymordy nad morzem, próbował mnie wypytywać, gdzie i jak ten bursztyn idzie, wiedział przecież, że jeżdżę po świecie. I tyle. Nawet nie wiem, co mu wtedy odpowiedziałem, pewnie nic, ale skojarzenia pchają się same.

– Aż mi się w głowie nie mieści – oznajmiła gniewnie Małgosia. – Bo te pytania o rewizję też się kojarzą, czy to znaczy, że oni mieli więcej tego bursztynu? Nie zabrali wszystkiego i resztę ukryli? Gdzie? U wrogów?

– U wspólnych znajomych – wytknął jadowicie Witek.

– A z podsłuchanego gadania wynika, że komuś za coś nie zapłacili – przypomniałam. – Komu i za co?

– Z wielkiej i nieudolnie ukrywanej radości, że mój brat nie żyje, wnioskuję, że jemu – rzekł sucho Sobiesław. – Chociaż może się mylę. Ale na pewno nie będę się upominał.

– A pańska siostra?

– Gabriela? Chyba się czegoś domyśla. Zapewne błędnie, w każdym razie nie wypowie ani jednego słowa, które by kalało pamięć brata. To ja jestem od szargania świętości. Ale bursztyn u Mirka widziała, dużą ilość, jej zdaniem, z grzeczności pośredniczył w cudzym interesie.

Wszystko razem wydało nam się nieopisanie pogmatwane i skomplikowane. Nic do niczego nie pasowało, afera na aferze jechała, w niczym nie pomagając, w dodatku skromną aferkę przemytniczą państwa Pasieczniaków wręcz pochwalałam. Bądź co bądź zrobili niezłą reklamę bursztynowi, niech im będzie na zdrowie i niepotrzebnie się boją. W najmniejszym stopniu nie wyjaśniało to kwestii zniknięcia mojej zapalniczki.

Sedno rzeczy ubrał w słowa Tadzio.

– No dobrze, tu bursztyn, tu długi, tu wrogowie, tu niesłusznie zakiblowany ten jakiś Henio, ale gdzie zapalniczka?

– Zaraz, teraz wykończmy Szrapnela! – zażądałam gniewnie. – Co o nim dokładnie wiadomo?

Odpowiedzieli mi równocześnie Sobiesław, Małgosia i Witek. Wiedza Małgosi i Witka pochodziła od Marty, Sobiesława od policji.

Szrapnel znalazł żyłę złota. Okazał się głównym źródłem zaopatrzenia pana Mirka w buble roślinne i chyba twórcą procederu, w który pan Mirek wszedł z wielkim zapałem, zyskując sobie tylu wrogów, ilu tylko się dało. Co przy tym myślał, Bóg raczy wiedzieć. Ich wzajemne stosunki nie były nam dokładnie znane i już zdążyła we mnie błysnąć myśl, żeby mojej zapalniczki szukać u Szrapnela, ale od razu zgasła, bo Sobiesław miał chwilę natchnienia.

Podsunął mianowicie fotografowi możliwość obdarowania Szrapnela przez pana Mirka jakimś prezentem. Gliny wiedziały, iż z domu denata wyszła zapalniczka stołowa, dręczyła ich chyba nie bardziej niż mnie i z wielką zaciekłością przeszukały Szrapnelowe domostwo. Rezultatów przeszukania fotograf jeszcze nie znał, jednakże zgodziłam się na nie poczekać, nie wkraczając osobiście.

– Na wszelki wypadek ja bym to gdzieś schowała – poradziła Małgosia, wskazując palcem tę drugą zapalniczkę na stole. – Po cholerę w ogóle ona tu stoi, przecież i tak się nie zapala.

– Schowaj ją tak, żeby łatwo znaleźć – zaproponował Witek. – Przepadnie na lata. Nic nie ginie równie dobrze, jak to, co się chowa, żeby łatwo znaleźć.

Obiecałam, że tak zrobię. Szrapnel poniekąd znalazł swoje miejsce, z kolei uczepiłam się Majdy.

– Czka mi tu tym Majdą coraz gęściej. Też bym chciała wiedzieć, kto to w ogóle jest, bo od jednej facetki słyszałam, że on zaczął awanturę. Od bzu, więc bardzo go popieram. Panie Ryszardzie...?

– Henio byłby do tego potrzebny – zakłopotał się pan Ryszard. – Ja go w życiu na oczy nie widziałem, tyle wiem, że Henio do niego jeździł, sadzonki mu przywoził, coś zabierał, pojęcia nie mam. Henio się skarżył i, bardzo przepraszam, na pana Mirka pomstował, bo za wszystko spaskudzone Majda jego się czepiał. Ostatnio... zaraz. Coś mi wpadło w ucho. Ale to nie do Henia było, Henio tylko słyszał...

Czekaliśmy cierpliwie, a pan Ryszard wytężał pamięć. Dla wszystkich było jasne, że lepiej zapewne pamięta sprawę izolacji w ogrodzeniu niż roślinne żale jakiegoś Majdy.

– Coś mu wyrosło – rzekł wreszcie. – Nie wiem, co to było czy jest. Jakoś tak... Ja i od pani o tym słyszałem, blisko było jedno od drugiego i tylko dzięki temu tak mi się majaczy. Henio coś mówił... Majda w coś nie wierzył... No nie, nie przypomnę sobie, ale że jak się przekona, to go zabije. Tyle mi utkwiło, takie słowa, jak się przekona, to go zabije. I więcej z siebie nie wyduszę, choćbym pękł, a z zapalniczką to nie ma nic wspólnego.

Informacja natychmiast skojarzyła mi się ze śmierdzącym powojowatym zielskiem. Czyżby Majda rozsiał to sobie, nie wierząc w woń? Pan Mirek mu tego dostarczył? Niemożliwe, pan Mirek nie działał filantropiinie, za tę odrobinę nasionek nie mógł zażądać wielkich sum, na plaster mu było zasmrodzić posiadłość Majdy bez korzyści własnych?

Okropność.

Nagle przyszło mi coś do głowy. Boże drogi, może stąd pochodzi generalna klęska okradzionych? Jeśli odzyskanie utraconego drogą kradzieży mienia napotyka tak potworne trudności, rzeczywiście, jakim cudem jakakolwiek instytucja mogłaby ludziom cokolwiek zwracać? Czego ja się czepiam, jakiej znowu sprawiedliwości mi się zachciało...?!

Ale instytucja działałaby jawnie. Miałaby prawo do przeszukań. U złodzieja, u jego rodziny, u przyjaciół... A my co?

– Tam jest dużo zakamarków? – zwróciłam się do Julity. – Szuflad, szafek...?

Julita z miejsca odgadła sens pytania.

– Przeciętnie. Ale przecież nie mogłam im grzebać po szafkach i szufladach. I tak szłam do tej łazienki najwolniej jak mogłam i okrężną drogą, patrzyłam po kątach, ale nie. Nigdzie jej nie było.

– Moim zdaniem, tej zapalniczki tam nie ma – zawyrokował Sobiesław. – Nie mają z nią nic wspólnego, jeśli ta cała Wiwien gdzieś ją wetknęła, to bez ich wiedzy.

– Będą odnawiać? – zainteresowała się Małgosia.

– Będą z pewnością, bo jednak odór został.

Wszystkie trzy popatrzyłyśmy na pana Ryszarda takim wzrokiem, że ugiął się od razu.

– No dobrze, ja mogę, moimi ludźmi, ale to tak ni przypiął ni wypiął? Z drabiną ich tam wyślę bez żadnej umowy? Nie znam ludzi! Jak pani to sobie...

– Umawiał się pan wcześniej z Wiwien Majchrzycką!

– W życiu jej na oczy nie widziałem! W ogóle baby nie znam!

– Nie szkodzi. Oni o tym nie wiedzą. Umawiał się pan z nią dwa tygodnie temu, że teraz właśnie pan przyjdzie i umówi się konkretnie, no więc pójdzie pan i może złapią haczyk...

– Taki porządny odnowiciel, który przychodzi punktualnie sam z siebie, to czyste złoto – poparła mnie Małgosia zachęcająco.

Pan Ryszard złamał się ostatecznie. Faktem było, że przy odnawianiu i zabezpieczaniu mebli mogli zajrzeć wszędzie, a w końcu zapalniczka to nie diament rąbnięty ze skarbca koronnego i nikt po tajnych sejfach nie będzie jej ukrywał. Nie kradziona przecież, to znaczy owszem, kradziona, ale kradzieżą pan Mirek z pewnością się nie chwalił, a jeśli inicjatywa ogólnie wyszła od Brygidy Majchrzyckiej, Pasieczniakowie o niczym nie mieli pojęcia. Rzeczywiście Wiwien mogła bez ich wiedzy...

Sobiesław miał już chyba dosyć związków swojego brata z Wiwien Majchrzycką.

– Ten Majda nie ma alibi – oznajmił nagle.
Sześć par oczu wpatrzyło się w niego z ogromnym znakiem zapytania, a podnosząca się z kanapy Małgosia zastygła w połowie ruchu.
– Nawet herbaty sobie zrobić nie mogę, bo ciągle się coś wykrywa!
– Daj tę szklankę, ja ci zrobię – zaofiarował się znad bufetu Witek.
– No! – pogoniłam niecierpliwie. – Majda nie ma alibi. Skąd pan wie?
– Od Kazia. Od tego fotografa. Sprawdzali alibi i cztery osoby nie mają, dwie baby i dwóch facetów, baby mi się pomyliły, ale co do facetów, to Henio i Majda.
– Henia złapali, więc Majdzie odpuszczą – rzekł z goryczą pan Ryszard.
– Otóż nie wiem. Chyba nie. Ale jeśli my tu sobie wyobrażamy, że Mirek mógł ją komuś dać dla świętego spokoju, to dlaczego nie Majdzie? Mówi pani, że Majda zaczął rozróbę, może chciał go ułagodzić?
Pomysł mi się spodobał. Przywiązałam się już wprawdzie do wersji Brygida-Wiwien-Pasieczniakowie, ale Majda też wydał się niezły. Z punktu wyobraziłam sobie, jak pan Mirek mizdrzy się do rozwścieczonego Majdy, jak go nakłania, żeby zamknął gębę, wizje roztacza, na osłodę prezent przynosi... Nie znałam Majdy, jego alibi nic mnie nie obchodziło, ale znałam pana Mirka i scenę widziałam jak na ekranie.
– Gdzie on mieszka, ten Majda?
Małgosia chwyciła kartkę pana Ryszarda.
– Badylarska! Gdzie to jest?

– Mniej więcej Włochy – wyjaśnił Witek, wracający z herbatą dla niej. – Albo Ursus, zależy, który numer. Niech to ktoś weźmie ode mnie.

– Pojechałabym tam... – mruknęłam, wzięłam od niego szklankę i postawiłam przed Julitą. Małgosia bez słowa przysunęła ją do siebie.

– Żeby przeszukać jego dom?

– Nie, żeby się z nim zaprzyjaźnić. Jeżeli dostał bez z czerwonym paskiem, z łatwością znajdę z nim wspólny język. Zapalniczki, jeśli ją ma, nawet nie będę kradła, zwyczajnie wymienię na tę pana Mirka. Jeśli pan pozwoli?

Sobiesław nie chciał być niegrzeczny, powstrzymał wzruszenie obydwoma ramionami i wzruszył tylko jednym.

– Jak dla mnie, może ją pani wrzucić do Wisły...

– Co też pan, to pamiątka! – oburzył się Tadzio. – Dwa trupy i do Wisły...?

– To kto jedzie? I kiedy?

Cztery osoby natychmiast zgłosiły swoje kandydatury. Upierałam się przy sobie ze względu na wspólny język, Małgosia i Julita sprzeczały się o palmę pierwszeństwa z racji winy, Sobiesław czuł się odpowiedzialny za brata. Pan Ryszard siedział cicho, pełen nadziei, że ominie go odnawianie u Pasieczniaków, które pasowało mu akurat jak pięść do nosa, a Witek z góry godził się z decyzją większości. Tadzio z najgłębszym żalem musiał jechał do pracy.

– Ale poczekajcie jeszcze chwilę, bo może ona się znajdzie u tego Szmermela, czy jak mu tam – rzekł na odchodnym. – A, Szrapnel... Pan mówi, że pan się dowie. Nie wiadomo, kto tu z brzega i kto z tym Szrapnelem znajdzie wspólny język...

Wypowiedź przyjęliśmy jako niezwykle rozsądną.

Do Beaty zadzwoniłam natychmiast po ich wyjściu. W domu nikt nie odbierał, komórkę miała wyłączoną. Cholera.

Spać poszłam jako odrażająca świnia.

☆ ☆ ☆

Afera gospodarcza uwolniła Wólnickiego od przeklętego Szrapnela, którego oddał kolegom z prawdziwą przyjemnością. Jako sprawca zabójstwa odpadał, w niedzielę bowiem znajdował się w Radomiu, co poświadczyła nawet policja drogowa. Jednakże jego powiązania z denatem istniały, nie bez powodu Szrapnel dzwonił do nieboszczyka jak szaleniec, mógł dużo wiedzieć, w przeciwieństwie do Majchrzyckiej był żywy i zeznania składał, Wólnicki nie wypuścił go zatem z ręki całkowicie. Dwa wydziały wymieniły się informacjami, ponadto w przeszukaniu posiadłości aferzysty uczestniczył człowiek komisarza. Człowiekiem był fotograf, który zgłosił się na ochotnika i uparł przy rozrywce, co Wólnickiego mocno zdziwiło, ale jeszcze mocniej ucieszyło, bo na brak rąk, nóg i głów do pracy cierpiał przez cały czas swojej walki o sukces.

Henia Węzła miał, ale nie udało mu się usiąść na laurach i czuł się coraz bardziej zdenerwowany.

Teraz szukał reumatyka. Do idiotycznych poszukiwań zmusił go olejek kamforowy. Przesłuchany w tej kwestii Szrapnel przysiągł na wszystkie świętości, że reumatyzmu w życiu nie miał, nie ma i mieć nie będzie, tak mu dopomóż Bóg! Rodzina, całe otoczenie i lekarz domowy potwierdzili, wątroba owszem, ciśnienie też, ale reumatyzm w żadnym wypadku.

Olejku kamforowego od wieków na oczy nie widzieli. I nie wąchali!

W miejscu zamieszkania Szrapnela rzeczywiście po olejku kamforowym nawet śladu nie było. Fotograf potwierdził zeznania, w trakcie przeszukania węszył na prawo i na lewo, ale nic nie poczuł.

Ponadto szukano małpy. Z dobrego serca cała drogówka zgodziła się spoglądać na maskotki w przejeżdżających i zatrzymywanych samochodach, bo co im szkodziło. Jeden rzut oka, nie majątek.

Ponadto Wólnickiemu nosem wyszły wysiłki przy ustalaniu do końca alibi osób, zamieszanych w sprawę. Cykało mu to alibi jak zepsuty zegarek, wymagało potwornych wysiłków, zabierało czas, a w dodatku sam już nie był pewien, czy rzeczywiście warte jest takiej ceny. Gdyby nie to, że w grę wchodziły kobiety, a to naprawdę wyglądało na damską zbrodnię...

Jednakże obie podejrzane baby, okazało się, były widziane.

Tej u wróżki w Aninie przyjrzała się zakochana para, skryta w żywopłocie. Para nie bardzo pchała się do zeznań, młodociany wiek skłaniał ją do tajenia uczuć, co nie przeszkodziło w najmniejszym stopniu oglądaniu facetki, dzwoniącej do furtki i oblatującej dom wróżki dookoła. Żeńska połowa zakochanej pary uczyniła nawet wzgardliwą uwagę, głupia ona musi być, ta jakaś, skoro pcha się do wróżb w tak nieodpowiedni dzień, i lekka sprzeczka na temat niedzieli pozwoliła obydwojgu zapamiętać scenę. Rzecz wyszła na jaw z opóźnieniem i wyłącznie dzięki szkolnym debatom w kwestii czarnej i białej magii, które to debaty wyłowiła w końcu wywiadowczyni.

Dama wielce ruchliwa nie wiadomo dlaczego koniecznie chciała ukryć swój pobyt w miejscach nader kontrastowych, mianowicie najpierw w kościele, a potem w podrzędnej spelunie, gdzie startowało do niej dwóch osobników, bardzo, ale to bardzo nieskłonnych do zwierzeń. Dociśnięci porządniej, zgodnie wyznali, że była, zaloty odrzuciła i z całą pewnością żadnej donicy przy sobie nie miała. Bardziej zrozumiała już wydawała się chęć ominięcia wizyty na samym skraju ulicy Pąchockiej. Udała się tam do pana Mirka, z daleka ujrzała samochody policji i natychmiast uciekła.

Damy zatem odpadły. Pozostał Majda, który ględził o spacerach dla zdrowia. Niemożliwe, żeby w gęsto zaludnionym mieście, a choćby i na obrzeżach, nikt człowieka nie widział, chyba że ten człowiek specjalnie skradał się po zakamarkach, co w wykonaniu Majdy wydawało się wątpliwe.

Komisarz znalazł się już prawie na dnie przygnębienia, gotów był wręcz poprzestać na Heniu i zaryzykować potworną kompromitację, gotów był zamknąć także tego śpiącego kretyna, który w końcu nie wiadomo czy na pewno spał, kiedy Kasia Sążnicka w przededniu porodu błysnęła mu nagle niczym gwiazda na firmamencie.

– Znalazłam twój odcisk – oznajmiła przez telefon. – Chodź i sam zobacz. I pośpiesz się, bo takie mam wrażenie, że jutro już będę nieczynna.

Z niejasnym przekonaniem, iż sam o tym nie wiedząc, ma jakiś nagniotek na którymś palcu u nogi, Wólnicki popędził do Kasi.

– Ty wiesz, dlaczego ja to robię – wyznała na wstępie. – Mówiłam ci, mam słabość do demonicznych i ciekawi mnie osobiście, kto jednego takiego usunął ze świata. Ciągle wracam do tej twojej postrzępionej makulatury, zdaje się, że odwalam za ciebie trzy czwarte roboty, wyniki z laboratorium już prosto do mnie przysyłają, i proszę! Przyjrzyj się.

Wólnicki chciwie przyjrzał się pokrywającej stół dokumentacji. Kasia lubiła porządek, rozłożyła ją na dwie części. Jedna zawierała w sobie zdjęcia wszelkich śladów, znalezionych na miejscu przestępstwa, druga odciski palców wszystkich osób, połapanych przez technika. Mimo oporów, z jakimi przystępował do tej pracy, wykonał ją rzetelnie i systematycznie, z dwojga złego bowiem wolał już daktyloskopować całe społeczeństwo niż włazić Wólnickiemu na oczy i pod rekę. Zdjęcia były wyraźne, popodpisywane, podzielone na żony, mężów, narzeczonych, wielbicieli i rodziny.

Po stronie przestępczej wyróżniała się samotna podobizna jednego palca, opisana jako jedyny wyraźny ślad linii papilarnych, zdjęty z kawałka donicy fajansowej, rozbitej na głowie ofiary.

Po stronie podejrzanych Kasia równie pięknie ułożyła komplet dziesięciu palców, z których wyróżniła jeden, identyczny z tym z donicy. Powiększenie wykluczało wątpliwości.

– Czyje to...?! – wycharczał strasznie Wólnicki, zanim zdążył przeczytać opis: odciski palców Wiesławy Majdy, żony Antoniego Majdy, zdjęte ze szklanego blatu stolika.

Zatchnęło go i milczał przez chwilę.

– Myślisz, że to ta Wiesława kropnęła denata? – spytała ciekawie Kasia.

Wólnicki ochłonął.

– Nic nie myślę. To znaczy nie, coś muszę myśleć. Do głowy by mi nie przyszło... Rany boskie, a ten Węzeł tam był...

– Mnie się wydaje, że to jednak nie ona.

– Tylko kto? Macała tę skorupę, nie?

Kasia rozejrzała się i starannie odcisnęła swoje pięć palców na doniczce z paprotką, ozdabiającą półkę za jej plecami.

– Puknij się. I teraz ktoś to weźmie w rękawiczkach i rozwali globus naszemu staremu. I co? Będzie na mnie?

Wólnicki oprzytomniał już całkowicie.

– To zależy, w jakim momencie rozwali, bo może akurat będziesz wić dziecię...

– Co będę...?

– No, tak się chyba mówi, powiła dziecię? Albo mówiło kiedyś. Więc ty będziesz wić, a on będzie walił, odpadasz. Ale i tak polecę cię przesłuchać.

– Mam nadzieję, że nie w trakcie wicia – skrzywiła się Kasia. – Bierz ten chłam, bo już nic więcej się z tego nie wydoi. Majda, zwracam ci uwagę, jest cennym świadkiem w tej aferze zielarskiej, na moje oko to awanturnik i swego nie daruje. Nie znam człowieka, ale na twoim miejscu pogadałabym z nim...

Wólnicki sam się zdziwił, że dotychczas tego nie zrobił. I właściwie dlaczego? A, prawda, nie zdążył. Uczepił się Henia z szaliczkiem, cały szczęśliwy, czepiał się Wandzi Seltereckiej, Wiwien Majchrzyckiej, tego Gwiazdowskiego z samochodem... Skąd mu się to wzięło...?

Nagle uświadomił sobie, że to przez tę Gabrielę cholerną, siostrę denata. Pozwolił się jej zasugerować, czarnowłosa morderczyni, złapana prawie na gorącym uczynku, adoratorki brata, teraz szalik odrzuconego wielbiciela... Jakiego tam znowu odrzuconego, na własne oczy widział Wandzię we łzach, uwieszoną na szyi Henia, ejże, czy przypadkiem nie dał się skołować jak neptek debilowaty...?

Zdecydował się jechać do tego Majdy natychmiast. Szarego passata z małpą szuka całe miasto, znajdą, nie znajdą, Majdę trzeba załatwić!

☆ ☆ ☆

O wczesnym poranku Sobiesław doniósł, że u Szrapnela mojej zapalniczki nie znaleziono. Został nam Majda.

Koło południa pojechaliśmy, zgodnie z ustaleniami, w pięcioro, i w samochodzie Witka zrobiło się trochę ciasno. Poszliśmy na tę niewygodę, bo kto jak kto, ale Witek z pewnością umiał tam trafić.

Pierwsze, co ujrzałam, to ślady małego i nędznego pogorzeliska u stóp potężnej kępy bambusa i w jednym mgnieniu oka pojęłam, co też Majdzie, zapewne pod wpływem pana Mirka, wyrosło. Konsekwencją zrozumienia była cała reszta i trochę mnie przymurowało.

Obok pogorzeliska grzmiała awantura.

Cztery osoby okazywały sobie wzajemnie żywe niezadowolenie słownie i w pewnym stopniu czynnie, szarpiąc się za ręce i rękawy, wyrywając sobie wiaderka, węże ogrodowe, naczynia nasuwające myśl o benzynie, i odpychając się od kępy. Nie była to młodzież, dwie dość korpulentne panie w wieku zdecydowanie powyżej pięćdziesiątki, dwóch panów solidnie zbudowanych, po sześćdziesiątce, jeden prawie łysy, a drugi siwy, wszyscy jednakże pełni młodzieżowego wigoru. Słowa przeplatały się gęsto, utrudniając dokładne wyłapanie treści, i wyglądało na to, że kłótnia idzie o żywioł. Jedne osoby spragnione były ognia, a drugie przeciwnie.

Chyba sercem byłam po stronie tych pierwszych. Rozum szemrał politowaniem.

Podeszłam bez pośpiechu, wdzięcznie i delikatnie, reszta towarzystwa za plecami nie obchodziła mnie, bo już zdążyłam zaangażować się w scenę.

– Pan Majda? – zwróciłam się głosem trąby jerychońskiej w przestrzeń pomiędzy dwoma panami, co sprawiło, że spojrzeli na mnie obaj i nadal nie wiedziałam, który z nich jest Majdą. – Niech pan da spokój, to nic nie pomoże, szkoda ziemi. Choćby pan cały ogród spalił, to też na nic, drańastwo wyrośnie dookoła i jeszcze gorzej będzie.

– A mówiłam...! – krzyknęła we wzburzeniu jedna z dam.

– Co mówiłaś, co mówiłaś, trzeba było wcześniej mówić! – odkrzyknął jeden z osobników, ten siwy, w znacznie większym wzburzeniu i już wiedziałam, że Majda to on. – To co pani uważa, że co ja mam z tym zrobić?! – To było do mnie. – Trzy tygodnie...! Trzy tygodnie i trzy metry...!!!

Spróbowałam złagodzenia.

– Przesadza pan, najwyżej półtora. Górą pan w ogóle nic nie zyska, są tylko trzy sposoby.

– Jakie sposoby?! Niech mi ktoś raz powie, jakie sposoby są na tę zarazę?!!!

– Już mówię. Jeden, to koparka mechaniczna. Drugi, ekipa ruskich bezrobotnych, zatrudnionych na akord. Trzeci, obetonować dookoła cementem czterysta pięćdziesiąt, gęsto zbrojonym, na głębokość trzy i pół metra. No dobrze, cztery. Daje rezultat, jak Boga kocham, gwarantowane!

– Bo co ci do głowy wpadło...! – zaczęła gwałtownie druga dama, dzierżąca w dłoniach węża ogrodowego.

– Trawa!!! – ryknął strasznie pan Majda. – To miała być trawa pustynna!!! Koparka! Cały ogród mi zniszczy! Skąd ja wezmę tych ruskich...?!!!

– Spokojnie, jeśli istnieje jeszcze jakiś sposób, ja się dowiem, zadzwonię. Jeśli może to pana pocieszyć, znalazł się pan w licznym i doskonałym towarzystwie, cała Dania się na to narwała. Chyba jeszcze mają kłopoty, ale już coś robią.

– Beton!!! – ryczał dziko pan Majda, waląc w ziemię łopatę. – Jaki beton, do ciężkiej cholery...?!

– Na konstrukcje mostowe...

– Słyszysz przecież, ruskich, pani mówi...

– To ma korzenie do środka ziemi...!!!

– Ależ nie, tylko na półtora metra! Z tym że żadne chemikalia, żadne trucizny na to nie działają...

– I pan Krzewiec to panu posadził? – odezwała się za mną Małgosia, jakoś niemiłosiernie, kąśliwie i bez współczucia.

Pan Majda wydał z siebie kolejny ryk, jeszcze potężniejszy i zamierzył się na nią łopatą. Witek zapewne nie chciał zostać wdowcem, zdążył chwycić za stylisko. Dama z wężem siknęła z nagła strumieniem wody, niewątpliwie z zamiarem ukojenia uczuć pana Majdy, ale trafiła głównie Sobiesława i Julitę, na adresata poszło ledwo trochę. Pierwsza dama wspomogła Witka, usiłując wydrzeć panu Majdzie łopatę z rąk, kopnęła przy tym bańkę i woń benzyny przygłuszyła wonie przyrody.

– Ale poradziłam coś panu, nie?! – wrzasnęłam z wyrzutem. – Powiedziałam, co się z tym robi! I wiem, co mówię! Własną ręką się z tym użerałam! Też mam ogród!

Pan Majda nagle osłabł.

– I ma to pani u siebie...?

– Co pan...? Za kretynkę mnie pan uważa? W życiu...! Po moim trupie!

– Kurwa mać...

I na to wkroczył komisarz Wólnicki.

Możliwe, że już od paru chwil oglądał spektakl i zorientował się w scenariuszu, ale nie okazał tego po sobie.

– Pan Antoni Majda? – spytał grzecznie.

Pan Majda spojrzał na niego z żałosną nadzieją.

– Skąd się bierze koparkę mechaniczną? – spytał w zamian.

Pożałowałam, że nie przyjechał z nami pan Ryszard, który dostęp do koparek mechanicznych miał w małym palcu, i ręka mi sama skoczyła w kierunku komórki. Pohamowałam się, bambus rośnie wściekle szybko, ale nie do tego stopnia, żeby przed wieczorem załatwić całe miasto. Zdążę, a w ostateczności może straż pożarna albo pogotowie kanalizacyjne...

– Chciałbym z panem zamienić kilka słów. Pan pozwoli ze mną...

Zostaliśmy sami, o ile samotnością można nazwać zebranie towarzyskie w liczbie dziewięciu osób, bo jakoś nieznacznie dobił do nas sierżant. Przez chwilę wszyscy wydychali z siebie emocje, a Julita i Sobiesław usiłowali strząsnąć z odzieży wodę.

– O mój Boże, bardzo przepraszam – powiedziała skruszona pani ze szlauchem. – Ja na Antosia chciałam. On zawsze taki nerwowy...

– Zanim się człowiek obejrzy, już tak wybucha – dodała z troską druga dama i podniosła naczynie z resztkami benzyny. – Dawno doktór mówi, żeby nie dusił w sobie, bo wylewu może dostać, no to tak nie dusi i nie dusi. Co ja się z tym mam, to niech ręka boska broni, a już ten ogród, to jego oczko w głowie... Zaraz, a ten pan, to kto?

Zwróciła nagle uwagę na Sobiesława i obejrzała go bardzo podejrzliwie. Gdyby nie śmierć ogrodnika, o której wieść z pewnością do niej dotarła, prawdopodobnie wzięłaby go za pana Mirka i gruchnęła tą żelazną bańką. Prawie jej ręka drgnęła.

– Pani pozwoli, Sobiesław Krzewiec – przedstawił się Sobiesław pośpiesznie. – Rozumiem, że tu mój brat zawinił, niezmiernie mi przykro i najmocniej państwa za niego przepraszam. Ale osobiście nie mam z tym nic wspólnego.

– Podobny pan. Chociaż nie całkiem...

– Chciałem jednakże o coś zapytać...

– By pan chociaż o tę koparkę się postarał – przerwała karcąco dama ze szlauchem. – Albo o tych ruskich. Ale...! Dlaczego ruskich?

– Bo jak już robią, to robią – wyjaśniłam. – Trzy razy lepiej niż nasi, to niezwykle wytrzymały naród, może się dokopią do końca korzeni. A ten pan rzeczywiście nic nie zawinił, jest fotografikiem i w ogóle go nie było w Polsce, trzy czy cztery dni temu przyjechał.

– Chciałem państwa o coś zapytać... – zaczął znów Sobiesław.

– Narobił mężowi ten pański brat, że aż się coś robi! – zagłuszyła go dama z naczyniem, nie kryjąc rozgoryczenia i pretensji. – A tak mu zależało na stare lata! Tymczasem co chciał mieć, to mu zdechło, nic się nie hodowało, a taka zaraza, to proszę, a mówili, nie brać, to nie, nie wierzył i teraz woda nie ruszy, ogień nie ruszy, bomby atomowej na to potrzeba! Już wszystkim próbował, kamforą ktoś mu radził, ze dwa litry wylał, w nosie kręciło, a tu nic...!

Nagle uświadomiłam sobie, że woń spalenizny zawiera w sobie jakiś nietypowy dodatek i że być może myliłam się troszeczkę w kwestii poszukiwania reumatyka.

– Toteż właśnie – zaczął znów Sobiesław znękanym głosem. – Chciałem, jeśli można, o coś zapytać...

– I coraz więcej tego, aż strach bierze! Ani nafta, ani kamfora, ani spirytus...

– Oddaj to – ruszył się pan łysy, wyjął z ręki damy bańkę, bo już zaczynała nią machać, wychlapując resztki, i schylił się po drugie naczynie. – Do garażu trzeba zanieść, żeby Antosia na nowo nie skusiło. Tamten kanister też zabierzcie.

Małżonka pana Majdy opamiętała się bardzo szybko, oddała bańkę, otarła oczy, westchnęła.

– Porządku trochę zrobić, niech tak w oczy nie wpada...

Obie damy energicznie zajęły się uprzątaniem pogorzeliska, pan z bańkami skierował się w stronę domu, Sobiesław zrezygnował chwilowo z pytań, nie wątpiłam, że o zapalniczkę, poczuł się zobowiązany sięgnąć po drugi, prawie pusty kanister i poszedł za nim.

Garaż, ulokowany z boku, przy zewnętrznej ścianie, szedł na durch, jedną stroną można było wjeżdżać, a drugą wyjeżdżać, bardzo wygodnie, tyle że wymagało to większej przestrzeni. Istniała ogromna szansa, że za jakieś dwa lata bambus zarośnie to miejsce dokładnie, likwidując jeden wyjazd. Albo wjazd, bez różnicy.

Sierżant również podążył w stronę garażu, dotarł do otwartych wrót i wrósł w ziemię. Stał niczym posąg i wpatrywał się w przednią szybę szarego passata. Stał i stał, wpatrywał się i wpatrywał, tak długo, że w końcu też spojrzałam. Nic szczególnego nie zobaczyłam, szyba jak szyba, nawet czysta, widać było przez nią wsteczne lusterko i wiszącą na nim maskotkę, małą małpkę na cienkim sznureczku...

☆ ☆ ☆

Konfrontacja z panią zoolog przesądziła sprawę. Tak jest, to tę właśnie głowę widziała w stojącym naprzeciwko jej domu samochodzie. Te brwi, ten nos i to międlenie ustami. I tę małpę, z całą pewnością.

Nawiasem mówiąc, przy nas pan Majda nie międlił, ponieważ był wściekły, awanturował się i niczego w sobie nie dusił. Jak później wyszło na jaw, międlił tylko wtedy, kiedy musiał opanowywać zdenerwowanie.

Dociśnięty nieco, w opanowaniu wytrwał krótko. Usiłował, co prawda, z początku godnie milczeć, ale rychło emocje wygrały walkę z usiłowaniami. Wólnicki poddał się nawale, nie próbując jej się przeciwstawiać, z majaczącymi gdzieś w tle wiatrakami i don Kichotem, zatroskany już tylko o wytrzymałość utrwalających głos przyrządów. Pan Majda w szale wypluwał z siebie swoją martyrologię ogrodniczą.

– Panie, od dziecka...! Od urodzenia...! Na botanikę chciałem iść, na SGGW, na ogrodnictwo...! Do ekonomii mnie zmusili, do księgowości, do maklerstwa, ojciec, dziadek, cała rodzina...! No to co, że umiałem liczyć, no to co, że zarabiałem, panie, ja gdzieś mam liczby, w dupie, powiem wyraźnie, w dupie!!! Ogród chciałem mieć, całe życie, ogród...!!! Nawet działki pracowniczej nie dali, bo rodzina zamożna, kupić, a co pan kupił w tamtym ustroju, żeby ten cały komunizm z piekła nie wyjrzał!!! Panie, ja już stary jestem, ja mam sześćdziesiąt osiem lat, ile się jeszcze nażyję?! Do stu dwudziestu dociągnę?! Pan se sam dociąga, beze mnie!!! Wreszcie mi ta głupia gęś sprzedała, wszystko naraz trzeba było zrobić, a skąd ja miałem sam umieć, jak i kiedy, urlop nie urlop, na trzech etatach, fachowiec w trzy lata zrobić potrafi, wziąłem fachowca, krowa mi go naraiła, a zachwyty, a on sam, wszystko potrafi, co potrafi, gówno potrafi!!! Kantować potrafi!!! Panie, ja pracuję, nie nakradłem się, w polityce nie robię!!! Złote góry mi obiecywał, pierwszy gatunek, wszystko co najlepsze, płaciłem za to najlepsze bez słowa, kumkwat perłowy, panie, jak ze śmierdzącym jajkiem dookoła chodziłem, jak mi usechł na pieprz, jak mi się jeszcze nowy sekator w ręku rozleciał, jak się pokazało, że ja w puszczy bambusowej zaginę, coś mi się zrobiło! Ja go wcale nie chciałem zabijać, ja mu chciałem po mordzie dać, panie, zarażony bez na samym początku mi wtrynił, trzy lata paskudzenia, trzy lata...!!! Jedno za drugim diabli brali, ja chory człowiek jestem, uschnięte, zrudziałe, spaskudzone, to śmietnik, a nie ogród...!!!

Wreszcie pan Majda się popłakał i nieco go zatchnęło. Komisarzowi wykrzyczane treści brzmiały jakoś dziwnie znajomo, bardzo ostrożnie jął wyjaśniać szczegóły techniczne dochodzenia, starannie unikając jakiejkolwiek wzmianki o przyrodzie żywej, żeby przesłuchiwanego nie rozdrażniać. Na inne tematy pan Majda rozmawiał ze znacznie większym opanowaniem.

– Szalik? – zdziwił się. – Jaki szalik? A, szalik...! Tego parszywca szalik!!!

No i, niestety, znów się zaczęło. Pan Majda znalazł ten szalik w bambusie. Przystrzygł kępę na równo, wyjechał na trzy tygodnie, wrócił i dwa razy wyższa się zrobiła, szlag go trafił, a w sobotę akurat ten młody łajdus róże mu przywiózł, sam je sobie zamawiał w takim jednym ogrodnictwie i teraz nie wie, czy nie od Krzewca były, a on już od Krzewca niczego nie chciał! A on może jeszcze mu i te róże wtrynił! Szalika też nie chciał! Znalazł go, jak resztkę tej kamfory wychlapywał w niedzielę i złapał, i wziął ze sobą, żeby mu w gardło wepchnąć! Nie wie, czy wepchnął, może w nerwach zapomniał!

Nie, wcale nie zamierzał rzucać podejrzenia na młodego łajdusa, chociaż tak naprawdę było mu wszystko jedno. To wspólnik tamtego złoczyńcy! Ale szalik, myślał, że ogrodnika i ciemno w oczach mu się zrobiło, nie dość, że bambus, jeszcze i garderobę u niego zostawia, na pamiątkę może, co...?!

No dobrze, a czy pan Majda coś stamtąd zabrał? Pan Majda zdziwił się bardzo, co miał zabierać? Nic nie zabrał. Przeciwnie, zostawił parszywy szaliczek. Załatwił sprawę i poszedł.

No owszem, pojechał tam samochodem. Swołocza nie było w domu, więc czekał i z chwili na chwilę był bardziej wściekły. I jak go wreszcie zobaczył, znów ciemno mu się przed oczami zrobiło, ten kwiat w donicy, ani go przesadzić, ani co, ten sekator, to od niego był przecież, niech go sobie zeżre, ten bambus przeklęty, nie wie, jak tam wszedł, chyba tuż za nim się wepchnął i prawdę mówiąc, oprzytomniał dopiero, kiedy on już leżał. Leżał, podlec, i udawał, że nie słyszy, co się do niego mówi!!!

Ciężko Wólnickiemu szło to przesłuchanie.

Do odcisku palca na donicy bez oporu przyznała się pani Majdzina. Jasne, że jej dotykała, wszystkiego we własnym domu dotyka, sprząta przecież i kurze wyciera. Nie, o nagannym czynie męża pojęcia nie miała, jak wyszedł wściekły, tak i wściekły wrócił, tyle że już bez tego idiotycznego kwiatka, powiedział, że go wyrzucił, czemu się nawet zbytnio nie dziwiła. Jej w ogóle trudno w to okropne wydarzenie uwierzyć, chociaż mąż nerwowy, mógł, owszem, pana Krzewca stuknąć, ale żeby aż tak...? Pan Krzewiec chyba jakiś przesadnie delikatny...? Mąż w ogóle nie dziabał, to mowy nie ma, on tylko ten sekator panu Mirkowi wtykał...

No i nareszcie wszystko się zgodziło...

☆ ☆ ☆

Całą wiedzę o zeznaniach uzyskaliśmy via Sobiesław, któremu fotograf informacji nie skąpił.

Kością zgryzoty dla komisarza Wólnickiego okazał się Szrapnel, co nas wszystkich bardzo zaintrygowało, bo na dobrą sprawę, co ten Szrapnel miał tu do czynienia? Sobiesław wyjaśnił, że dzwonił. Sam się podłożył, dzwonił jak wściekły do ofiary zbrodni i te jego wszystkie telefony o mało Wólnickiego nie wykończyły, Szrapnel nie używał bowiem własnej komórki, tylko cudzych, w tym pozostawionej w Warszawie przez pomyłkę komórki przyjaciółki swojej siostrzenicy, a przyjaciółka pojechała do Egiptu. Ze skąpstwa to robił. Świństwo roślinne też wymyślił ze skąpstwa i z chciwości, ale nie w tym rzecz, umówiony był z panem Mirkiem, że odpady będą zabierane na bieżąco, a tu nagle chała. I też nie w tym rzecz. Pan Mirek nawalił w bambusie.

Szrapnel miał u siebie bambus, wyrwany, wykopany, składowany do wywiezienia i teoretycznie zniszczenia, w praktyce do uszczęśliwienia kolejnej ofiary, pan Mirek się nie zgłaszał, a bambus wyrastał. Łapał korzeniem każdą odrobinę gruntu, każdą spoinę między kamiennymi kostkami, płożył się, wystrzelił nagle Szrapnelowi przy jego własnej werandzie, zaczął zarastać wjazd na teren, z godziny na godzinę było gorzej, a pan Mirek nic. Szrapnel dostał szału, wpadł w rozpacz i jął popełniać nieostrożność za nieostrożnością.

I taki piękny przekręt całkiem mu się zawalił.

Tego właśnie komisarz nie potrafił zrozumieć. Żeby głupi bambus mógł człowieka doprowadzić do takiego otumanienia? I Majda też przez bambus...? To wprost niemożliwe. Nie zetknął się z tym osobiście, nie był w stanie uwierzyć, chyba powinien sprawdzić to doświadczalnie...

– Kazio ma obawy, że ten cały Wólnicki osobiście zacznie hodować bambus na dziedzińcu komendy – wyjawił nam Sobiesław, rozweselony. – Wszystko mu pasuje doskonale, poza tym jednym. Bambus jako motyw przestępstwa!

Znów odbywało się u mnie zebranko w komplecie.

Przy okazji czekałam na Beatę, do której się wreszcie dodzwoniłam z komunikatem, że już jestem. Ucieszyła się nadzwyczajnie i zapowiedziała natychmiastowy przyjazd, bardzo zaciekawiona, bo zdążyłam jej napomknąć o sensacjach.

– I wszystko ci razem przywiozę – obiecała żarliwie.

Nie pamiętałam wprawdzie, co to było to wszystko, co miała mi przywieźć, przeciwnie, wydawało mi się, że raczej miała wziąć ode mnie, ale nie żywiłam wątpliwości, że cokolwiek by przywiozła, obejrzymy dzieła sztuki. Dodatkowa przyjemność. Uświetnienie sukcesu komisarza, z pominięciem oczywiście bambusa.

Zabrałam ze stołu zapalniczkę i postawiłam ją na półce pod ścianą, żeby nie gnębiła nas swoim widokiem. Komisarzowi się w końcu udało, mnie nie.

Witek, jak zwykle, wspierał się łokciami o bufet nad naszymi głowami. Twierdził, że pracę ma w zasadzie siedzącą, więc bardzo chętnie sobie postoi, tym bardziej, że z tego miejsca ma blisko do lodówki z napojami.

– Nie wiem, czy to już koniec – rzekł ostrzegawczo. – Ta zapalniczka, jak dotąd, wykończyła dwie osoby, a ciągle jej nie ma. Kto będzie trzeci?

– Kracze – skrytykowała go Małgosia.

– To uważasz, że u kogo jeszcze może być? – zainteresował się Tadzio. – Bo ani u ofiar, ani u sprawcy jej nie znaleźli?

– Może źle szukali...

– To szczęście, że ten Majda się przyznał! – westchnął pan Ryszard. – Henio już był ugotowany, a ja miałem same kłopoty z transportem. Wypuścili go, ale bardzo niechętnie.

– Bo chyba łatwiej im było uwierzyć w motywy uczuciowe niż roślinne – powiedziałam w zadumie. – Z miłości i zazdrości od wieków zabijali się gęsto, nikt nikogo dotychczas nie zabił za bambus. O ile wiem.

– I dla pieniędzy...

– Pieniędzy to się tu nachapali, że ho, ho – mruknął Witek i zagrzechotał lodem w szklance. – Lepiej by się im opłaciło chodzić z kopytem po prośbie.

Wtrąciła się zgnębiona Julita.

– Sobiesław mówi, że szukali porządnie. Powiedz im to jeszcze raz, ze szczegółami!

– Zgadza się – wsparł ją Sobiesław. – Uczuliłem Kazia, bez skutku. Nigdzie nie było, ani u Majchrzyckiej... ci Pasieczniakowie do bursztynu się przyznali, a do zapalniczki nie, to znaczy, mnie się przyznali, bo Mirek im obiecywał drugi taki wór i mieli nadzieję, że gdzieś to jest, a tymczasem było ledwo trochę drobiazgu... Cholera, przez tyle lat się odcinałem, a teraz za niego oczami świecę...! W każdym razie zapalniczki się wyparli. U Majdy też nie było, przekopali wszystko...

– A Majdowa żona przysięgła, że na oczy czegoś takiego nie widziała – przypomniała Małgosia.

– U Krystyny szukałem osobiście – ciągnął zmartwiony Sobiesław. – Chętnie mi pozwoliła, chociaż z góry wiedziała, że nie ma. U tej Wiesi... Wandzi... Jak jej tam, dziewczyny Henia...?

– Sam tam byłem – podjął pan Ryszard. – Sam szukałem, bo gliny nie chciały, Henio szukał, Wandzia, ta jej szefowa, ogrodniczka, po rodzinie pytała, wszyscy chyba z tego zgłupieli, bo skoro Wandzia wiedziała, że jej nie ma, to co? Pan Mirek potajemnie ją tam ukrył? I po jakiego grzyba?

Znaleźliśmy się w punkcie wyjścia. Komisarz Wólnicki mógł sobie kwiczeć ze szczęścia, wiedzieliśmy już, że ambicją wiedziony, uparł się znaleźć sprawcę zbrodni przed powrotem z urlopu swojego zwierzchnika, Górskiego, stąd przeraźliwy chaos, jaki w dochodzenie wprowadził, no dobrze, znalazł. Górski miał wrócić pojutrze. I co nam z jego sukcesu?

Aferę botaniczną udało się rozpętać, już zaczęli likwidować tę jakąś zarazę, ale to właściwie zasługa Majdy, nie nasza. O bursztynie Pasieczniaków nikt z nas słowa nie powie, bo tak się ten nasz bursztyn marnuje, że przyda się każda odrobina korzyści. Reklama w Kalifornii, proszę bardzo, czysty zysk. Julita i Sobiesław... a owszem, z tego może coś sensownego wyniknąć, wygląda nawet na to, że już wynika, bez mojej zapalniczki zaś w życiu by się nie zetknęli!

Tylko gdzie, do stu piorunów jest ta cholerna zapalniczka...?!

Brzęknął gong u furtki i prawie natychmiast szczęknęły otwierane drzwi. Beata! Zerwałam się z kanapy.

– Bardzo cię przepraszam, już tydzień temu powinnam była zadzwonić!

– Nic nie szkodzi, o, cześć wszystkim, jeszcze zdążę bez żadnego problemu. To ja cię przepraszam...

– A ty mnie za co?

– Za niedopatrzenie. Ale nadrobiłam!

Tadzio przeniósł się na kanapę, zrobił jej miejsce na fotelu. Beata grzebała w torbie, wyciągając pudełka, torebki i paczuszki.

– Jeszcze tylko jej brakowało tutaj, zaraz po tej zbrodni – zauważyła złośliwie Małgosia. – Popatrzcie, też czarna i w czerwonym!

Dopiero teraz zauważyłam, że Beata się przemalowała, pół roku temu była jasnoruda, teraz wróciła do własnej czerni włosów. W czerwonej bluzeczce kolorystycznie pasowała do Julity w pierwotnej wersji, pomyślałam, że Małgosia ma rację, komisarz dostałby chyba obłędu na widok tylu podejrzanych. Wedle zeznań siostry denata pana Mirka trzasnęła dziewczyna czarno-czerwona...

– Pokaż czym prędzej, co masz! – wykrzyknęła z szalonym zainteresowaniem Julita, znająca doskonale twórczość Beaty.

Beata wyciągnęła ostatni pakunek, największy, odwinęła serwetkę śniadaniową i postawiła na stole moją zapalniczkę.

Milczenie nagle zapadło straszliwe.

– Oczyściłam ją, tak jak chciałaś, rzeczywiście całe srebro sczerniało, zupełnie inaczej teraz wygląda, o, popatrz...

Odwróciła ją do góry dnem. Srebrny pasek z dedykacją zalśnił blaskiem nowości.

Milczenie panowało nadal.

– Te dwa z boku, miałam z nimi trochę kłopotów, bo nie chciałam dotknąć drewna, ale udało się. Nie chcę się chwalić, ale uważam, że bardzo ładnie wyszły.

– Skąd to masz? – spytała nagle Małgosia bardzo dziwnym głosem.

Beata zawahała się na moment. Odstawiła zapalniczkę i sięgnęła po następny pakuneczek.

– Och, to już chyba powiem prawdę. Zapomniałam o niej oczywiście – wyznała ze skruchą. – I głupio mi było się przyznać, więc specjalnie po nią przyjechałam. Wiedziałam, że lada chwila wracasz... Miałam nadzieję, że ktoś tu będzie, Małgosia albo Witek, okazało się, że akurat jest cały tłum i panowało takie zamieszanie, że już nie... szukałam... nikogo...

Przerażająca cisza dotarła do niej. Też na chwilę zamilkła, patrząc na resztę z niepokojem.

– Coś niedobrze...? Naprawdę głupio mi było... Bo przecież obiecałam ci... Nie zabrałam jej, jak tu byłam ostatnim razem i rozmawiałyśmy o tym, to skleroza... Więc przyjechałam. Cały dom otwarty i wszyscy się kręcili, zakradłam się, złapałam ją i uciekłam, miałam nadzieję, że nikt tego nie zauważy i nie posądzi mnie o kradzież. Przecież i tak powinnam ją mieć u siebie...

– Jezus, Mario... – powiedziała Julita ze zgrozą.

Pan Ryszard uruchomił się pierwszy.

– To jednak Henio miał rację – zauważył triumfująco. – Pani Julita rzeczywiście wychodziła dwa razy. Nie znał pani Beaty, a kolory zobaczył te same. Niegłupi chłopak, nie zwolnię go za nic w świecie.

Odblokowało mnie i złapałam dech.

– Boże jedyny! Absolutnie i na śmierć o tym zapomniałam! To ten śmietnik na stole, niczego nie sprzątnęłam...! Wyjechałam następnego dnia rano, byłam pewna, że wzięłaś wszystko...!

– Z wyjątkiem kurczaczków – bąknęła Beata nieśmiało.

– Ochchch... cholera...!

Kurczaczki...! Piekielne, żółciutkie kurczaczki...! Żeby je piorun strzelił, Beata miała zamówienie na koszyczek wielkanocnych kurczaczków z bursztynu, jakaś głupia osoba z polonii amerykańskiej żebrała o to ze łzami w oczach, płaciła straszne pieniądze, na dwa malutkie, ostatnie kurczaczki zabrakło jej surowca, a ja miałam akurat bursztyn w idealnym kolorze. Ktoś miał jechać do Stanów z tym draństwem i to już była ostatnia chwila, dlatego umówiłam się, że zadzwonię natychmiast po powrocie! I dlatego uporczywie czepiało się mnie to idiotyczne skojarzenie, zapalniczka z kurczaczkami...!

Stłumiłam jęki.

– Leży ten bursztyn dla ciebie, zapakowany oddzielnie, w torebeczce, czekaj, przyniosę, weź go od razu, bo znów się zapomni. Bierz natychmiast, schowaj do torby!

Wszyscy zaczęli mówić równocześnie. Wszyscy, z wyjątkiem Sobiesława, wiedzieli doskonale, że już dawno krzywiłam się na poczerniałe ze starości srebro, że już dawno zamierzałam je oczyścić. I nikt, ale to nikt kompletnie tego nie pamiętał!

Gdybym bodaj wysiliła się nieco i uściśliła skojarzenie...! Jeden telefon do Beaty wystarczał, żebyśmy nie wygłupiali się z matactwami i mieszaniem w zbrodnie, mógł sobie Majda zabijać ogrodnika bez naszego udziału! I mógł pan Mirek odpychać Wiwien, ile mu się podobało, też bez nas, może nieszczęsny komisarz Wólnicki miałby łatwiejszą robotę i mniejszy galimatias...!

No tak, ale wtedy nie spotkaliby się Julita z Sobiesławem...

Wyłącznie arcydzieła Beaty zdołały ukoić nasze uczucia. Dwa naszyjniki, trzy wisiory, jeszcze kilka drobiazgów, a cóż za cudowności ona robiła! Stanowczo powinna zastąpić pana Pasieczniaka w Kalifornii.

Sięgnęłam po tę drugą zapalniczkę, nielegalną, podwędzoną nieboszczykowi.

– Niech to ktoś ode mnie zabierze. Nie życzę sobie w ogóle na to patrzeć. Panie Sobiesławie, w spadku ona się należy panu.

Sobiesław nie chciał.

– Mowy nie ma. Do Mirka też nie należała. Ta idiotka mu ją wtryniła, a nawet nie wiem, czy to było jej. Kto ją przywiózł? Brygida. Dla kogoś...

– Dla tego spadkodawcy, jak mu tam było, Wiśniewski.

– To właściwie czyje to teraz jest? – zainteresował się Tadzio.

– Spadkobiercy. Młodego Majchrzyckiego.

– Podzielił mienie z Wiwien! Miała prawo obdarować pana Mirka!

– Miała czy nie miała, istnieją przecież jeszcze jacyś Majchrzyccy? Znalazła ich pani? Może oni powinni to dostać?

– O, rzeczywiście. Już lecę do nich z komunikatem, że ją rąbnęłam ofierze zbrodni i oszukiwałam policję z całej siły...

– To nie ty ją rąbnęłaś, to my...

– Ściśle biorąc, ja – rzekł zimno pan Ryszard. – I wcale nie zamierzam się do tego przyznawać. I w ogóle nie wiem, jak pani im to wytłumaczy, chyba że chce ją pani podrzucić tym ludziom potajemnie.

– To może ja nie będę na razie zabierał z powrotem wytrychów? – spytał Tadzio z uciechą.

Na myśl, że mielibyśmy teraz zacząć się zakradać do obcych osób w celu wzbogacenia ich podejrzanym mieniem, zrobiło nam się trochę słabo. Trudno było przy tym ustalić, kto właściwie miałby to robić. W tle majaczyła Brygida Majchrzycka, kojarzyła się z Wiwien, wizja była zupełnie okropna i w rezultacie nadłamała się zasadnicza część towarzystwa.

Sobiesław zgodził się wziąć zapalniczkę.

K o n i e c

Bibliografia dotychczasowej twórczości Joanny Chmielewskiej

Klin 1964

☆

Wszyscy jesteśmy podejrzani 1966

☆

Krokodyl z Kraju Karoliny 1969

☆

Całe zdanie nieboszczyka 1972

☆

Lesio 1973

☆

Zwyczajne życie 1974

☆

Wszystko czerwone 1974

☆

Romans wszech czasów 1975

☆

Większy kawałek świata 1976

☆

Boczne drogi 1976

☆

Upiorny legat 1977

☆

Studnie przodków 1979

☆

Nawiedzony dom 1979

☆

Wielkie zasługi 1981

☆

Skarby 1988

☆

Szajka bez końca 1990

☆

2/3 sukcesu 1991

☆

Dzikie białko 1992

☆

Wyścigi 1992

☆

Ślepe szczęście 1992

☆

Tajemnica 1993

☆

Wszelki wypadek 1993

☆

Florencja, córka Diabła 1993

☆

Drugi wątek 1993

☆

Zbieg okoliczności 1993

☆

Jeden kierunek ruchu 1994

☆

Autobiografia 1994, 2000, 2006

☆

Pafnucy 1994

☆

Lądowanie w Garwolinie 1995

☆

Duża polka 1995

☆

Dwie głowy i jedna noga 1996

☆

Jak wytrzymać z mężczyzną 1996

☆

Jak wytrzymać ze współczesną kobietą 1996

☆

Wielki Diament t. I/II 1996

☆

Krowa niebiańska 1997

☆

Hazard 1997

☆

Harpie 1998

☆

Złota mucha 1998

☆

Najstarsza prawnuczka 1999

☆

Depozyt 1999

☆

Przeklęta bariera 2000

☆

Książka poniekąd kucharska 2000

☆

Trudny trup 2001

☆

Jak wytrzymać ze sobą nawzajem 2001

☆

(Nie)Boszczyk mąż 2002

☆

Pech 2002

☆

Babski motyw 2003

☆

Las Pafnucego 2003

☆

Bułgarski bloczek 2003

☆

Kocie worki 2004

☆

Mnie zabić 2005

☆

Przeciwko babom! 2005

☆

Krętka Blada 2006

☆

Zapalniczka 2007

Czytelników zainteresowanych kupnem książek Joanny Chmielewskiej w systemie sprzedaży wysyłkowej prosimy o kierowanie zamówień pod adresem:

Pafnucy (oprawa twarda) . . . . 49,00 zł/egz.
Lądowanie w Garwolinie . . . . 25,00 zł/egz.
Duża polka . . . . 24,00 zł/egz.
Dwie głowy i jedna noga . . . . 25,00 zł/egz.
Wielki Diament t. I/II . . . . 48,00 zł/kpl.
Krowa niebiańska . . . . 25,00 zł/egz.
Harpie . . . . 28,00 zł/egz.
Złota mucha . . . . 26,00 zł/egz.
Najstarsza prawnuczka . . . . 35,00 zł/egz.
Depozyt . . . . 29,90 zł/egz.
Przeklęta bariera . . . . 29,00 zł/egz.
Trudny trup . . . . 25,00 zł/egz.
Jak wytrzymać ze sobą nawzajem . . . . 25,00 zł/egz.
(Nie)Boszczyk mąż . . . . 28,00 zł/egz.
Pech . . . . 28,00 zł/egz.
Babski motyw . . . . 27,00 zł/egz.
Las Pafnucego . . . . 49,00 zł/egz.
Bułgarski bloczek . . . . 28,00 zł/egz.
Kocie worki . . . . 28,00 zł/egz.
Mnie zabić . . . . 29,00 zł/egz.
Przeciwko babom . . . . 26,00 zł/egz.
Krętka Blada . . . . 33,50 zł/egz.
Autobiografia t. 1 . . . . 35,00 zł/egz.
Autobiografia t. 2 . . . . 37,00 zł/egz.
Autobiografia t. 3 . . . . 35,00 zł/egz.
Autobiografia t. 4 . . . . 36,00 zł/egz.
Autobiografia t. 5 . . . . 34,50 zł/egz.
Autobiografia t. 6 . . . . 37,00 zł/egz.
Zapalniczka . . . . 34,90 zł/egz.

Uwaga!
Procimy o nieprzysyłanie pieniędzy w listach. W cenę detaliczną wliczony jest koszt dostarczenia przesyłki. Płatność przy odbiorze. Realizacja zamówienia – 7–14 dni.
Sprzedaż aktualna do wyczerpania nakładu.